Por que o tempo voa

Alan Burdick

Por que o tempo voa

Uma investigação sobretudo científica

tradução
Paulo Geiger

todavia

Para Susan

Eu vos confesso, Senhor, que mesmo hoje ainda ignoro o que é o tempo; mas vos louvo, Senhor, pelo fato de saber que estou fazendo esta confissão dentro do tempo, e por minha constatação de que dentro do tempo estou falando sobre o tempo com tanta extensão, e por saber que a própria "extensão" só é extensa porque o tempo tem passado enquanto isso.

Santo Agostinho, *Confissões*

Uma das garotas concebeu um método de carimbar envelopes que lhe permitiu trabalhar com uma velocidade entre cem e 120 envelopes por minuto... Só não sabemos quais processos foram seguidos no desenvolvimento desse método, já que a garota o estudou e pôs em operação enquanto o escritor estava tirando férias.

Frank Gilbreth, *Motion Study: A Method for Increasing the Efficiency of the Workman*

Avante 11

As horas 19
Os dias 41
O presente 111
Por que o tempo voa 259

Agradecimentos 353
Notas sobre as fontes 355
Referências bibliográficas 357
Índice onomástico 379

Avante*

Às vezes, à noite — nos últimos tempos mais do que eu gostaria —, acordo com o ruído do relógio de cabeceira. O quarto está escuro, não consigo ver detalhes, e na escuridão ele se expande de tal forma que parece que estou lá fora, debaixo de um céu infindável e vazio, mas ao mesmo tempo debaixo da terra, numa ampla caverna. Posso estar caindo no espaço. Posso estar sonhando. Posso estar morto. Só o relógio se movimenta, num tique-taque contínuo, sem pressa, implacável. Nesses momentos tenho a mais clara e assustadora compreensão de que o tempo se movimenta em apenas uma direção.

No início, ou bem antes disso, não havia tempo. Segundo os cosmólogos, o universo começou há cerca de 14 bilhões de anos com um "big bang" e num instante se expandiu para algo perto de seu tamanho atual e continua a se expandir, a uma velocidade mais rápida que a da luz. Antes de tudo isso, no entanto, não havia nada: nem massa, nem matéria, nem energia, nem gravidade, nem movimento, nem mudança. Nem tempo.

Talvez você possa imaginar como seria isso. Eu não consigo compreender. Minha mente se recusa a acolher essa ideia, e em vez disso insiste: de onde veio o universo? Como pode algo aparecer do nada? Em termos hipotéticos, vou aceitar que

---

* Aqui há um jogo de palavras: em vez do usual *foreword*, "prefácio", o autor usou *forward*, "avante, adiante, para a frente". [N.T.]

talvez o universo não existisse antes do Big Bang — mas ele explodiu *a partir* de alguma coisa, certo? O que era? O que existia antes do início?

Propor essas questões, disse o astrofísico Stephen Hawking, é como estar no polo Sul perguntando em que direção fica o sul: "Tempos anteriores simplesmente não são definíveis". Talvez Hawking esteja tentando nos tranquilizar. O que ele parece estar dizendo é que a linguagem humana tem um limite. Nós (ou ao menos quase todos nós) chegamos a esse limite sempre que refletimos sobre o cósmico. Imaginamos por meio de analogias e metáforas: essa coisa estranha e vasta é parecida com essa coisa menor e mais familiar. O universo é uma catedral, um mecanismo de relógio, um ovo. Mas no fim as paralelas se afastam; só um ovo é um ovo. Essas analogias são sedutoras precisamente porque são elementos tangíveis do universo. Como termos, são autocontidos e autocontinentes — mas não podem conter o continente que os mantém.

O mesmo sucede com o tempo. Sempre que falamos sobre ele, fazemos isso em termos de algo menor. Achamos ou perdemos tempo, como se fosse um molho de chaves; nós o poupamos ou gastamos, como se fosse dinheiro. O tempo rasteja, arrasta-se, voa, escapa, flui e fica parado; é abundante ou escasso; pesa em nós, com um peso palpável. Os sinos repicam por um "longo" ou "breve" tempo, como se seu som pudesse ser medido com uma régua. A infância recua, os prazos se distendem. Os filósofos contemporâneos George Lakoff e Mark Johnson propuseram um experimento mental: pare um instante e tente se referir ao tempo apenas em seus próprios termos, destituído de qualquer metáfora. Você vai ficar de mãos vazias. "Será que para nós o tempo ainda seria tempo se não pudéssemos *desperdiçá-lo* ou *orçá-lo*?", eles se perguntam. "Achamos que não."

Comece com uma palavra, como Deus fez, Agostinho exorta o leitor: "Vós falastes e coisas foram criadas. Com vossa palavra vós as criastes".

O ano é 397. Agostinho tem 43 anos, no meio do caminho de sua vida como um sobrecarregado bispo em Hippo, cidade portuária no norte da África, do decaído Império Romano. Ele escreveu dezenas de livros — coleções de sermões, reprimendas eruditas a seus inimigos teológicos — e agora está escrevendo as *Confissões*, um livro estranho e cativante que levará quatro anos para ser concluído. Nos nove primeiros de seus treze capítulos, Agostinho relata detalhes de sua vida, desde a infância (o melhor que ele pode inferir) até sua adesão formal ao cristianismo, em 386, e a morte de sua mãe, no ano seguinte. Nesse percurso, fala de seus pecados, entre eles o do roubo (ele havia furtado peras da árvore de um vizinho), sexo fora do casamento, astrologia, previsão do futuro, superstições, interesse no teatro e mais sexo. (Na verdade, Agostinho foi monógamo durante quase toda a vida: primeiro teve uma companheira por muito tempo, mais tarde uma esposa num casamento arranjado, depois do qual ele adotou a castidade.)

Os quatro capítulos restantes são algo totalmente diverso: uma longa meditação sobre — em ordem ascendente — memória, tempo, eternidade e Criação. Agostinho é sincero quanto a sua ignorância do divino e da ordem natural, e obstinado em sua busca de esclarecimento. Suas conclusões e seu método introspectivo informariam filósofos subsequentes durante séculos, desde Descartes (cujo *cogito ergo sum* — "penso, portanto existo" — é um eco direto de *dubito ergo sum*, "duvido, portanto existo", de Agostinho) até Heidegger e Wittgenstein. Ele se agarra ao Início: "Vou começar a responder ao inquisidor que pergunta: 'O que fazia Deus antes de criar o céu e a terra?'. Porém não vou responder com aquela piada que, segundo consta, alguém fez: 'Ele está preparando o inferno para pessoas que perscrutam inquisitivamente questões profundas'".

As *Confissões* de Agostinho são às vezes descritas como a primeira autêntica autobiografia — uma história de si mesmo que conta como um *eu* cresceu e mudou com o tempo. Cheguei a pensar nela como sendo a memória de uma evasão. Nos primeiros capítulos, a divindade bate à porta mas Agostinho não responde. Ele é pai de um filho ilegítimo; quando está estudando retórica em Roma se alia a um grupo de amigos agitadores que chama de "os demolidores"; sua mãe devota se preocupa com seu estilo de vida rebelde. Mais tarde, Agostinho descreve esse período de sua vida como "não mais que uma ansiosa distração". Suas *Confissões* manifestam algo que viemos a abraçar como uma ideia totalmente moderna, conhecida por todos que estiverem familiarizados com a psicoterapia: que o disperso passado de alguém pode ser reformatado num significante presente. Suas memórias são suas, e por meio delas você pode moldar para si uma nova narrativa que esclarece e define quem você é. "A partir dos dias de uma dispersão anterior posso me recolher numa identidade", escreve Agostinho. É uma autobiografia de autoajuda. *Confissões* é um livro sobre muitas coisas, e as principais são as palavras e sua capacidade de, com o correr do tempo, redimir.

Durante muito tempo, o tempo foi algo que tentei ao máximo evitar. Por exemplo, durante grande parte do início de minha vida de adulto me recusei a usar um relógio. Não estou bem seguro de como cheguei a tal decisão; lembro-me vagamente de ter lido que Yoko Ono nunca usava um porque detestava a ideia de ter o tempo amarrado em seu pulso. Isso fazia sentido. O tempo, assim me parecia, era um fenômeno externo, compulsório e opressivo — e portanto algo que eu podia decidir ativamente retirar de minha pessoa e deixar para trás.

Essa ideia me proporcionou, de início, uma profunda sensação de prazer e alívio, como em geral fazem as rebeliões. Isso também significava comumente que, quando eu ia para algum lugar ou ao encontro de alguém, não era fora do tempo que eu estava, estava apenas atrás dele. Estava atrasado. E estava evitando o tempo tão efetivamente que muito tempo se passou até eu compreender o que estava fazendo. E com essa constatação, no mesmo instante seguiu-se outra: eu estava evitando o tempo porque no íntimo tinha medo dele. Eu adquiria uma sensação de controle ao perceber o tempo como externo, como se fosse algo no qual poderia entrar e do qual sair, como uma correnteza, ou passar ao largo, como se fosse um poste de iluminação de rua. Mas bem no fundo eu percebia a verdade: o tempo estava — está — *em* mim, em nós. Está lá desde o momento em que acordo até o momento em que adormeço, ele impregna o ar, permeia a mente e o corpo, rasteja entre as células de alguém, em cada instante da vida, e continuará a avançar muito depois do momento em que deixa todas as células para trás. Sinto-me infectado. E ainda não saberia dizer de onde ele veio, menos ainda para onde foi — e continua indo, sempre escorrendo. Como acontece com tantas outras coisas das quais se tem medo, não imagino o que o tempo efetivamente é, e minha habilidade em evitá-lo só me afasta ainda mais de uma resposta real.

E assim um dia, há mais tempo do que eu gostaria que fosse verdade, parti numa jornada pelo mundo do tempo para poder compreendê-lo — para perguntar, como fez Agostinho: "De onde ele vem, por onde está passando e para onde está indo?". Os aspectos puramente físicos e matemáticos do tempo continuam a ser debatidos pelas grandes mentes da cosmologia. O que interessa a mim, e o que a ciência apenas começou a revelar, é como o tempo se manifesta na biologia da vida: como é interpretado e relatado pelas células e pelos mecanismos subcelulares, e como esse relato ascende e se infiltra na neurobiologia, na psicologia e na consciência de nossa espécie. Enquanto eu viajava pelo mundo da pesquisa do tempo, e visitava seus muitos "ólogos", busquei respostas a perguntas que fazia muito me atormentavam, e talvez a você também, como: por que o tempo parecia durar mais quando éramos crianças? Será que o tempo realmente parece passar mais devagar quando você está envolvido num desastre de automóvel? Como é possível que eu seja mais produtivo quando tenho tanta coisa para fazer, e quando tenho todo o tempo do mundo não consigo terminar nada? Será que existe em nós um relógio que conta segundos, horas e dias, como o *clock* num computador? E, se temos em nós esse relógio, quão maleável ele é? Será que posso fazer o tempo acelerar, desacelerar, parar, reverter? Como e por que o tempo voa?

Não sou capaz de dizer exatamente o que estava buscando — paz de espírito, talvez, ou algum insight daquilo que Susan, minha esposa, se referiu uma vez como minha "intencional negação da passagem do tempo". Para Agostinho, o tempo era uma janela para a alma. A ciência moderna está mais preocupada em demonstrar a estrutura e a textura da consciência, conceito que é só pouco menos elusivo. (William James menosprezou a consciência como "o nome de uma não entidade [...] um mero eco, o débil rumor deixado para trás pela 'alma' que desaparece no ar da filosofia".) Mas qualquer que seja o nome que alguém lhe dê, compartilhamos uma vaga ideia do que significa: um sentido remanescente de um *self* que se movimenta num mar de *selves*, dependente porém sozinho; uma sensação, ou talvez um profundo e comum desejo, de que *eu* de algum modo pertença a um *nós*, e que esse *nós* pertença a algo ainda maior e menos compreensível; e o pensamento recorrente — tão fácil de se pôr de lado no esforço diário de atravessar a rua com segurança e percorrer a lista das tarefas por fazer, muito menos quando se enfrenta a verdadeira crise do mundo — de que meu tempo, nosso tempo, tem importância exatamente porque termina.

Então idealizei uma reflexão, e talvez um acerto de contas. Devo mencionar aqui que demorei muito mais tempo para escrever meu livro anterior do que eu pretendia ou imaginava ser possível. Assim, fiz um juramento a mim mesmo: só levaria a cabo um novo livro com a condição de que o terminaria absolutamente em tempo — e num tempo razoável. De fato, *Por que o tempo voa* deveria ser um livro sobre o tempo, escrito no tempo programado. É claro que não foi. O que começou como uma jornada evoluiu para algo entre passatempo e obsessão, e me acompanhou de um emprego para outro, no nascimento de meus filhos, na pré-escola, no ensino básico, nas férias na praia, e cancelou prazos assumidos e jantares marcados; sob seu domínio eu olhei para o relógio mais preciso do mundo, experimentei as noites brancas do Ártico e caí de uma grande altura nos braços da gravidade. Meu tema se instalou para um longo prazo, um hóspede faminto, fascinante e instrutivo, tanto como o próprio tempo.

Eu mal tinha começado quando descobri um fato fundamental sobre o tempo: não existe apenas uma verdade quanto a ele. Em vez disso, achei uma multidão de cientistas ao longo do espectro da pesquisa do tempo; cada um é capaz de falar com segurança sobre seu estreito comprimento de onda, mas nenhum deles poderia dizer como tudo isso se soma numa luz branca ou com o que isso se parece. "Exatamente quando você pensa que entendeu o que está acontecendo", disse-me um deles, "outro experimento muda um pequeno aspecto, e de repente você de novo não sabe o que está acontecendo." Se há algo em que os cientistas concordam é que ninguém sabe o bastante sobre o tempo, e que essa falta de conhecimento é surpreendente, dado quão penetrante e integral é o tempo em nossa vida. Outro pesquisador confidenciou: "Posso imaginar alienígenas chegando um dia do espaço exterior e dizendo: 'Oh, na verdade, o tempo é isso e isso', e todos nós assentimos como se tivesse sido uma coisa óbvia o tempo todo". Se fosse alguma coisa, o tempo me pareceria muito semelhante com o clima: algo do qual todo mundo fala mas nunca faz nada a respeito. Eu pretendi fazer as duas coisas.

As horas

*Pode-se esperar um acordo entre filósofos mais
cedo do que um acordo entre relógios.*

Sêneca, *Apocolocintose do divino Cláudio*

Eu me instalo num assento no metrô de Paris e espanto o sono esfregando os olhos. Sinto-me desorientado. O calendário diz que estamos no fim do inverno, mas olhando pela janela o dia lá fora está quente e bonito, os brotos das folhas estão brilhando, a cidade está resplandecente. Cheguei ontem de Nova York e fiquei com alguns amigos até depois da meia-noite; hoje minha cabeça ainda está no escuro, grudada numa estação e num fuso horário que ficaram várias horas atrás de mim. Olho para o relógio: 9h44. Como de costume, estou atrasado.

O relógio é um presente recente de meu sogro, Jerry, que o usou, ele mesmo, durante muitos anos. Quando Susan e eu ficamos noivos, seus pais se ofereceram para me comprar um relógio novo. Eu recusei, mas por um bom tempo depois disso não consegui afastar de mim a preocupação de ter causado má impressão. Que tipo de genro ignora o tempo? Assim, quando Jerry me ofereceu seu velho relógio de pulso, eu imediatamente disse que sim. Tinha uma caixa dourada e uma pulseira larga de prata; um mostrador preto com a marca (Concord) e a palavra *quartz* em negrito; e as horas eram indicadas por traços, sem números. Gostei daquele peso novo em meu pulso, que me fez sentir importante. Agradeci a ele e observei, com uma precisão que naquele momento eu não era capaz de compreender, que ele seria um útil acréscimo em minha pesquisa do tempo.

Com base na evidência de meus sentidos, eu tinha chegado à crença de que o tempo "lá fora", em relógios de parede ou de mesa, relógios de pulso e horários de trem, é quantitativamente distinto daquele que passa por minhas células, meu corpo e minha mente. Mas o fato é que eu sabia tão pouco sobre o primeiro quanto sobre este último. Não era capaz de dizer como um determinado relógio de parede, de mesa ou de pulso funcionava nem como eles conseguiam concordar tanto com outros relógios para os quais eu olhava de vez em quando. Se havia uma diferença real entre os tempos exterior e interior — tão real quanto a diferença entre a física e a biologia —, eu não tinha ideia de qual seria.

Assim, meu novo relógio usado seria uma espécie de experimento. Que método melhor para fundamentar meu relacionamento com o tempo do que prendê-lo fisicamente a mim por um período? Vi resultados quase imediatos. Nas primeiras poucas horas em que usei o relógio, não consegui pensar em mais nada. Ele fez meu pulso suar e todo o meu braço repuxar. O tempo se arrastava literalmente e, como minha mente se fixava nesse arrasto, também figurativamente. Logo me esqueci do relógio. Mas na noite do segundo dia de repente me lembrei dele de novo quando, enquanto dava banho em nossos filhos pequenos, eu o percebi em meu próprio pulso, debaixo d'água.

No íntimo, eu esperava que o relógio pudesse me conferir algum grau de pontualidade. Por exemplo, eu achava que se olhasse para o relógio com bastante frequência, conseguiria chegar a tempo ao meu compromisso das dez horas, nos arredores de Paris, no Bureau International des Poids et Mesures — o Escritório Internacional de Pesos e Medidas. O Escritório é uma organização de cientistas dedicados a aperfeiçoar, calibrar e padronizar as unidades básicas de medida usadas em todo o mundo. À medida que nossa economia se globaliza, torna-se mais imperativo que todos estejamos exatamente na mesma página metrológica: que um quilograma em Estocolmo seja exatamente igual a um quilograma em Jacarta, que um metro em Bamako equivalha exatamente a um metro em Xangai, que um segundo em Nova York seja exatamente idêntico a um segundo em Paris. O Escritório é as Nações Unidas das unidades, o mundo padronizador dos padrões.

A organização se formou em 1875 na Convenção do Metro, um tratado que visava assegurar que as unidades básicas de medida fossem uniformes e equivalentes em todas as fronteiras nacionais. (O primeiro ato da Convenção foi encarregar o Escritório de providenciar réguas: trinta barras com medidas precisas, feitas de platina e irídio, que resolveriam desacordos internacionais quanto ao comprimento exato do metro.) Dezessete nações-membros se juntaram ao Escritório original; 58 pertencem a ele agora, inclusive todas as principais nações industrializadas. O conjunto de unidades-padrão que ele supervisiona cresceu para sete: o metro (comprimento), o quilograma (massa), o ampere (corrente elétrica), o kelvin (temperatura), o mol (volume) a candela (luminosidade) e o segundo.

Entre seus muitos deveres, o Escritório mantém um único quadro horário oficial para toda a Terra, chamado Tempo Universal Coordenado, ou UTC. (Quando o UTC foi concebido pela primeira vez, em 1970, as partes que o organizaram não conseguiram entrar em acordo quanto a usar o acrônimo em inglês, CUT, ou em francês, TUC, assim concordaram em ficar no meio do caminho, em UTC.) Cada mecanismo que mede o tempo no mundo, desde os superprecisos relógios em satélites de posicionamento global em órbita até os relógios de pulso movidos a engrenagens, está sincronizado direta ou posteriormente com o UTC. Onde quer que você viva ou aonde quer que vá, sempre que perguntar as horas, a resposta em última análise é mediada pelos guardiões do tempo no Escritório.

"Tempo é o que todo mundo concorda que é o tempo", explicou-me uma vez um pesquisador do tempo. Estar atrasado, portanto, é estar atrasado de acordo com um tempo acordado.

Por definição, o tempo do Escritório não é meramente o tempo mais correto no mundo, ele é exatamente *o* tempo correto. Isso significava, quando olhei mais uma vez para meu relógio, que eu não estava meramente atrasado: estava tão atrasado quanto sempre estive e tão atrasado quanto se possa estar. Logo eu ia descobrir quão atrás do tempo eu realmente estava.

Um relógio faz duas coisas: ele tiquetaqueia e conta os tiquetaques. A clepsidra, ou relógio de água, tiquetaqueia com o gotejar regular da água, que, em dispositivos mais avançados, movimenta um conjunto de engrenagens que aciona um ponteiro ao longo de uma série de números ou marcas, indicando com isso a passagem do tempo. A clepsidra era utilizada há pelo menos 3 mil anos, e senadores romanos a usavam para impedir que seus colegas falassem por tempo demais. (Segundo Cícero, "pedir o relógio" era pedir a palavra, e "dar o relógio" era cedê-la.) A água tiquetaqueava e somava o tempo.

Durante a maior parte da história, no entanto, na maioria dos relógios, o que tiquetaqueava era a Terra. Enquanto o planeta gira em torno de seu eixo, o sol cruza o céu e lança uma sombra que se move; projetada num mostrador solar, a sombra indica em que momento do dia você está. O relógio de pêndulo, inventado em 1656 por Christiaan Huygens, se vale da gravidade (afetada pela rotação da Terra) para fazer oscilar um peso para lá e para cá, o que empurra um par de ponteiros que giram no mostrador do relógio. Um tique é simplesmente uma oscilação, uma batida contínua; a rotação da Terra fornece o ritmo.

Na prática, o que tiquetaqueia é o dia, o intervalo rotacional de um nascer do sol a outro. Tudo que fica nesse intervalo — as horas e os minutos — foi inventado, um modo criado pelo homem para fracionar o dia em unidades que pudéssemos manejar para aproveitar, empregar e negociar. Cada vez mais nossos dias são governados por segundos. Eles são a moeda da vida moderna, os centavos de nosso tempo: ubíquos e críticos numa emergência (por exemplo, quando você consegue alcançar um trem numa conexão), mas suficientemente marginais para serem desprezados ou ignorados aos montes sem pensar. Durante séculos, o segundo só existiu no abstrato. Era uma subdivisão matemática, definida por uma relação: um sexagésimo de minuto, 1/3600 de uma hora, 1/86400 de um dia. Pêndulos de um segundo surgiram em alguns relógios alemães no século XV. Mas foi só em 1670, quando o relojoeiro britânico William Clement acrescentou um pêndulo de segundos, com seu familiar tique-taque, ao relógio de pêndulo de Huygens, que o segundo adquiriu uma confiável forma física ou, ao menos, audível.

O segundo chegou para ficar no século XX, com o surgimento do relógio de quartzo. Os cientistas descobriram que o cristal de quartzo ressoa como um diapasão, vibrando dezenas de milhares de vezes por segundo quando colocado num campo com oscilação elétrica. Um trabalho de 1930 chamado "O relógio de cristal" observava que essa propriedade poderia fazer funcionar um relógio; sua marcação do tempo, derivada de um campo elétrico e não da gravidade, mostrar-se-ia confiável em zonas de terremoto e em trens e submarinos em movimento. Relógios modernos de quartzo usam, tipicamente, um cristal que foi preparado a laser para vibrar exatamente 32768 (ou 2^{15}) vezes por segundo, ou seja, uma frequência de 32768 Hz. Isso provê uma conveniente definição do segundo: é o tempo de 32768 vibrações de um cristal de quartzo.

Na década de 1960, quando os cientistas conseguiram medir num átomo de césio suas 9192631770 vibrações quânticas por segundo, o segundo foi oficialmente redefinido com um acréscimo de várias casas decimais de precisão. O segundo atômico havia nascido, e a noção de tempo ficou de cabeça para baixo. O antigo esquema temporal, conhecido como Tempo Universal, foi invertido: o segundo era contado como sendo uma fração do dia, o qual se formava do movimento da Terra no céu. Agora, em vez disso, o dia é que seria medido de baixo para cima, como um acúmulo de segundos. Os filósofos debateram se esse novo tempo atômico era tão "natural" quanto o antigo tempo. Mas havia um problema maior: os dois tempos não coincidiam exatamente. A precisão cada vez maior dos relógios atômicos revelou que a rotação da Terra está pouco a pouco ficando mais lenta, aumentando muito ligeiramente a duração de cada dia. A cada poucos anos essas ligeiras diferenças se somam para chegar a um segundo; desde 1972, quase meio minuto desses "segundos bissextos" foi acrescentado ao Tempo Atômico Internacional para pô-lo em sincronia com o planeta.

Antigamente, qualquer um poderia chegar a seus próprios segundo mediante uma simples divisão. Agora os segundos nos são entregues por profissionais; o termo oficial é "disseminação", o que sugere uma atividade análoga à jardinagem ou à distribuição de propaganda. Por todo o mundo, sobretudo em laboratórios nacionais de marcação do tempo, cerca de 320 relógios de césio, cada um do tamanho de uma pequena maleta, e mais de cem grandes dispositivos movidos a maser geram, ou "percebem", segundos de alta precisão numa base quase contínua. (Os relógios de césio, por sua vez, são aferidos comparando-os com uma frequência-padrão gerada por um dispositivo chamado fonte de césio — existe cerca de uma dúzia deles —, que usa um laser para lançar átomos de césio em volta, num vácuo.) Essas constatações são então somadas para mostrar a hora do dia. Como me disse Tom Parker, ex-líder de grupo no Instituto Nacional de Padrões e Tecnologia (NIST, National Institute of Standards e Technology), "o segundo é a coisa que faz tique-taques; tempo é a coisa que conta os tique-taques".

O NIST é uma agência federal que ajuda a estabelecer o tempo civil oficial para os Estados Unidos. Especialistas em seus dois laboratórios — em Gaithersburg, Maryland, e Boulder, Colorado — mantêm doze ou mais relógios de césio funcionando em cada dado momento. Por mais precisos que sejam esses relógios, há diferenças entre eles numa escala de nanossegundos, e assim, a cada doze minutos, são comparados entre si tique a tique, para ver quais estão funcionando mais rapidamente e quais mais lentamente, e exatamente quanto. Os dados do conjunto de relógios são então misturados numericamente no que Parker chama de "média sofisticada", e isso se torna a base para o tempo oficial.

Como esse tempo chega a você depende do dispositivo marcador de tempo que você calhe de estar usando naquele momento. O *clock* de seu laptop ou computador fica se checando regularmente com outros *clocks* por toda a internet e se calibra por eles; alguns ou todos esses *clocks* passarão posteriormente pela verificação de um servidor do NIST ou outro relógio oficial e com isso serão regulados com ainda maior precisão. Todo dia, os muitos servidores do NIST registram 13 bilhões de pings de computadores de todo o mundo perguntando qual é o tempo correto. Se estiver em Tóquio, você poderá ser conectado a um servidor de tempo em Tsukuba, que é operado pelo Instituto Nacional de Metrologia do Japão; na Alemanha, a fonte é o Physikalisch Technische Bundesanstalt.

Onde quer que esteja, se você conferir o relógio em seu telefone celular, ele provavelmente estará recebendo a informação horária do Sistema de Posicionamento Global (ou GPS, Global Positioning System), uma rede de satélites de navegação sincronizada com o Observatório Naval dos Estados Unidos, perto de Washington, DC, que verifica seus segundos num conjunto de 71 relógios de césio. Muitos outros relógios — de parede, de mesa, de pulso, despertadores de viagem, de painel de automóvel — contêm um minúsculo receptor de rádio que, nos Estados Unidos, está permanentemente sintonizado para captar um sinal da estação de rádio WWVB do NIST, em Fort Collins, Colorado, que transmite a hora correta em forma de código. (O sinal é de frequência muito baixa — 60 Hz — e a banda é tão estreita que é necessário um minuto para se receber o código da hora completo.) Esses relógios podem gerar o tempo por si mesmos, mas na maior parte atuam como intermediários, entregando-lhe o tempo que é disseminado por relógios mais refinados em algum lugar mais alto da cadeia de comando do tempo.

Em contraste, meu relógio de pulso não tem receptor de rádio nem dispõe de qualquer meio para se comunicar com satélites; está totalmente fora da grade. Para me sincronizar com o vasto mundo eu tenho de olhar para um relógio preciso e girar a coroa de meu relógio, e então acerto a hora de acordo com ele. Para conseguir uma precisão ainda maior eu poderia levar regularmente meu relógio a uma loja e calibrar seu mecanismo com um dispositivo chamado oscilador de quartzo, cuja precisão vem de uma frequência-padrão monitorada pelo NIST. Se não fizer isso, meu relógio vai manter suas marcações de tempo por si mesmo, e logo ficará fora de sincronia com todos os outros. Eu tinha suposto que usar um relógio significava prender em meu pulso um tempo inequivocamente estabelecido. Mas, na realidade, a menos que o acerte com os relógios a minha volta, ainda serei um dissidente. "Você está correndo solto", disse Parker.

Do fim do século XVII ao início do século XX, o relógio mais preciso do mundo morava no Observatório Real em Greenwich, Inglaterra; era acertado regularmente pelo astrônomo real de acordo com o movimento do céu. Essa situação era boa para o mundo, mas em pouco tempo se tornou um problema para o astrônomo real. A começar por volta de 1830, ele era interrompido cada vez mais em seu trabalho por um morador da cidade que lhe batia à porta. "Desculpe-me", lhe pediam. "Pode me dizer que horas são?"

Tanta gente vinha lhe bater à porta que posteriormente a cidade solicitou ao astrônomo um serviço apropriado; em 1836 ele designou seu assistente, John Henry Belville, para a tarefa. Toda manhã de segunda-feira Belville calibrava seu relógio — um cronômetro de bolso originalmente feito para o duque de Sussex pela considerada relojoaria John Arnold & Son — com o tempo do observatório. Depois ia para Londres, visitar seus clientes — mestres relojoeiros, consertadores de relógios, bancos e cidadãos privados que pagavam uma taxa para sincronizar seu tempo com o dele e, por extensão, com o do observatório. (Belville depois substituiu a caixa de ouro do cronômetro por uma de prata para chamar menos atenção nos "indesejáveis quarteirões da cidade".) Quando Belville morreu, em 1856, sua viúva assumiu a função; quando ela se aposentou, em 1892, o serviço passou para sua filha, Ruth, que ficou conhecida como "a dama do tempo de Greenwich". Usando o mesmo cronômetro, que ela chamou de "Arnold 345", Miss Belville fazia o mesmo percurso, disseminando o que era conhecido então como Tempo Médio de Greenwich, o tempo oficial da Grã-Bretanha. A invenção do telégrafo, que facultou aos relógios se sincronizarem remotamente com o tempo de Greenwich quase de imediato e a baixo custo, fez depois com que Miss Belville ficasse quase, mas não totalmente, obsoleta. Quando ela se aposentou, por volta de 1940, com oitenta e tantos anos, ainda atendia cerca de cinquenta clientes.

Eu tinha vindo a Paris para me encontrar com a dama do tempo de Greenwich da era moderna, a Miss Belville para toda a Terra: a dra. Elisa Felicitas Arias, diretora do Departamento do Tempo no Escritório Internacional de Pesos e Medidas. Arias é esbelta, com longos cabelos castanhos e o ar amável de uma aristocrata. Astrônoma por treinamento, Arias trabalhou durante 25 anos em observatórios na Argentina, seu país natal, os dez últimos com o Observatório Naval; sua especialidade é astrometria, a medição correta das distâncias no espaço exterior. Mais recentemente trabalhou com o Serviço Internacional de Rotação da Terra e Sistemas de Referência, que monitora as variações sempre muito tênues nos movimentos de nosso planeta, e determina portanto quando deve ser adicionado ao mix do tempo o próximo segundo bissexto. Encontrei-me com Arias em seu gabinete, e ela me ofereceu uma xícara de café. "Temos um objetivo comum", ela disse, referindo-se a seu departamento. "Fornecer uma escala de tempo adequada para ser uma referência internacional." O objetivo, ela acrescentou, é uma "rastreabilidade definitiva".

Das centenas de relógios e conjuntos de relógios funcionando nas 58 nações-membros, apenas cerca de cinquenta — os "relógios mestres", um por país — estão sempre funcionando para prover o tempo oficial. Em toda parte, em todas as horas, eles marcam segundos. Mas suas marcações não coincidem umas com as outras. É uma questão de nanossegundos, ou bilionésimos de segundo. Não é o bastante para perturbar companhias de energia elétrica (que exigem uma precisão de apenas milissegundos) ou atrapalhar telecomunicações (que se deslocam em microssegundos). Mas os relógios em sistemas de navegação diferentes — como GPS, que é operado pelo Departamento de Defesa dos Estados Unidos, e a nova rede Galileu, da União Europeia — têm de estar sincronizados com uma margem de alguns nanossegundos para poder fornecer um serviço consistente. Os relógios do mundo têm de concordar entre si, ou pelo menos devem estar bem dirigidos ao mesmo ponto de sincronia; o objetivo visado é o Tempo Universal Coordenado.

O Tempo Universal Coordenado deriva da comparação entre os relógios de todos os membros quando tiquetaqueiam seus segundos simultaneamente, fazendo aparecer as discrepâncias. É um tremendo desafio técnico. Por um lado, os relógios estão a centenas ou milhares de quilômetros de distância uns dos outros. Considerando o tempo em que um sinal eletrônico atravessa essas distâncias — um sinal diz, de fato: "Comece a tiquetaquear agora" —, é difícil saber exatamente o que quer dizer "ao mesmo tempo". Para contornar esse problema, a seção de Aria emprega satélites de GPS para transmitir dados. Todos os satélites têm suas posições conhecidas e levam relógios sincronizados com o Observatório Naval dos Estados Unidos; com essa informação, o Escritório Internacional de Pesos e Medidas é capaz de calcular os momentos precisos em que os sinais do tempo estão sendo enviados para eles dos relógios ao redor do mundo.

Mesmo assim, reina a incerteza. Não se pode saber exatamente qual é a posição de um satélite; mau tempo e a atmosfera terrestre podem tornar mais lento ou alterar o percurso de um sinal e confundir o verdadeiro tempo desse percurso. E o equipamento encerra ruídos eletrônicos que podem obscurecer uma medição precisa. Propondo uma analogia, Arias mencionou à porta de seu escritório: "Se eu lhe perguntar que horas são, você vai me dizer de acordo com seu dispositivo de marcação do tempo e eu vou comparar com o meu", disse ela. "Estamos de frente um para o outro. Se eu disser 'Saia, feche a porta e diga-me que horas são', vou lhe pedir depois: 'Não, não, diga de novo, tem algum ruído'" — ela fez um som de zumbido engraçado com os lábios, *Brrrrrip!* — "'entre nós'." Despende-se muito cuidado e esforço na correção desse ruído, para assegurar que a mensagem ouvida no EIPM reflita com exatidão o comportamento relativo dos relógios do mundo.

"Temos oitenta laboratórios em todo o mundo", disse Arias; algumas nações têm mais de um. "Temos de organizar todos esses tempos." Seu tom era suave e encorajador, como o de Julia Child ao descrever a essência de uma boa *vichyssoise*. Primeiro, a equipe de Arias em Paris reúne todos os ingredientes necessários: a escala das diferenças de nanossegundos entre o relógio de cada membro e os de todos os outros, mais uma grande dose de dados locais sobre o comportamento histórico de cada relógio. A informação é então passada pelo que Arias chama de "o algoritmo", que leva em conta o número de relógios em serviço (ou qualquer determinado dia, quando alguns relógios podem ter estado em conserto ou recalibragem), atribui uma ligeira vantagem estatística em favor dos relógios mais precisos, e bate tudo isso numa textura uniforme.

O processo não é puramente computacional. É preciso que haja um ser humano para levar em consideração fatores pequenos, porém críticos: o de que nem todos os laboratórios calculam os dados de seus relógios exatamente da mesma maneira; o de que determinado relógio tem se comportado de modo estranho nos últimos tempos e que sua contribuição tem de ser reavaliada; o de que, devido a erros de software, alguns dos sinais de menos na planilha foram acidentalmente trocados para sinais de mais, e precisam ser trocados de novo. O manejo do algoritmo também envolve alguma medida de talento artístico. "Isso envolve um certo discernimento pessoal", disse Arias.

O resultado final é o que Arias chama de "um relógio médio", num bom sentido: o tempo que ele marca é mais robusto do que aquele que qualquer relógio isolado ou conjunto nacional poderia esperar fornecer. Por definição e por acordo universal, ou ao menos por um acordo entre os 58 países signatários, sua marcação do tempo é perfeita.

Leva tempo para se obter um Tempo Universal Coordenado. A simples operação de remover a incerteza e o ruído de todos os receptores de GPS demora dois ou três dias. A tarefa de calcular o UTC seria logisticamente esmagadora se feita continuamente, assim cada relógio-membro faz uma leitura do tempo local a cada cinco dias, exatamente à zero hora UTC. No quarto ou quinto dia do mês seguinte, cada laboratório envia seus dados acumulados ao EIPM para que Arias e sua equipe analisem, calculem a média, confiram e publiquem.

"Tentamos fazer isso o mais cedo possível, sem negligenciar nenhuma verificação", disse ela. "Esse processo leva mais ou menos cinco dias. Recebemos [os dados] no quarto ou quinto dia do mês, começamos a calcular no sétimo, publicamos no oitavo, nono ou décimo." Em termos técnicos, o que está sendo montado é o Tempo Atômico Internacional; a criação do UTC é uma simples questão de adicionar o número correto de segundos bissextos. "É claro que não há relógio que forneça exatamente um UTC", disse Arias. "Só existem constatações locais do UTC."

De repente eu compreendi: o relógio mundial só existe no papel e em retrospecto. Arias sorriu. "Quando as pessoas dizem: 'Posso ver o melhor relógio do mundo?', eu digo: 'Está bem, aqui está, este é o melhor relógio do mundo'." Ela me passou um maço de papéis grampeados num canto. Era um relatório mensal, ou uma circular, que se distribui a todos os laboratórios de tempo envolvidos. O relatório, chamado "Circular T", é o principal propósito e produto do Departamento do Tempo do EIPM. "É publicado uma vez por mês, e fornece informação sobre o tempo no passado, no caso o mês anterior."

O melhor relógio do mundo é um boletim informativo. Folheei suas páginas e vi colunas e mais colunas de números. Listados embaixo à esquerda estavam os nomes dos relógios-membros: IGMA (Buenos Aires), INPL (Jerusalém), IT (Turim) e todos os outros. As colunas, no alto da página, eram datadas a cada cinco dias do mês anterior — 30 nov., 5 dez., 10 dez., e assim por diante. O número em cada célula representa a diferença entre o Tempo Universal Coordenado e a constatação local do UTC medido por um determinado laboratório num determinado dia. Em 20 de dezembro, por exemplo, o número do relógio nacional de Hong Kong era 98,4, mostrando que, no momento daquela medição, o relógio nacional de Hong Kong estava 98,4 nanossegundos atrasado em relação ao Tempo Universal Coordenado. Em contraste, o número no relógio de

Bucareste naquele dia era menos 1118,5, indicando que estava 1185,5 nanossegundos — um intervalo considerável — adiantado em relação à média universal.

O propósito da "Circular T", disse Arias, é ajudar os laboratórios-membros a monitorar e refinar sua precisão em relação ao UTC, procedimento conhecido como *steering* [esterçamento]. Ao saber o quanto seus relógios se desviaram do UTC médio durante o mês anterior, os laboratórios-membros podem ajustar e corrigir seu equipamento para, talvez, chegar um pouco mais perto no mês seguinte. Nenhum relógio atinge jamais uma precisão perfeita; consistência já é suficiente. "Isso é útil, porque assim os laboratórios pilotam seus UTCs", disse Arias; ela fazia o tempo parecer um navio num canal: "Eles precisam saber como o UTC se comporta localmente. Com isso, eles verificam se esterçaram de modo correto em relação à 'Circular T'. É por esse motivo que todos verificam seus e-mails e a internet, para saber onde estavam no mês passado em relação ao UTC".

Para os relógios mais precisos, o *steering* é essencial. "Às vezes você tem um relógio muito bom, e então ele dá um passo — um salto no tempo", disse Arias. Em sua cópia da última "Circular T" ela apontou para uma fileira de números que representavam o Observatório Naval dos Estados Unidos. Eram todos números admiravelmente pequenos, na faixa de dois dígitos, de nanossegundos. "Essa é uma excelente constatação do UTC", disse Arias. Não é uma surpresa, ela acrescentou, já que o Observatório Naval dos Estados Unidos, que tem o maior número de relógios no conjunto internacional, representa mais ou menos 25% do peso total do UTC. O Observatório Naval dos Estados Unidos é responsável pelo *steering* do tempo utilizado pelo sistema de satélites do GPS, por isso tem a responsabilidade global de acompanhar muito estritamente o UTC.

Mas esse "esterçamento" não é destinado a qualquer um. Pilotar um relógio requer um equipamento caro, e nem todos os laboratórios podem se permitir isso. "Eles deixam seus relógios viverem sua própria vida", disse Arias. Ela mencionou uma fileira de números de um laboratório em Belarus, que parecia estar vivendo uma vida de lazer, bem fora do padrão. Perguntei se o EIPM já rejeitou alguma vez a contribuição de um laboratório por ser muito imprecisa. "Nunca", respondeu Arias. "Sempre queremos o tempo que eles mediram." Contanto que um laboratório do tempo nacional esteja equipado com um relógio e um receptor decentes, suas contribuições entram para a média do UTC. "Quando se constrói o tempo", ela disse, um dos objetivos é "uma ampla disseminação do tempo" — o UTC não pode ser considerado universal a menos que inclua todos, não importa quão fora de sincronia possam estar.

Eu ainda estava tentando enfiar na cabeça o que, e quando, é o Tempo Universal Coordenado. ("Isso me levou alguns anos", disse-me mais tarde Tom Parker.) Ao se afirmar que um relógio de papel existe, isso só remete ao pretérito, por ser resultado de dados reunidos no mês anterior; Arias chama o UTC de "processo de tempo pós-real", um pretérito dinâmico. Repetindo: os números nas colunas de seu relógio de papel parecem servir mais como correção de curso ou marcadores de um canal para os relógios de verdade que lá estão, para ajudá-los a esterçar o volante na direção correta — como se o UTC fosse um nome futuro, como um porto acima do horizonte. Quando você olha para seu relógio ou celular para ver a hora oficial, como é derivada de Boulder, Tóquio ou Berlim, o que você recebe de volta é apenas uma estimativa muito próxima do tempo correto, que não será conhecido antes de se passar um mês ou algo assim. É óbvio que um tempo perfeitamente sincronizado não existe — não existe mais e não existe ainda; está num estado perpétuo de se tornar.

Eu tinha vindo a Paris pensando que a medição do tempo mais exata do mundo emana de algum dispositivo tangível, ultrassofisticado: um elegante relógio com mostrador e ponteiros, um grupo de computadores, uma minúscula, cintilante fonte de rubídio. A realidade era muito mais humana: o tempo mais exato do mundo — o Tempo Universal Coordenado — é produzido por um comitê. O comitê se baseia em computadores avançados e algoritmos e no input de relógios atômicos, mas os metacálculos, o tênue favorecimento do input de um relógio em relação ao de outro, é afinal filtrado nas conversas mantidas por cientistas ponderados. O tempo é um grupo de pessoas falando.

Arias observou que seu Departamento do Tempo opera dentro de um conjunto ainda maior de comitês consultivos, equipes de assessores e consultores, grupos de estudo ad hoc e comissões de monitoramento. Recebe regularmente visitas de especialistas internacionais, promove encontros ocasionais, publica relatórios e analisa o feedback. Ele é conferido, supervisionado, calibrado. Às vezes o preponderante Comitê Consultivo para Tempo e Frequência [na sigla em inglês, CCTF] intervém. "Não operamos sozinhos no mundo", ela diz. "Para questões menores podemos tomar decisões por nós mesmos. Para questões maiores temos de submeter propostas ao CCTF, e os especialistas dos melhores laboratórios dirão 'concordamos' ou 'não concordamos'."

Toda essa redundância visa a contrabalançar um fato ineluctável: nenhum relógio sozinho, nenhum comitê sozinho, nenhum indivíduo isolado faz uma marcação perfeita do tempo. Essa é a natureza do tempo em toda parte, assim se constata. Quando comecei a falar com cientistas que estudam como o tempo funciona no corpo e na mente, todos eles descreveram que ele atua como se fosse uma espécie de congresso. Em nossos órgãos e células estão distribuídos relógios, trabalhando para se comunicarem e se manterem sincronizados uns com os outros. Nossa percepção da passagem do tempo não está radicada numa região do cérebro, mas resulta do funcionamento combinado da memória, da atenção, da emoção e de outras atividades cerebrais que não podem ser localizadas individualmente. O tempo no cérebro, como o tempo fora dele, é uma atividade coletiva. Estamos acostumados a imaginar que existe lá dentro um coletivo definido — um cerne formado por separadores e classificadores, como se fosse um Escritório Internacional de Pesos e Medidas interior, talvez operado por uma astrônoma argentina de cabelos castanhos. Onde está a dra. Arias dentro de nós?

Em certo momento, pedi a Arias que descrevesse sua relação pessoal com o tempo.

"Muito ruim", ela respondeu. Em sua mesa havia um pequeno relógio digital; ela o pegou e voltou o mostrador em minha direção. "Que horas são?"

Eu li os números. "Uma e quinze", disse.

Ela me acenou que olhasse meu próprio relógio de pulso. "Que horas são?"

Os ponteiros indicavam 12h55. O relógio de Arias estava vinte minutos adiantado.

"Em minha casa não há dois relógios que mostrem a mesma hora", ela disse, "muito frequentemente eu chego atrasada aos meus compromissos. Meu despertador está adiantado quinze minutos."

Senti alívio ao ouvir isso, mas fiquei perturbado pensando no mundo. "Talvez seja o que acontece quando se pensa no tempo o tempo todo", sugeri. Se seu trabalho é coordenar os relógios do mundo, criar dos gradientes de luz e escuridão na Terra um tempo uniforme e unificado, talvez considere que sua casa é seu refúgio, o único lugar no qual pode ignorar seu relógio, descalçar os sapatos e usufruir de um tempo verdadeiramente privado.

"Não sei", disse Arias, com um dar de ombros. "Nunca perdi um voo ou um trem. Mas, quando sei que posso me permitir um pequeno grau de liberdade, faço isso."

Em geral nos referimos ao tempo como se fosse um oponente: um ladrão, um opressor, um senhor. Num livro de 1987 chamado *Time Wars* [Guerras do tempo], escrito no início da era digital, o ativista social Jeremy Rifkin lamentou que a humanidade tivesse abraçado um "ambiente de tempo artificial" governado por "dispositivos mecânicos e impulsos eletrônicos: um plano temporal que é quantitativo, acelerado, eficiente e previsível". Rifkin ficava particularmente perturbado com os computadores, pois eles trafegam em nanossegundos, "uma velocidade que fica além do reino da consciência". Esse novo "*computime*", como ele o chamou, "representa a abstração final do tempo e sua separação completa da experiência humana e do ritmo da natureza". Em contraste, ele louvou os esforços dos "rebeldes do tempo" — uma vasta categoria que incluía os defensores de uma educação alternativa, de uma agricultura sustentável, dos direitos dos animais, dos direitos das mulheres e do desarmamento —, os quais "alegam que os mundos de tempo artificial que criamos só aumentam nossa separação dos ritmos da natureza". O tempo, em seu texto, é um instrumento do establishment e um inimigo da natureza e do ser em si mesmo.

A retórica é exagerada, mas trinta anos depois a reclamação de Rifkin ainda encontra ecos de concordância. Por que somos tão obcecados por produtividade e gerenciamento de tempo, senão para descobrir uma maneira mais saudável de conduzir nossa vida? Não é o *computime* que nos assombra tanto, e sim nossa conexão escravizada a computadores portáteis e smartphones de marca, que faz com que o dia e a semana de trabalho nunca terminem. Não usar um relógio foi minha maneira de afrontar o Sistema, mesmo eu nunca tendo olhado para ele.

No entanto, culpar o tempo por ser "artificial" é dar demasiado crédito à natureza. Talvez tenha havido uma época na qual o tempo era uma questão estritamente pessoal, mas é difícil imaginar há quanto tempo teria sido assim. Os servos medievais labutavam ao som distante dos sinos da aldeia; séculos antes disso os monges se levantavam, cantavam e se prostravam ao ritmo dos carrilhões. No século II a.E.C., o dramaturgo romano Plauto lamentava a popularidade dos relógios de sol, que "cortam e dilaceram meu dia tão ruinosamente em pequenos pedaços". Os antigos incas usavam um calendário complexo para calcular quando semear e quando colher e para identificar os momentos mais auspiciosos para um sacrifício humano. (O calendário incluía um recorrente "Ano Vago" com dezoito meses de vinte dias cada um e, no fim, mais cinco "dias sem nome" de mau presságio.) Mesmo os humanos primevos devem ter anotado na parede da caverna a duração da luz do dia, para poder caçar e voltar com segurança antes de escurecer. Mesmo que qualquer um desses costumes estivesse mais próximo dos "ritmos da natureza" do que os atuais, seria difícil adotá-lo como modelo a ser seguido pelos vários bilhões de habitantes da Terra.

Olhei mais uma vez para o maço de papéis que Arias me passara, depois para o relógio dela, depois para o meu relógio: era hora de ir embora. Durante meses eu tinha lido trabalhos de sociólogos e antropólogos alegando que o tempo é um "construto social". Eu interpretei a expressão como significando algo do tipo "com sabor artificial", mas então compreendi: o tempo é um fenômeno social. A propriedade não é incidental no tempo; é sua essência. O tempo, tanto em células isoladas como em seus conglomerados humanos, é o motor da interação. Um relógio isolado funciona na medida em que se refere, cedo ou tarde, obviamente ou não, a outros relógios a sua volta. Podemos ficar irritados com isso, e ficamos. Mas sem um relógio e a plataforma do tempo, cada um de nós se irrita em silêncio, sozinho.

Os dias

Assim começa este dia interminável. Descrevê-lo todo seria tedioso. Nada, realmente, aconteceu; ainda assim, nenhum dia de minha vida foi mais momentoso. Vivi mil anos, e todos eles foram agoniantes. Ganhei um pouco e perdi muito. No fim do dia — se é que se pode dizer que tivesse um fim —, tudo que eu podia dizer era que ainda estava vivo. Considerando as condições, eu não tinha o direito de esperar por mais.

Almirante Richard Byrd, *Sozinho*

Quando acordo no meio da noite, sou tentado a olhar para o relógio, mas já sei que horas são. É a mesma hora de sempre quando acordo a esse horário: 4h ou 4h10 ou, uma vez, numa desconcertante sequência de noites, exatamente 4h27. Mesmo sem olhar o relógio eu poderia deduzir a hora, pelo assobio do radiador no quarto juntando vapor no inverno, ou pela pouca frequência de carros que passam lá fora na rua. "Quando um homem está dormindo, ele tem num círculo a sua volta a corrente das horas, a sequência dos anos, a ordenação dos corpos celestes", escreveu Proust. "Instintivamente ele os consulta quando acorda, e num instante deduz sua própria posição na superfície da terra e o tempo que se passou durante seu sono."

Fazemos isso a toda hora, sabendo ou não. Os psicólogos dão-lhe o nome de orientação temporal e é a marca do que poderia ser chamado de senso adulto do tempo: a capacidade de saber a hora, o dia ou o ano sem olhar para um relógio ou um calendário. Numerosos estudos tentaram compreender como adquirimos essa orientação. Num experimento, pesquisadores ficavam na rua e faziam a um transeunte uma pergunta simples — "Que dia da semana é hoje?" — ou faziam uma declaração ("Hoje é terça-feira") e perguntavam se era verdadeira ou falsa, e anotavam a resposta. Descobriram que as pessoas diziam o nome correto do dia mais rápido se lhes perguntassem no ou próximo ao fim de semana. Algumas processavam a resposta calculando retroativamente — "Ontem foi X, portanto hoje deve ser Y" —, enquanto outras retrocediam para o hoje a partir do amanhã. A direção que adotavam dependia de qual fim de semana era o que estava mais próximo, o passado ou o que se aproximava. Há mais probabilidade de calcular que dia é hoje com base em ontem se hoje for segunda ou terça; mais perto da sexta, o ponto de referência passa a ser amanhã.

Talvez nos localizemos por meio de marcações temporais: nós nos orientamos pelo fim de semana, como se fosse uma ilha no horizonte, à frente ou atrás, e nos aproximamos de nossa localização no mar dos dias. (Quanto a isso, é de notar como falamos do tempo quase sempre em termos espaciais: o ano que vem ainda está "muito longe", o século XIX é um passado "distante", meu aniversário está "chegando", como se estivesse chegando uma estação de metrô.) Ou talvez compilemos internamente uma lista dos dias que poderiam ser o de hoje e vamos riscando os candidatos inelegíveis até só restar um. ("Poderia ser quinta-feira, mas definitivamente não é quarta, porque sempre vou à academia nas manhãs de quarta, e não estou com minha sacola da academia.") Nenhum dos modelos explica por que nosso ponto de referência temporal muda no meio da semana — por que nossos pensamentos retroativos declinam à medida que a semana avança. Por qualquer dos métodos, nós nos envolvemos nessa orientação virtualmente sem qualquer interrupção, através de segundos, minutos, dias e anos. Acordamos de um sonho, saímos de um cinema, levantamos os olhos de um livro envolvente e pensamos: onde estou? Quando estou? Perdemos a noção do tempo e precisamos de um momento para nos aprumar de novo.

O fato de eu ser capaz de saber, sem olhar, que horas são quando acordo no meio da noite pode ser também uma simples questão de indução: eram 4h27 da última vez que acordei no meio da noite, bem como na noite anterior, assim provavelmente agora são 4h27. A questão é por que, ou como, eu consigo ser tão consistente. William James escreveu: "Toda a minha vida tenho ficado pasmo com a precisão com que acordo *exatamente no mesmo minuto* noite após noite e manhã após manhã, é só esse hábito, fortuitamente, começar". É nesse momento, de todos os momentos em que estou acordado, que fico mais consciente de estar a serviço de alguma coisa; há uma máquina dentro de mim, ou eu é que sou um fantasma dentro dela.

Em ambos os casos, quando o fantasma começa a pensar, há muito o que pensar quanto a isso — e o mais preeminente é quão pouco tempo eu tenho para fazer todas as coisas sobre as quais estou pensando e como já estou atrasado. "Estou vendo o prazo para seu livro em meu calendário", escreve meu editor. "Preciso saber em que pé estão as coisas." Comecei este projeto algumas semanas antes do dia em que Susan deveria ter os gêmeos, nossos primeiros e únicos filhos. Em retrospecto, o timing não foi ideal. Os amigos e a família disseram brincando, um tanto animados demais, que se eu estava lutando para gerenciar meu tempo, não me preocupasse, meus filhos logo iam gerenciá-lo para mim.

Contudo, por mais sobrecarregados que sejam esses momentos em que acordo, são também calmantes, até mesmo expansivos — e sinto que estar neles é como estar dentro de um ovo. Essa ideia me ocorre certa noite logo antes de eu ir dormir; eu a anoto num caderninho em minha cabeceira, e me surpreendo e delicio depois, às (suponho) 4h27, de me ver vivenciando exatamente essa ideia. É como se, ao adormecer, eu tivesse caído naquele mesmo ovo e acordado como pura gema, almofadado e flutuando num presente estendido. Isso não vai durar, eu sei. De manhã, as horas e os minutos vão prevalecer mais uma vez e essa aparentemente ilimitada expansão do tempo terá evaporado ou estará trancada, confinada e inatingível; eu estarei fora dessa concha tentando imaginar como voltar para dentro. Esta é a tensão fundamental da vida moderna: o sonho de um tempo ilimitado, sonhado a partir dos limites de uma caixa de ovos. Mas esse pensamento é para amanhã. Agora, meu relógio de cabeceira está tiquetaqueando, como os cliques distantes de um timer na cozinha ou as batidas abafadas de um coração.

Era uma vez um homem que entrou numa caverna e ficou lá sozinho durante muitos dias e muitas noites. Ele não via luz natural, nenhum nascer ou pôr do sol vinha anunciar quando o dia começava ou terminava oficialmente; não havia relógio de parede ou de pulso para marcar a passagem de seus momentos e de suas horas. Ele escrevia; ele lia Platão; ele pensava muito sobre seu futuro. Ficou sozinho com o tempo durante muito tempo, embora não tanto tempo quanto esperava.

Este foi o primeiro experimento de Michel Siffre com o tempo, em 1962. Siffre, um geólogo francês de 23 anos, tinha descoberto havia pouco uma geleira subterrânea, a Scarasson, numa caverna no sul da França. A Guerra Fria e a corrida espacial estavam em plena vigência; abrigos contra precipitação radioativa e cápsulas espaciais estavam na ordem do dia. Como muitos cientistas, Siffre se perguntava como um humano se daria em lugares assim, isolado de outras pessoas e do sol. Sua ideia inicial foi passar duas semanas estudando a caverna. Mas logo decidiu ficar mais tempo, dois meses, para explorar o que mais tarde chamou de "a ideia de minha vida". Ele viveria "como um animal", disse à revista *Cabinet* em 2008, "no escuro, sem tomar conhecimento do tempo".

Armou uma tenda, com um saco de dormir sobre um catre. Dormia, levantava-se e comia quando queria e mantinha um registro por escrito de suas atividades; um pequeno gerador alimentava uma lâmpada, à luz da qual ele lia, estudava a geleira e se movimentava. Seu único contato com a superfície era por telefone, e ele ligava regularmente para seus colegas lá em cima — que tinham recebido instruções estritas de não deixar escapar nenhuma informação sobre o dia ou o tempo — para lhes relatar a frequência de seu pulso e seus procedimentos.

Siffre entrou na caverna em 16 de julho e planejara ir embora em 14 de setembro. Mas em 20 de agosto, em seu calendário, seus colegas ligaram para dizer que sua estada tinha terminado; seu tempo acabara. No cômputo dele só tinham se passado 35 dias — 35 dias de acordar, dormir e enrolar —, mas pelo relógio exterior haviam decorrido sessenta dias. O tempo tinha voado.

Acidentalmente, Siffre fizera uma descoberta importante sobre a biologia humana. Os cientistas já sabiam que plantas e animais têm uma habilidade inata de perceber a passagem de um período de mais ou menos 24 horas — um ciclo, ou ritmo, circadiano. (A palavra vem da expressão latina *circa diem*, "cerca de um dia".) Em 1729, o astrônomo francês Jean-Jacques d'Ortous de Mairan observou que uma planta heliotrópica, que abre suas folhas no amanhecer e fecha quando escurece, continuava a ter esse comportamento mesmo quando mantida num armário escuro; parecia que essa percepção da ocorrência do dia e da noite era inata. Para se camuflarem, caranguejos chama-marés mudam suas cores em horários fixos no decorrer do dia, de cinzento a preto e a cinzento de novo, mesmo na ausência da luz diurna. Moscas-das-frutas que não estão vendo a luz saem de suas pupas religiosamente ao amanhecer, hora em que o ar está em sua umidade máxima, numa adaptação que impede que as asas dessas noviças sequem. Esse ritmo interno, circadiano, não coincide exatamente com o ritmo externo da luz diurna e da escuridão; o ciclo diário do relógio circadiano pode ser mais longo que 24 horas em alguns organismos, um pouco mais curto em outros. Um heliotrópio mantido na escuridão por demasiado tempo pode ficar depois dessincronizado com o ciclo natural do dia; não é muito diferente de meu relógio de pulso, o qual, desconectado dos sinais de rádio e satélite que disseminam o tempo mundial perfeito, exige que eu o acerte diariamente.

Na década de 1950 já estava claro que os humanos também tinham um relógio circadiano endógeno. Em 1963, Jürgen Aschoff, chefe do departamento de Ritmos e Comportamentos Biológicos do que era então o Instituto Max Planck para Fisiologia Comportamental, na Alemanha Ocidental, converteu uma casamata à prova de som numa estação experimental na qual os pacientes permaneciam durante semanas, sem relógios mecânicos, enquanto sua fisiologia era monitorada. O experimento de Siffre na Scarasson foi um dos primeiros a demonstrar que nosso ciclo circadiano não tem a duração exata de 24 horas. O período em que Siffre ficava acordado todo dia variava muito em sua duração, desde seis até quarenta horas, mas na média ele se ajeitou num ciclo de sono-vigília que tinha a duração de 24 horas e trinta minutos. Isso logo o fez ficar em descompasso com o dia na superfície, e a experiência — a de um animal preso, sozinho com uma ideia de sua vida — o perturbou. Ele tinha descido com o objetivo de estudar o efeito de um extremo isolamento da psique humana; emergiu como um involuntário pioneiro da cronobiologia humana e, lembrou mais tarde, como "uma marionete meio amalucada e desconjuntada".

O substantivo mais comumente usado no inglês americano é *time*, tempo. Mas, se você pedir a um cientista que estuda o tempo que explique o que é o tempo, ele invariavelmente lhe devolverá a pergunta: "A que você está se referindo quando diz tempo?".

E você já aprendeu uma coisa. Poderia começar, como eu fiz, qualificando sua declaração para significar "percepção do tempo", para distinguir entre o tempo exterior e sua percepção interior dele. Essa dicotomia sugere uma hierarquia da verdade. Acima de tudo está o tempo tal como apresentado pelo relógio de pulso de alguém, ou um relógio de parede, tempo que tipicamente consideramos ser o "tempo verdadeiro" ou o "tempo efetivo". Segue-se nossa percepção desse tempo, que é precisa ou não, dependendo do quanto ela coincide com a do relógio mecânico. Agora penso que essa dicotomia é, se não sem nenhum sentido, certamente de pouca ajuda na tentativa de compreender numa escala humana de onde vem o tempo e para onde vai.

Mas estou me adiantando. Um dos mais antigos debates na literatura científica é se o "tempo" é algo que pode ser "percebido" em geral. A maioria dos psicólogos e neurocientistas chegou à ideia de que não. Nossos cinco sentidos — paladar, tato, olfato, visão e audição — envolvem órgãos discretos que detectam fenômenos discretos: som é o nome que damos quando moléculas do ar em vibração disparam movimentos do tímpano no ouvido interno; visão é o que resulta quando fótons de luz atingem células nervosas especializadas no fundo do olho. Em contraste, o corpo humano não tem um órgão específico dedicado a sentir o tempo. Uma pessoa média é capaz de perceber a diferença entre um som que dura três segundos e outro som que dura cinco segundos, como também o fazem cães, ratos e a maioria dos animais de laboratório. Os cientistas ainda se esforçam para explicar como o cérebro animal rastreia e mede o tempo numa escala tão precisa.

Uma chave para compreender o que o tempo é, fisiologicamente, é saber que, quando falamos de tempo, podemos estar nos referindo a qualquer uma de várias experiências distintas, inclusive

Duração: a capacidade de determinar quanto tempo passou entre dois eventos específicos ou de estimar com precisão quando vai ocorrer o próximo.
Ordem temporal: a capacidade de discernir a sequência em que ocorrem os eventos.
Tempo: a capacidade de discriminar entre o passado, o presente e o futuro, e a compreensão de que o amanhã fica numa direção temporal diferente da do ontem.
A "percepção da agoridade": a sensação subjetiva de que o tempo passa por nós "bem agora", o que quer que isso seja.

Basta dizer que as discussões sobre o tempo muitas vezes se tornam confusas porque estamos empregando uma só palavra para descrever uma experiência que tem muitas camadas; para um profundo conhecedor da ciência, *tempo* é um nome tão genérico como *vinho*. Muitas dessas experiências temporais — duração, momento no decorrer do tempo, simultaneidade — parecem ser tão básicas e inatas que dificilmente parecem merecer distinção. Mas isso só é verdadeiro a partir de uma perspectiva adulta. A visão da psicologia de desenvolvimento é de que o tempo é algo de que os humanos tomam conhecimento só gradualmente. Uma percepção fundamental nos chega nos primeiros meses de vida, quando aprendemos a distinguir entre "agora" e "agora não" — embora as sementes dessa tomada de consciência provavelmente nos alcancem ainda mais cedo, enquanto ainda estamos no útero. Não é antes dos quatro anos de idade, mais ou menos, que as crianças são capazes de distinguir com precisão o "antes" do "depois". E à medida que ficamos mais velhos tornamo-nos mais claramente conscientes da "flecha do tempo" e sua rota de voo unidirecional. Nosso conhecimento sobre o tempo é dificilmente tão a priori quanto propôs Kant. O tempo não só é algo que vai entrando em nós, como leva anos para fazer isso por completo.

Pensamos constantemente no tempo: avaliamos sua duração, consideramos o ontem e o amanhã, distinguimos o antes do depois. Habitamos no tempo e sobre ele, antecipando, lembrando, observando sua passagem. Em geral essas experiências são conscientes e, até onde podemos afirmar, exclusivas de nossa espécie. Mas por baixo da superfície, sem que se pense nisso, infundindo toda vida e retroagindo 4 bilhões de anos, está o ciclo circadiano, o tempo que se mede em dias. Para um fenômeno biológico ele é notavelmente mecânico em sua confiabilidade, e nas últimas duas décadas cientistas deram largos passos delineando seus fundamentos genéticos e bioquímicos. De todos os relógios que existem em nós, o relógio circadiano é de longe o mais compreendido. Se a exploração científica do tempo humano fosse mapeada como uma jornada física, começaria em terra firme e à luz do dia, com nosso conhecimento dos ritmos circadianos, e baixaria para uma pantanosa obscuridade.

Ritmos circadianos são comumente associados ao ciclo sono-vigília de alguém. Mas esse é um indicador enganoso: embora seus padrões de sono sejam influenciados por seu relógio circadiano, eles também são sujeitos ao controle da consciência. Você pode optar por ir cedo para a cama e se levantar cedo; viver como uma coruja, dormindo de dia e ficando desperto à noite; ou mesmo dispensar o sono por dias a fio. Não se passa por cima do relógio circadiano com tanta facilidade; se fosse assim, ele não seria digno de consideração.

Um modo mais preciso de rastrear ritmos circadianos, ao menos nos humanos, é pela temperatura corporal. Embora se diga frequentemente que a temperatura média do corpo é de 37 graus (na verdade, 36,8), isso é apenas uma média. No decorrer de um dia sua temperatura pode variar até um grau; ela oscila, subindo a um pico entre o meio-dia e o fim da tarde, e descendo até o ponto mais baixo antes do amanhecer e de você acordar. Diferimos de indivíduo para indivíduo na amplitude exata dessa variação de temperatura e nos momentos em que ocorre; atividade ou doença podem aquecer o corpo também. Mas todos nós expressamos uma elevação e uma queda na temperatura corporal ao longo de todo dia, dia após dia.

Outras funções corporais obedecem também a um estrito ciclo circadiano. Sua frequência cardíaca em situação de repouso pode variar até duas dúzias de batidas por minuto, dependendo da hora do dia. A pressão sanguínea oscila no decorrer de 24 horas; está em seu ponto mais baixo entre duas e quatro horas da manhã, sobe durante o dia e chega a seu pico por volta do meio-dia. Urinamos menos à noite do que durante o dia, não só porque ingerimos menos líquido, mas porque a atividade dos hormônios (cuja segregação também segue um ciclo circadiano) faz os rins reterem mais água. Você pode agendar suas tarefas diárias pelo relógio circadiano. A coordenação física e os tempos das reações estão em seu máximo no meio da tarde; o coração é mais eficiente e os músculos mais fortes por volta das cinco ou seis horas da tarde; o limite para a dor é mais alto no início da manhã, tempo ideal para cirurgia dentária. O álcool é metabolizado mais lentamente entre dez horas da noite e seis horas da manhã; a mesma dose de bebida permanece em seu sistema por mais tempo durante a noite do que durante o dia, o que faz com que você fique mais embriagado. As células de sua pele se dividem mais rapidamente entre meia-noite e quatro da manhã, enquanto os pelos faciais crescem mais rápido durante o dia que durante a noite. Um homem que se barbeia à noite não acorda com uma cara de barba por fazer.

Esses ritmos têm forte influência sobre a saúde. Os AVCs e infartos são mais comuns de manhã cedo, quando a pressão sanguínea se eleva mais rápido. Como os níveis de hormônio oscilam naturalmente nas 24 horas, a eficácia das drogas também varia muito, dependendo da hora do dia em que são administradas, fato com o qual os médicos e os hospitais estão cada vez mais sintonizados. O mesmo vale para animais de todos os tipos. Num infeliz estudo de laboratório, uma dose de adrenalina potencialmente fatal matou, dependendo da hora em que foi aplicada, 6% e 78% dos ratos que a receberam. Certos inseticidas matam mais os insetos a que se destinam nas horas da tarde. Os ritmos circadianos também afetam o humor e a agilidade mental. Num estudo, pediu-se aos participantes que riscassem todas as ocorrências da letra "e" numa revista que conseguissem em trinta minutos; saíam-se pior às oito da manhã e melhor às oito e meia da noite.

O estado de alerta também é fortemente circadiano; ele está no pico quando a temperatura corporal está no pico, e no ponto mais baixo quando a temperatura corporal está em seu mínimo. Este último período ocorre, para a maior parte das pessoas, nas horas que antecedem o amanhecer. Um resultado disso é que aqueles que trabalham em turno da noite não são tão produtivos quanto possam pensar que são. Entre três e cinco da manhã, trabalhadores reagem mais lentamente a um sinal de advertência e estão propensos a ler errado um medidor. O matemático Steven Strogatz observou que os acidentes em Chernobyl, Bhopal, Three Mile Island e a bordo do *Exxon Valdez*, que foram todos atribuídos a erro humano, ocorreram nessas horas, que os trabalhadores no turno da noite chamam de zona zumbi. Como espécie, nós humanos, curiosamente, queremos entreter esse zumbi, e cada vez mais nossa ciência está revelando os feitos nocivos desse flerte.

Um relógio é uma coisa que tiquetaqueia. O tique-taque pode ser quase tão longo quanto é persistente e contínuo: as vibrações de átomos, um peso que oscila, um planeta que gira em torno de seu eixo ou orbitando o Sol. Um simples pedaço de carvão tiquetaqueia. O carvão é feito de átomos de carbono, que normalmente têm seis prótons e seis nêutrons (no carbono-12), embora um em 1 trilhão ou algo assim contenha seis prótons e oito nêutrons (carbono-14). A proporção entre carbono-14 e carbono-12 é razoavelmente constante em coisas vivas, mas se reduz quanto mais tempo a coisa está morta, porque os átomos do carbono-14 gradualmente decaem para nitrogênio-14. Isso acontece, em média, a cada 5700 anos. Tendo conhecimento dessa taxa de decadência e da proporção entre carbono-14 e carbono-12 em seu pedaço de carvão, você pode calcular a idade do carvão, em dezenas de milhares de anos. O carvão, ou qualquer fóssil com carbono, é um relógio que marca éons.

A questão de se um relógio — um planeta, um pêndulo, um átomo, uma rocha — também conta os tique-taques é tema de um longo debate filosófico. Um relógio de sol rastreia uma sombra que se move em torno de seu mostrador; as horas são marcadas por números impressos. É o relógio que conta os números, ou é você? O tempo existe independentemente de quem o conta? "Se o tempo, caso a alma não existisse, existiria ou não, é uma pergunta que pode ser razoavelmente feita", meditava Aristóteles, "porque se não houvesse alguém para contar, não poderia haver nada para ser contado." É como o *koan* sobre a árvore caída na floresta: o carvão será um relógio se não houver um cientista para medir sua proporção entre C-14 e C-12? Agostinho foi peremptório: o tempo reside em sua medição, o que o torna propriedade exclusiva da mente humana. Ouve-se um eco de Agostinho no físico Richard Feynman, que salientou que a definição de tempo no dicionário é circular: tempo é um período, e este é definido como uma duração de tempo. Feynman acrescentou: "O que realmente interessa de qualquer maneira não é como definimos o tempo, mas como o medimos".

No relógio circadiano, o que tiquetaqueia são conteúdos de células — genes, proteínas — e o diálogo entre eles. Cada célula viva contém DNA, um cordão de material genético estreitamente enrolado. Nos eucariotos, vasto grupo de organismos que inclui todos os animais e plantas, o DNA é mantido dentro da membrana de um núcleo de célula. Cada cordão de DNA é constituído na verdade de dois cordões unidos no meio como se fosse por um zíper, formando uma dupla-hélice. Os cordões, por sua vez, são feitos de nucleotídeos, que formam genes de vários comprimentos. O DNA é intensamente dinâmico. De maneira regular, ele abre o fecho para expor um gene (ou alguns), faz uma cópia ativa e a envia para fora do núcleo, no citoplasma da célula, onde diferentes tipos de proteína se constroem com base no modelo recebido. Imagine uma arquiteta em atividade numa ilha enviando uma planta para um fabricante no continente, que a usará para construir diversos robôs.

A maioria dos genes envia códigos para proteínas que realizam atividades em outro lugar da célula: elas se combinam para formar moléculas, catalisam reações metabólicas, reparam danos internos. Mas os genes do relógio circadiano — existem dois principais — são diferentes. Estes codificam para um par de proteínas que se acumulam no citoplasma e depois se infiltram de novo no núcleo, onde aderem aos ativadores dos genes originais e os desativam. Resumindo, o "relógio" é pouco mais que um par de genes que, posteriormente e mediante vários intermediários, se desligam. Nossa arquiteta não está apenas enviando uma planta; ela está enviando mensagens em garrafas, endereçadas a seu futuro *eu*. Ulteriormente, quando garrafas suficientes se acumularam no mar, chegará até ela a seguinte mensagem: "Tire uma soneca".

Quando a arquiteta adormece e os genes do relógio estão em repouso, cessa a produção de proteína. As proteínas existentes se degradam no citoplasma e param de pressionar o núcleo e de desligar os genes, liberando-os para dar ordens de novo. Se esse processo soa como circular, parece ser o que a seleção natural estava propiciando. O notável não é o que é produzido (que, em suma, não é nada físico) e sim o período de produção: o ciclo, a partir do momento em que os genes do relógio são primeiramente ativados, depois desligados, depois ligados de novo, leva, em média, 24 horas. Algo é produzido, afinal: não uma molécula, mas um intervalo. No fundo, o relógio circadiano é uma conversa — entre o DNA de uma célula e suas proteínas construtoras —, e isso leva cerca de um dia para se desenrolar. Esse relógio endógeno vai tiquetaquear ao longo de seu ciclo mesmo se seu portador — uma pessoa, um rato, uma mosca-da-fruta, uma flor — for mantido no escuro durante dias sem fim. Mas como sua duração não é exatamente igual à duração da luz do dia, ele vai cada vez mais sair de sincronia com o dia solar; uma exposição regular à luz do sol acerta o relógio circadiano e o mantém sincronizado. A luz do sol é o moderador da conversa, intervindo diariamente para mantê-la sincronizada, mas sem intervir a cada momento.

O mais notável é que o período desse relógio seja de cerca de 24 horas, dado que a maioria das reações bioquímicas numa célula ocorre em apenas frações de segundo. Na prática, o diálogo entre os genes do relógio no núcleo e o das proteínas no citoplasma é mediado por uma rede de moléculas adicionais, codificadas por seus próprios genes. É menos uma conversa, talvez, do que um jogo maluco pelo telefone. Nossa arquiteta envia uma mensagem para ela mesma, mas há intermediários no caminho — empreiteiros, garotos de entrega, porteiros. Por fim, ela percebe que a mensagem chegou: 24 horas!

Muito do que os cientistas sabem sobre o relógio circadiano é colhido em estudos de animais. Na década de 1960, uma clássica série de experimentos realizados por Seymour Benzer e Ronald Konopka revelou que moscas-das-frutas ficam cada vez menos ativas segundo um ciclo regular de 24 horas. Além disso, certas cepas de moscas demonstraram ter um ritmo que era ligeiramente, às vezes drasticamente, mais longo ou mais curto que o de 24 horas. Fazendo cruzamento de moscas e dando uma mexida no DNA, os biólogos identificaram os genes envolvidos e revelaram um modelo básico de como o relógio funciona. Um par de genes, apelidados de *per* e *tim* (referindo-se a *period* [período] e *timeless* [atemporal]), se codifica para a produção de um par de proteínas chamadas PER e TIM. As duas proteínas se juntam para formar uma única molécula; quando o bastante dessa molécula se acumula no citoplasma, ela lixivia novamente no núcleo e age para desligar os genes *per* e *tim*.

Estudos subsequentes revelaram um relógio muito parecido, que envolve componentes muito semelhantes, em camundongos, embora o relógio do camundongo tenha variações adicionais dos genes e proteínas-chave. Os mesmos componentes genéticos foram identificados nas células humanas também. Na verdade, em todos os animais, de formigas e abelhas a renas e rinocerontes, funciona um relógio circadiano de construção semelhante. Plantas têm um relógio circadiano, que muitas espécies utilizam para ativar suas defesas químicas, em antecipação aos ataques matinais dos insetos; as plantas são mais resistentes ao ataque quando seus relógios funcionam normalmente. Janet Braam, uma bióloga celular da Universidade Rice, e seus colegas descobriram que os relógios circadianos de repolhos, mirtilos e outros frutos e vegetais continuam a tiquetaquear depois de as plantas terem sido colhidas. Mas à luz sempre acesa de uma mercearia — ou à escuridão constante de uma geladeira — os ritmos circadianos começam a se dissipar, assim como a produção cíclica de componentes-chave, fazendo a planta ficar mais vulnerável a bichos e talvez reduzindo seu gosto e mesmo seu valor nutritivo. Estamos transformando nossos vegetais em... vegetais.

Até mesmo no humilde porém bem estudado *Neurospora* — um mofo que cresce no pão — funciona um relógio circadiano. Os aspectos comuns entre os relógios de plantas e de animais são tão impressivos e arraigados que alguns biólogos suspeitam que em todos nós sempre funcionou alguma versão do mesmo relógio, desde que os primeiros organismos multicelulares surgiram na Terra, 700 milhões de anos atrás. Para mim essa ideia é reconfortante às 4h27, quando penso em minha consciência e mortalidade. Sou membro da única espécie, talvez, que antecipa um fim. A grama se prepara para receber a luz do sol, sem se preocupar com a perspectiva de meu cortador de grama. Quando desperto, despertam também as abelhas, a flor de uma planta distante que produzirá o café para minha cafeteira, o mofo que se acumula no pão no balcão de minha cozinha. A mesma herança tiquetaqueia em nós, informando-nos o tempo e deixando que aqueles que são capazes disso o computem.

Queremos saber que horas são. Perguntamos ao relógio de cabeceira; perguntamos ao relógio de pulso; perguntamos um ao outro: "Poderia me dizer as horas?".

Tudo bem, até perguntarmos a um segundo relógio, que invariavelmente discorda do primeiro. Em qual deles acreditar? Assim, achamos outro relógio para decidir a questão: o relógio da torre na praça principal, o relógio de ponto na porta do superintendente, o relógio na parede do escritório do diretor que toca a sineta quando termina o dia escolar. Para que cada um de nós tenha a mesma hora devemos concordar todos em qual é essa hora, de modo que possamos estar todos juntos, ao mesmo tempo. Temos de estar sincronizados. A vida é uma grande adaptação ao quando dos outros.

Isso é igualmente verdadeiro para nossas células. Na década de 1970, ficou claro que o principal relógio circadiano nos mamíferos é uma estrutura cerebral chamada núcleo supraquiasmático, um aglomerado duplo de cerca de 20 mil neurônios especializados no hipotálamo, perto da base do cérebro, que disparam em uníssono e num ritmo circadiano. Seu nome advém do fato de que ele está logo acima do quiasma óptico, onde os nervos ópticos dos dois olhos se cruzam (lugar adequado para receber informação sobre o mundo exterior), e ele regula a elevação e queda diárias da temperatura corporal, da pressão sanguínea, a taxa de divisão celular e outras atividades vitais. Ele se reajusta pela luz diurna, mas também segue seu próprio ritmo; deixado sozinho numa caverna escura ou banhado numa luz constante, repete seu ciclo numa média de 24,2 horas, quase mas não exatamente sincronizado com o ciclo de 24 horas do dia e da noite. Se essa estrutura for removida de um roedor de laboratório ou de um macaco-esquilo, o animal fica dessincronizado. Sua temperatura corporal, sua liberação de hormônios, sua atividade física não apresentam um padrão circadiano, e sem um relógio compartilhado esses processos não mais ficam sincronizados um com o outro. Hamsters nesse estado ficam diabéticos e não conseguem dormir; ficam desorientados, e seus movimentos, descoordenados. Mas, quando as células do núcleo supraquiasmático são novamente transplantadas nele, o animal recupera seu relógio — embora seja o relógio do doador.

Mas esse aglomerado de células não é o único relógio contido em nós; na década passada, ficou claro que virtualmente toda célula no corpo humano contém seu próprio relógio circadiano. Células musculares, células de gordura, células do pâncreas, do fígado, dos pulmões e do coração, mesmo órgãos inteiros têm seu próprio tempo circadiano. Um estudo com 25 pacientes de transplante de rim descobriu que, em sete deles, o novo rim ignorou o ritmo circadiano de seu novo dono e em vez disso manteve o ritmo excretório que tinha manifestado no doador. Os outros dezoito rins entraram em sincronia com o ritmo interno dos novos donos mas em condições opostas: eram mais ativos quando o rim existente era menos ativo, e vice-versa. Mesmo os genes, que produzem proteínas, mantêm nossas células, gerenciam nossa grade interna de energia e afinal ajudam a definir quem somos nós, funcionam numa programação circadiana. Até uma década atrás, pensava-se que apenas uma pequena porcentagem de genes de mamíferos oscilava com uma regularidade circadiana, mas agora parece que esse ritmo é uma propriedade básica de todos os genes. Estamos cheios de relógios, trilhões e trilhões deles.

Cada um desses relógios é potencialmente autônomo; ele tem seu próprio tique-taque, se for isolado dos outros funcionará livremente num ritmo que é quase o ritmo diário. Além disso, poucos desses relógios oscilam na mesma fase; um estudo de mais de mil genes no coração e no fígado de camundongos descobriu que sua atividade variava numa programação circadiana, mas não a mesma para todos. Imagine uma orquestra: a seção de cordas — violinos, violas, violoncelos e contrabaixos — interpreta um tema de múltiplas camadas; os metais e as madeiras entram com um contraponto; a percussão ribombeia ao fundo e se destaca ocasionalmente com um gongo. Mas, sem um regente, o resultado seria só barulho. Nos humanos, e em muitos vertebrados, o regente é o núcleo supraquiasmático. Ele mantém a cadência primária e a transmite, mediante hormônios e neuroquímicos, aos relógios periféricos, mantendo-os sincronizados uns com os outros. Para ter utilidade, um relógio tem de comunicar seu tempo aos relógios a sua volta ou pelo menos ouvir e absorver o que os outros têm a dizer. Um relógio é um concerto, um grupo numa conversa, uma história interativa. Você não carrega simplesmente muitos relógios dentro de você; a soma de você *é* um relógio.

Mas o relógio de corpo inteiro tampouco é perfeito, pelo menos não por si mesmo. Para se manter sincronizado com o ciclo de 24 horas do dia e da noite, ele tem de se reajustar, idealmente todo dia, com um input do mundo exterior. A pista mais forte é, de longe, a luz do dia, e nos humanos, assim como em todos os mamíferos e na maioria dos animais, a porta de entrada da luz é o olho; se o núcleo supraquiasmático é o regente do corpo, o olho é o metrônomo, que traduz o tempo físico em algo que a fisiologia possa entender. Um caminho neural discreto, chamado trato retino-hipotalâmico, vai do fundo do olho ao núcleo supraquiasmático; quando a luz do dia é registrada dentro do olho, os sinais viajam até o regente do corpo e o incitam a começar a sinfonia de novo, desde o início.

Esse processo, chamado arrastamento ou sincronização externa, é essencial para o corpo manter seus muitos relógios funcionando como uma só unidade. O regente não pode ser reajustado a qualquer momento, por qualquer luz; ao longo dos anos, os cientistas aprenderam muito sobre quais comprimentos de onda de luz são os mais efetivos, qual a duração ideal da exposição e a que hora do dia. Em laboratórios do sono, com dispositivos de iluminação especiais, pessoas podem ser reprogramadas para funcionar em dias de durações diversas — 26 horas, 28 horas — ou para acordar à meia-noite e ir dormir ao meio-dia. Deixados a nossos próprios dispositivos, no entanto, somos atrelados ao dia e ao tique-taque constante da rotação da Terra. Meu celular sincroniza-se com o do resto do mundo enviando um sinal para um satélite em órbita que contém um relógio próprio superpreciso, depois espera a resposta. Para sincronizar meu cérebro com o resto do mundo preciso só abrir meus olhos e deixar o dia entrar.

Era uma vez uma célula que entrou numa caverna e ficou lá durante muitos dias e muitas noites. Era eu; era você. Ela foi, nos meses que antecederam seu nascimento, Leo e Joshua, nossos fraternos filhos gêmeos.

Nós nascemos dentro do tempo ou é o tempo que nasce dentro de nós? A resposta depende do que se entende por tempo, é claro, mas também de qual é o significado de "nós" e quando esse nós tem início. Comece por uma única célula: uma fábrica viva, semisselada, de reações e inter-reações bioquímicas, cascatas de energia, trocas de íons, loops de retroalimentação e as expressões rítmicas de genes. A soma total dessa atividade pode ser medida como uma sutil elevação e queda, com o tempo, do potencial elétrico das células. Uma célula se torna duas, 10 mil, depois um embrião identificável. Em algum momento entre quarenta e sessenta dias depois da concepção aparecem as células que se tornarão o núcleo supraquiasmático. Elas surgem numa parte do cérebro que está nascendo, derivam dele e em dezesseis semanas, na metade da gravidez, se instalaram no hipotálamo. Nos babuínos, cujo desenvolvimento fetal é semelhante ao dos humanos, as células do núcleo supraquiasmático começam a oscilar por si mesmas no fim da gestação; a atividade metabólica das células fica mudando, entre alta e baixa intensidade, durante um período de mais ou menos 24 horas. Na ausência da luz do dia, apareceu algo com um ritmo próximo ao do dia. As células ficaram circadianas.

Um feto humano apresenta sinais claros de atividade circadiana organizada ainda no início da gestação — com cerca de vinte semanas, um mês depois de o núcleo supraquiasmático se instalar em seu lugar. A frequência cardíaca, o ritmo da respiração e a produção de certos esteroides neurais variam todos, regularmente, num período de 24 horas. Mas o feto não está à deriva num tempo endógeno, "correndo solto" como aquele espeleólogo francês. Sua atividade circadiana ocorre em sincronia com o ciclo luz-escuridão fora do útero, apesar de o feto estar no escuro e do fato de que seu trato retino-hipotalâmico, o caminho através do qual a notícia da luz do dia chega ao núcleo do relógio principal, ainda não se formou. Como é que o dia entrou lá?

Por meio de sua mãe. Entre os nutrientes e substâncias que fluem através da placenta há dois neuroquímicos — o neurotransmissor dopamina e o hormônio melatonina — que desempenham um papel crítico na sincronização do relógio principal do feto com a hora do dia exterior. Receptores para esses neuroquímicos surgem no núcleo supraquiasmático no início da formação da estrutura no útero. Com frequência, quando estou deitado e acordado na noite escura, gosto de imaginar que a vida no útero deve ser como aquilo, só que melhor — nenhum relógio tiquetaqueia lá, nenhum pensamento sobre tique-taques sequer cintila, infiltrando-se; o feto flutua num espaço que fica além do tempo, sem pressa e inocente. Mas isso, claro, é uma ficção; um embrião está continuamente banhado e infundido da hora correta do dia. Ele vive e cresce num tempo emprestado.

O que um feto ganha por ter um conhecimento em segunda mão do dia? Uma possível vantagem, pensam os cientistas, vem nos primeiros dias fora do útero. Mamíferos que vivem em tocas — toupeiras, camundongos, esquilos terrestres — muitas vezes não ficam expostos diretamente à luz diurna nos primeiros dias ou semanas depois de nascerem. Se as crias recém-nascidas, quando por fim emergem na superfície, tivessem de passar vários dias mais se adaptando aos ritmos da luz diurna, estariam especialmente vulneráveis a predadores. Talvez para eles, e para os humanos também, a experiência circadiana no útero propicie uma espécie de salto inicial, um curso preparatório para a clara realidade.

Mas um relógio circadiano também é essencial para a organização do meio ambiente interno. Um animal, mesmo em estado de embrião, é uma montagem de relógios circadianos em miniatura — bilhões e bilhões deles, em células, genes e órgãos em desenvolvimento, funcionando mais ou menos 24 horas por dia nas tarefas que lhes são atribuídas. Sem um relógio central — fornecido no útero pela mãe e posteriormente pelo núcleo supraquiasmático da pessoa —, esses vários sistemas nem se desenvolveriam adequadamente nem funcionariam coordenados entre si. Se o estômago decidisse comer a determinada hora, mas as enzimas gástricas só aparecessem uma hora depois, a digestão seria ineficiente. O relógio materno provê o feto de uma organização essencial — "um estado de ordem temporal interior", como sustenta um artigo científico — até que o relógio do indivíduo em questão assuma a tarefa. Ele também integra a psicologia do embrião com a da mãe, facultando a que os dois comam, digiram e metabolizem na mesma cadência. Afinal, até o momento do nascimento, o feto é literalmente parte da mãe, mais um relógio periférico a ser governado e ajustado.

O ritmo circadiano da mãe também pode funcionar como um despertador para o feto. Pesquisadores descobriram que, para muitos mamíferos, o início do trabalho de parto tem um componente circadiano. Por exemplo, ratos parem tipicamente durante as horas diurnas — que para eles equivalem ao tempo noturno — e no laboratório o início do trabalho de parto pode ser mudado encurtando ou alongando a exposição da mãe à luz. Entre as mulheres nos Estados Unidos, a maioria dos partos em casa ocorre à noite, entre uma e cinco horas da manhã. (Em hospitais, no entanto, os bebês nascem com mais frequência em dias úteis entre oito e nove da manhã, possivelmente devido ao aumento no número de partos induzidos e cesarianas, que são marcados em horas que permitam um cuidado otimizado por parte da equipe.) Vários estudos com animais sugerem que o feto também desempenha papel ativo na programação do parto. No último dia de gestação, o relógio principal no cérebro do feto, que já está sincronizado com o dia solar, desencadeia a cascata de sinais neuroquímicos que culminam no nascimento. O jovem relógio, que estivera no escuro e era periférico, anuncia sua independência e suscita sua própria liberação no mundo.

Leo e Joshua nasceram seis semanas e meia mais cedo e com uma diferença de quatro minutos, nas primeiras horas do dia 4 de julho. Recém-nascidos são criaturas estranhas — chocados, chorosos e revestidos de vérnix branco. Olhando em retrospecto, posso dizer com sinceridade que, quando nossos meninos emergiram na sala de parto, o que vi eram duas marionetes meio enlouquecidas, desconjuntadas. Não é de admirar. Durante vários meses, até esse momento, eles tinham conhecido o tempo intimamente; era um banho neuroquímico canalizado pela placenta. Agora aqui estavam dois humanos novinhos procurando desesperadamente o relógio de cabeceira — *Que horas são?* — sem esperança de encontrá-lo logo.

É claro que seu novo relógio, o relógio universal, brilhava para eles em forma de luz. (Obviamente, era luz de hospital às duas da manhã, mas em poucas horas estariam expostos à luz de verdade.) Quando Michel Siffre emergiu pela primeira vez do tempo endógeno na caverna para a luz do dia, ele se beneficiou do fato de possuir um sistema circadiano maduro.

Em poucos dias depois de seu retorno à civilização, seu ciclo sono-vigília tinha voltado a algo próximo ao normal e ele estava de novo sincronizado com seus amigos, sua família e o mundo mais amplo. O recém-nascido, em contraste, emerge com um relógio circadiano que ainda não é totalmente operacional. Ele nasce sincronizado com sua mãe e depois, por algumas semanas e em plena luz do dia, entra num caos temporal, arrastando sua nova família com ele.

Isso explicaria muito do que aconteceu naquelas primeiras semanas, a julgar pelo que me lembro delas. Todos nós dormíamos tão pouco e de modo tão irregular que minha memória ativa se diluiu. Lembro-me de assistir ao filme *Operação França* várias vezes, depois da meia-noite, enquanto dava mamadeira para os dois infantes, mas nem mesmo agora eu seria capaz de reconstituir o enredo; havia um homem barbado, uma caçada no metrô, Gene Hackman num chapéu *porkpie*. À maneira de Siffre, eu mal conseguia me lembrar o que tinha feito no dia anterior, ou há quanto tempo o dia anterior acontecera, ou se o dia anterior já havia acabado. Todo esse período estava confuso numa longa esticada de vigília e insônia. Quando, depois de muitos meses, Susan e eu enfim readquirimos a capacidade de refletir, vimo-nos dizendo "O tempo parou" e "O tempo voou", e as duas declarações eram igualmente verdadeiras.

Nos primeiros três meses de vida, ou algo assim, um bebê dorme dezesseis ou dezessete horas por dia, mas não de modo regular e consolidado. Seus períodos de repouso são distribuídos de modo bem equilibrado num período de 24 horas: mais durante o dia que durante a noite, no início, e depois da 12ª semana mais à noite que durante o dia. Esse padrão desordenado é resultado de uma comunicação interna ruim. Embora um bebê nasça com um relógio circadiano funcionando no hipotálamo, as vias neurais e bioquímicas que transmitem o ritmo pelo cérebro e pelo corpo ainda não estão conectadas. "O relógio está tiquetaqueando", disse-me Scott Rivkees, catedrático de pediatria na Faculdade de Medicina da Universidade da Flórida. "Mas pode haver um desencontro entre o que acontece no relógio e no resto do organismo." É como se o Observatório Naval dos Estados Unidos não fosse capaz de enviar seus sinais de tempo para a rede de satélites GPS, ou como se o NIST, o Instituto Nacional de Padrões e Tecnologia, deixasse de ligar seu canal de rádio que transmite exclusivamente a hora; um cérebro de bebê percebe qual é a hora correta do dia, mas não consegue disseminá-la de maneira adequada.

Algum tempo atrás, não muito, esse desacerto era tema de grande interesse clínico. No fim da década de 1990, Rivkees ajudou a identificar o trato retino-hipotalâmico, a via neural que conecta os olhos ao núcleo supraquiasmático, em bebês prematuros e recém-nascidos. Descobriu também que o canal é funcional na gestação avançada: ele reage à luz mesmo em bebês que nasceram várias semanas antes do tempo. A descoberta e suas implicações pegaram Rivkees de surpresa, ele me disse. Bebês prematuros são mantidos em unidades de tratamento intensivo neonatais até estarem fortes o bastante para ir para casa. Já em plena década de 1990, a prática comum nessas unidades era sempre manter as luzes apagadas; o útero é escuro, e assim deveria ser também o ambiente para um bebê prematuro, dizia a lógica. Rivkees se perguntou se esse raciocínio era sensato. Um bebê que nasce prematuramente perde no mesmo instante o input circadiano de sua mãe — informação que é vital para que os órgãos e sistemas fisiológicos recém-nascidos se desenvolvam em sincronia uns com os outros. Mas o prematuro tem um trato retino-hipotalâmico funcionando, assim, potencialmente ele poderia absorver por si mesmo informação circadiana. Rivkees suspeitou que os hospitais, ao tentar fazer a coisa certa, estavam privando os bebês de dados temporais essenciais.

Ele e seus colegas conduziram um experimento. Um grupo de controle de neonatos foi mantido num ambiente típico de Unidade de Tratamento Intensivo Neonatal, constantemente pouco iluminado, durante duas semanas antes de receberem alta do hospital. Um segundo grupo foi exposto a um regime em ciclos: as luzes ficavam acesas das sete da manhã às sete da noite e apagadas no restante do tempo. Os bebês dos dois grupos foram para casa com monitores ativos em seus tornozelos, que gravavam continuamente as menores mudanças na frequência cardíaca e na respiração. Os dados revelaram que, depois da primeira semana em casa, bebês de ambos os grupos tinham essencialmente os mesmos padrões de sono. Mas os que tinham sido expostos aos ciclos de luz no hospital estavam 20% a 30% mais ativos durante o dia do que à noite, e suas mães ficavam mais envolvidas com eles; o grupo de controle não exibiu padrões comparáveis durante mais seis ou oito semanas. A exposição à luz mais cedo e uma noção de tempo adquirida mais cedo resultaram em mais do que uma melhora na saúde; foram essenciais para a química que ajuda a criar uma nova ligação familiar.

Graças em parte a essa pesquisa, as unidades neonatais agora normalmente usam a iluminação cíclica. E os pediatras costumam recomendar que se usem cortinas de blecaute apenas entre o escurecer e o amanhecer, não durante o sono da tarde do bebê. Mas o mito do útero desligado do tempo persiste entre muitos pais, disse Rivkees. Quando enfermeiras pediátricas fazem visitas domiciliares, elas comumente encontram recém-nascidos dormindo em quartos que são mantidos sempre no escuro ou na penumbra. "Você pensava que as crianças estavam indo para quartos claros e arejados em casa, mas muitas vezes o caso não era este", disse ele. Mesmo depois do parto a mãe continua a imprimir seu ritmo circadiano ao bebê. O leite materno contém triptofano, uma molécula que quando ingerida é sintetizada em melatonina, um neuroquímico que induz ao sono. Naturalmente, o triptofano é produzido segundo o programa do relógio circadiano da mãe; ele fica disponível no seio em certas horas do dia mais que em outras. Amamentações em tempos regulares ajudam a consolidar o ciclo de sono do bebê em sincronismo com o da mãe e também com o dia natural, e vários estudos recentes sugerem que bebês que são amamentados no seio adotam um regime sadio de sono mais cedo do que bebês alimentados de modo artificial. Para os recém-nascidos, o dia é algo a ser consumido tanto quanto a ser absorvido.

Sou acordado no escuro por um grito. É Leo, com fome. Que horas são? Eu tateio procurando o relógio e o trago para perto dos olhos: 4h20. Hoje é 21 de junho, primeiro dia do verão, o dia com mais minutos de luz. Evidentemente eu estarei acordado durante todos eles.

Com a ajuda de cerca de 20 mil células-relógios e alguns neurônios especializados em suas retinas, Leo e Joshua metabolizaram a luz do dia de quase todos os seus primeiros 365 dias. Agora, já faz algumas semanas, eles dormem durante a noite, mas acordam penosamente cedo, ao primeiro sussurro da madrugada, antes ainda dos pássaros. Nossos amigos alegam que se os puséssemos para dormir um pouco mais tarde do que de costume, eles acordariam um pouco mais tarde pela manhã. Mas temos lido sobre o arrastamento circadiano e estamos confiando nossa sanidade à ciência.

A luz reajusta o relógio circadiano, mas não qualquer luz; não fosse assim, o relógio circadiano se reajustaria a cada momento de luz diurna que passasse. Na prática, os organismos são mais sensíveis à luz — mais exatamente a mudanças na intensidade da luz — a cada início de seu dia. Os relógios circadianos de animais noturnos, como morcegos, estão mais sintonizados a mudanças na intensidade da luz à noite do que pela manhã, enquanto os animais diurnos (inclusive crianças, depois de elas adquirirem algo como um regime diurno) são mais sensíveis à lua ao amanhecer do que ao entardecer. Assim, era de esperar que nossos filhos acordassem à mesma hora, quer fossem para cama às seis ou às oito na noite anterior.

Nem bem eu discutira tudo isso de novo, mentalmente, com Susan (ela agora também está acordada), os pássaros lá fora irromperam a cantar: primeiro um único, gorjeador pintarroxo, depois um coro inteiro. A hora é 4h23. Susan se arrasta para alimentar Leo; em vinte minutos ele está dormindo de novo, e Susan volta para a cama. Menos de um minuto depois, Joshua acorda com um grasnido. Uma luz pálida se infiltra pelas persianas da janela. O canto dos pássaros se tornou uma cacofonia, e achamos que isso está fazendo Joshua ficar acordado. Cientistas que estudam ritmos circadianos empregam o termo *zeitgeber* — do alemão *Zeit* (tempo) e *Geber* (aquele que dá) — para caracterizar um evento que reajusta o relógio biológico. O mais forte e mais comum *zeitgeber* é a luz diurna. Privados desse input por bastante tempo, os humanos vão encontrar outras deixas para inconscientemente ajustar a elas seus ritmos circadianos: um despertador, o toque de um sino, até mesmo contatos sociais simples, mas regulares. A luz diurna é um *zeitgeber* para o pintarroxo, o pintarroxo é um *zeitgeber* para a criança, a criança é um *zeitgeber* para o homem.

"Quieto, pássaro", sussurra Susan.

Está ficando claro para nós dois que a paternidade será uma gradual porém implacável série de concessões. Primeiro, dissemos a nós mesmos que não éramos na verdade pais novatos, e sim gerentes de uma startup. Segundo essa narrativa, nossa vida era exatamente a mesma de antes, exceto quanto ao acréscimo de dois encantadores, conquanto ineficientes, empregados. Nossa tarefa era impor a eles um horário — comer a tal ou tal hora, dormir da hora X até a hora Y — que se adequasse com perfeição ao horário de nossos antigos "eus" adultos sem filhos. Mas nossa startup, cada vez mais, parecia ser de propriedade de seus supostos empregados, e operada por eles.

Fiquei militantemente agregado à soneca diurna dos garotos, um período de duas ou três horas em que meu antigo *eu* poderia se reafirmar e fazer as coisas do antigo *eu*, como escrever ou dormir, como se esse ainda fosse meu *eu* atual. Mas isso era uma ficção também. Eu acomodava os dois garotos em seus berços e me esgueirava de lá; eles tinham se acalmado, mas logo um deles começaria a tagarelar e a me chamar. Quando eu me recusava a ir vê-lo, ele começava a balbuciar e a dar pulinhos, mesmo com seu irmão dormindo profundamente a apenas alguns metros. Isso me deixava numa agitação além do comum. Era uma afronta à minha nova paternal ditadura e corroía meu senso de independência. "Esta é a minha hora", tentei dizer a ele.

Eu falei macio com ele, adulei, repreendi. Isso só fez excitá-lo, o que aprofundou meu ressentimento. Sem se assustar com minha repreensão, ele parecia estar se divertindo ao me alfinetar com suas travessuras; de repente me dei conta de que eu me tornara o Sistema e agora o menino estava me afrontando. Depois eu entendi: ele não queria afrontar o Sistema, ele só queria que o Sistema brincasse com ele. Eu me rendi. Desisti da ilusão de que era um dia útil, e nós dois passamos o período da soneca dele acordados, brincando juntos de afrontar o Sistema. Certa tarde ele apontou para o relógio na parede do quarto; seu tique-taque o estava mantendo acordado, e ele queria olhar mais de perto. Tirei o relógio da parede e o trouxe até ele, mostrei-lhe a caixa de plástico atrás do objeto, onde ficavam a bateria e o mecanismo. Depois o desvirei, e juntos, perplexos, olhamos o ponteiro dos segundos dar a volta no mostrador.

Trabalho num prédio antigo ao pé de uma colina, junto ao rio Hudson. O prédio, uma antiga cervejaria, abriga uma mistura eclética de negócios locais, inclusive uma construtora, uma oficina de conserto de piano, um estúdio de dança para crianças e vários artistas e músicos. As paredes são finas, os andares são forrados de linóleo, e toda a estrutura está num processo de decadência. À noite eu cubro meu computador com um plástico, para o caso de um vazamento no teto ou que dele se desprendam grânulos de areia. Certa manhã notei que uma vespa de lama tinha começado a construir um ninho em meu teto. Outro dia, através da parede, ouvi o dono do negócio ao lado repreender uma empregada, que no caso era a mãe dele: "Se eu estiver fora do prazo e precisando de mais tempo, a primeira coisa que faço é descobrir de quanto tempo a mais eu preciso!".

Lá fora, na frente do prédio, no estacionamento, há um lago artificial com um banco, aonde vou às vezes para meditar. O lago é pequeno, talvez com trinta metros de largura, com uma borda de concreto em volta. A água — de uma rede suburbana — entra no lado mais afastado, por uma valeta cheia de capim, e sai do lado mais próximo por um tubo de drenagem. No início da primavera a água é límpida o bastante para eu enxergar o peixinho dourado que lá reside perto do fundo, a pouco mais de um metro da superfície. Em meados de maio a superfície adquiriu uma película verde, e no fim de junho o lago está coberto de espuma, oferecendo pouca coisa a ser vista, mas muita a ser considerada.

A escuma da terra dificilmente recebe o crédito que merece. O que chamamos de espuma são na maioria das vezes cianobactérias, que eram antes conhecidas como algas azul-esverdeadas, um amplo grupo de procariotas monocelulares — organismos sem o núcleo da célula —, que vivem na água e prosperam à luz solar. As cianobactérias não são bactérias comuns (os germes de sua casa não fazem fotossíntese) nem são exatamente algas (que são eucariotos monocelulares com um núcleo). Mas estão em toda parte, constituem uma fração considerável da biomassa da Terra e são o fundamento da cadeia alimentar. As cianobactérias estão entre as formas mais antigas de vida em nosso planeta de 4,5 bilhões de anos de idade. Surgiram há pelo menos 2,8 bilhões de anos, talvez há 3,8 bilhões de anos, antes de a atmosfera terrestre conter oxigênio; na verdade, credita-se a elas a criação monocelular do oxigênio como subproduto de sua fotossíntese. De algum modo, em algum momento, a árida essência do espaço-tempo foi internalizada — incorporada — pela vida. Se a história da vida começa em algum lugar, a cianobactéria é um lugar tão bom quanto qualquer outro para esse começo.

Ter um relógio endógeno é uma adaptação útil. Por algum motivo o relógio é um backup essencial. Em teoria, um organismo poderia dispensá-lo e em vez disso satisfazer todas as suas necessidades relativas ao tempo, como a de manter seu ambiente interno organizado, consultando direta e continuamente o ritmo de 24 horas da luz diurna — exceto quando o organismo deriva sem rumo durante a noite e em dias nublados. (Imagine se seu relógio controlado pelo rádio perdesse a recepção do rádio depois do pôr do sol e não tivesse como manter a hora certa por si mesmo.) Até o fim da década de 1980, a maioria dos biólogos presumia que micróbios como a cianobactéria não tinham um relógio circadiano, pelo simples motivo de que um micróbio não vive, em média, o suficiente para precisar de um. Uma cianobactéria típica se divide em duas a cada poucas horas — mais rápida e vigorosamente quando o sol está brilhando, menos quando está escuro. Num período de 24 horas, uma célula progenitora pode fazer surgirem seis ou mais gerações subsequentes, resultando em muitas células. Como me disse Carl Johnson, um microbiologista da Universidade Vanderbilt: "Qual é o sentido de ter um relógio se você não vai ser a mesma pessoa no dia seguinte?".

Durante mais de duas décadas Johnson tem estado na vanguarda da pesquisa, demonstrando que na verdade as bactérias têm um relógio circadiano que é espantosamente preciso. Além disso, o relógio bacteriano tem tão pouca semelhança com o relógio nas células de animais, plantas e fungos que surge a questão de qual relógio circadiano se desenvolveu primeiro — e a qual podem ser relacionadas as variedades subsequentes do relógio.

As cianobactérias criam oxigênio no decorrer da fotossíntese, muitas espécies também fixam nitrogênio, extraindo-o do ar e convertendo-o em compostos que podem ser utilizados pelas plantas. Fazer as coisas ao mesmo tempo é um desafio, já que a presença de oxigênio sufoca a enzima envolvida na captura do nitrogênio. Cianobactérias mais complexas, filamentosas, podem realizar essas atividades simultaneamente, dividindo o trabalho entre suas células. Mas cianobactérias monocelulares não têm compartimentos internos, de modo que, em vez disso, elas se compartimentam com o passar do tempo: fazem fotossíntese durante o dia e fixam nitrogênio à noite.

A existência desse ritmo diário foi um indício de que os micróbios possuem algum tipo de relógio circadiano. Junto com vários colegas, Johnson decifrou a mecânica do relógio, sobretudo mediante o estudo da *Synechococus elongatus*, espécie de cianobactéria comumente usada em experimentos de laboratório. Seu relógio é amplamente compartilhado entre diversas cianobactérias, e se veem aspectos similares desse relógio em outros micróbios, mas tem pouca semelhança com o que se encontra em organismos de nível mais elevado. Em seu cerne há três proteínas, apelidadas KaiA, KaiB e KaiC, referência ao caractere japonês kanji chamado *kaiten*, que se refere ao giro cíclico do céu. A proteína-chave KaiC se parece um pouco com duas rosquinhas empilhadas uma sobre a outra, ou, de forma mais pertinente, uma engrenagem num relógio. Às vezes KaiC interage com uma das outras duas proteínas, o que altera ligeiramente seu formato e lhe permite apreender ou liberar um íon de fosfato. Mais tarde, todas as três proteínas convergem para formar uma única e efêmera molécula chamada periodossomo. Susan Golden, microbiologista da Universidade da Califórnia, em San Diego, refere-se a essa interação como "abraço grupal", e esse abraço leva 24 horas para se realizar.

"É quase como as engrenagens de um relógio se movendo", disse-me Golden. Há vários aspectos notáveis nessa configuração, mas a principal surpresa é sua independência. Em organismos de nível mais alto, o relógio circadiano é movido pela expressão rítmica do DNA; genes-chave no núcleo desencadeiam a construção de proteínas no citoplasma e depois desligam esses genes no núcleo. A cianobactéria não tem núcleo; seu relógio é uma conversa apenas entre as proteínas. Essas proteínas são fabricadas por genes específicos (descarte os genes e o relógio vai acabar parando por falta de componentes), mas o ritmo no qual o relógio de proteína tiquetaqueia não tem relação com o ritmo no qual os genes são expressos. Na verdade, o ritmo do tique-taque do relógio de proteína é tão independente das células de DNA que, quando as proteínas-chave são removidas da célula e isoladas num tubo de ensaio, elas continuam a decretar seu abraço de 24 horas durante dias e dias.

"Em plantas, animais e fungos, o relógio é algo muito vago", disse Golden. "É um somatório de eventos, e há muitos partícipes circulando em volta. O que é extraordinário quanto ao relógio da cianobactéria é que ele é uma coisa: é um dispositivo. Você pode isolá-lo num tubo de ensaio e deixar que faça as coisas dele."

Acredita-se que certos componentes de células — a mitocôndria geradora de energia, por exemplo, e cloroplastos, onde ocorre a fotossíntese — tenham sido procariotos nadando livremente que depois foram ingeridos mas nunca metabolizados; são, basicamente, simbiontes internos. Eu fiquei pensando se o relógio de proteína tinha uma história semelhante — se havia existido, ou talvez ainda existisse, independentemente na natureza e foi internalizado por cianobactérias, como se fosse um relógio emprestado. Golden disse que não; os cientistas só conseguiram replicar o relógio fora da célula viva usando técnicas meticulosas no laboratório. Mas sua existência atesta a durabilidade e a simplicidade da maquinaria, disse ela. Uma vez dado o contentor adequado e só um punhado de peças, não fica difícil para a seleção natural produzir um relógio preciso — um relógio, além do mais, que é prontamente passado de geração em geração.

Na verdade, quando uma cianobactéria se divide, o relógio se parte em dois e continua tiquetaqueando, sem perder o ritmo. Duas bactérias se tornam quatro, dezesseis, milhões — todas idênticas, todas contendo relógios idênticos que conservam o mesmo tempo original, sincronizados em massa. O relógio consiste num monte de proteínas interagindo dentro de um saco, a membrana celular. Quando o saco se divide, as proteínas se dividem também, e o mecanismo se mantém intacto, preservando o antigo ritmo em dois novos contentores. Como o mecanismo funciona independentemente do DNA do organismo, o relógio transcende a duração normal da vida da célula individual. Dificilmente alguém perceberia só de olhar, mas a tênue camada superficial de um lago, feita de bilhões de células de cianobactéria, representa o mostrador unificado de um relógio.

Alguma versão desse relógio foi encontrada em várias dezenas de outras espécies de cianobactéria. "Pode haver outros organismos com outros tipos de relógio", disse Golden. "Não sabemos quantos relógios existem por aí." Com tantas variedades de relógio em serviço — em animais, plantas, fungos, bactérias —, os biólogos se perguntam quão profundamente esses relógios podem estar relacionados uns aos outros. Surgiram duas linhas de pensamento. A primeira, que poderia ser chamada de escola de Muitos Relógios, alega que devido ao fato de o ritmo de 24 horas da luz solar ter sido uma força tão penetrante da seleção natural, e por ser o relógio circadiano uma adaptação tão crítica, desenvolveram-se numerosas formas de relógios circadianos. "Organismos diferentes têm em suas cozinhas coisas diferentes com as quais cozinhar um relógio", disse Golden. "Se funcionar, funcionou."

O outro ramo de pensamento, a escola do Relógio Único, vira esse argumento de cabeça para baixo: o ritmo da luz do sol foi uma força seletiva tão penetrante que, uma vez tendo se desenvolvido o relógio circadiano original, ele permaneceu naquele estágio de desenvolvimento. Esse argumento é mais difícil de sustentar; as disparidades entre tipos de relógio — entre os relógios de humanos e de plantas, ou de plantas e de fungos, ou de fungos e de cianobactérias — parecem ser grandes demais para se conciliar facilmente. Carl Johnson, por sua vez, alega que podem ser, posteriormente. Ele suspeita que, por baixo do diálogo que abrange o relógio de organismos multicelulares — a transcrição de genes e sua tradução em proteínas —, algo como o relógio de proteína de cianobactérias tiquetaqueia, conduzindo a aparente conversa. "Tenho alimentado a ideia de que a transcrição-tradução pode não ser o modelo essencial", ele me disse. "Talvez as cianobactérias estejam nos levando a novas maneiras de pensar."

Fique olhando por bastante tempo a superfície de um lago com relógios de espuma e as perguntas começam a borbulhar. Por exemplo: o relógio circadiano evoluiu muitas vezes ou apenas uma? Por que será que ele surgiu? Não há respostas prováveis, é claro; a seleção natural cobre seus rastros. Reiterando: é quase certo que a luz do sol desempenhou um papel no surgimento do relógio. Não pode ser mera coincidência o fato de que o relógio circadiano e a duração do dia solar se alinhem tão coincidentemente, e com tanta consistência, em todos os reinos vivos.

Ponha-se no lugar de um micróbio e imagine o que pode fazer com seu próprio relógio de 24 horas. É um backup muito conveniente para quando o sol não aparece, mas é também um dispositivo antecipatório, quase um relógio despertador; ele fornece uma boa estimativa de quando o sol vai aparecer amanhã, o que permite que você se prepare para isso. Se você é fotossintético, um relógio desses pode permitir que você apronte sua maquinaria colhedora de energia e talvez leve vantagem sobre outros fotossintetizadores — e com isso se reproduza com mais êxito e deixe seu relógio como legado a gerações futuras. Essa vantagem pode ser menos útil nas proximidades do equador, onde a duração do dia é igual à duração da noite e as horas do nascer e do pôr do sol nunca variam. No entanto, à medida que se vai para o norte ou para o sul em direção aos polos terrestres, a relação proporcional entre a luz do dia e a escuridão muda com o passar de cada dia do ano, e um relógio circadiano ajudará a antecipar a variação. Talvez o relógio tenha permitido que organismos primevos expandissem sua abrangência, muito à maneira de como, no século XVII, a invenção da longitude e do relógio mecânico ajudou os britânicos a explorar os mares do mundo e colonizar terras distantes.

Porém, como força seletiva, a luz do sol atua em dois sentidos; é algo a ser evitado tanto quanto a ser utilizado. A radiação ultravioleta pode causar graves danos ao DNA de uma célula; o genoma é mais vulnerável durante a divisão celular, quando o DNA abre seu zíper para se duplicar. Essas condições teriam sido especialmente perigosas há cerca de 4 bilhões de anos, antes de o planeta ter desenvolvido a camada de ozônio que agora serve de escudo, protegendo a vida dos raios mais perigosos do sol. E as cianobactérias, às quais se credita amplamente terem criado o oxigênio do planeta e suas camadas de ozônio — feito que leva pelo menos 1 bilhão de anos —, é que correriam mais risco. Não sendo dotadas de flagelos, não podem se movimentar, e por isso não são capazes de mergulhar na sombra da coluna d'água. Como se reproduziram sem expor suas partes delicadas aos raios ultravioleta?

Um relógio circadiano poderia ajudar; com ele, um micróbio pode fazer com que a divisão celular ocorra em horas menos arriscadas do dia. Os biólogos chamam isso de a hipótese da "fuga da luz". Embora as cianobactérias pareçam se dividir continuamente na luz — afinal, elas funcionam com energia solar —, elas são capazes de impor certas restrições temporais em sua reprodução. Um estudo de três comunidades de micróbios em vida selvagem — duas compostas por algas, a terceira de uma espécie de cianobactéria — descobriu que elas fotossintetizavam o dia inteiro, mas interrompiam a produção de novo DNA durante três a seis horas no meio do dia, depois começavam de novo antes do pôr do sol. As regiões delas que são mais vulneráveis à radiação ultravioleta tiravam efetivamente uma soneca na sombra.

As células de plantas e animais modernos podem conter um resíduo dessa história evolucionária, na forma de proteínas especializadas chamadas criptocromos. Essas proteínas são sensíveis à luz azul e ultravioleta; também são parte do relógio circadiano nesses organismos, ajudando a mantê-los sincronizados com o ciclo natural da luz diurna. As proteínas são notavelmente semelhantes em sua estrutura a uma enzima chamada fotoliase de DNA, que usa a energia da luz azul para reparar DNA danificado por radiação ultravioleta. Alguns biólogos pensam que o papel da enzima pode ter evoluído com o tempo. Talvez o que começou como uma ferramenta para reparar danos causados pela radiação ultravioleta tenha sido cooptado e incorporado no relógio circadiano, onde, como um criptocromo, ele tem agora um papel mais administrativo, ajudando o organismo a evitar todo dano causado pela luz do sol. O médico se tornou um mediador.

Se os teóricos do escapismo estiverem certos, então o relógio circadiano foi a primeira profilaxia no mundo, o precursor do sexo seguro. Esses organismos que eram capazes de se antecipar e evitar a reprodução durante as horas mais arriscadas de luz solar foram recompensados com outra geração, enquanto os que estavam na hora errada e equipados de maneira inadequada foram geneticamente extintos. Vida ou morte — clara e diretamente, malthusiano. Quando olho para o lago no estacionamento de meu escritório não vejo imediatamente um relógio, mas suponho que é isso que ele é. Pode ser escuma, mas a ela devemos a hora do dia.

Dia 14 de fevereiro de 1972: Michel Siffre começa seu segundo grande experimento de isolamento do tempo, o mais longo na história. Em Midnight Cave, a Caverna da Meia-noite, perto de Del Rio, Texas, com financiamento da Nasa, ele estabeleceu um laboratório subterrâneo de si mesmo. Uma plataforma de madeira servia de base a uma grande tenda de nylon equipada com cama, mesa, cadeira, vários instrumentos científicos, freezers com alimentos e 781 recipientes com um galão de água cada um. Nem calendários nem relógios. Sorri para as câmeras de transmissão de notícias, beija sua nova noiva, abraça sua mãe e depois desce trinta metros pelo poço vertical que o leva a seu isolamento. Se tudo correr bem, ele ficará lá durante mais de seis meses, até setembro. "A escuridão é absoluta, o silêncio, total", ele escreverá mais tarde.

Siffre conta seus dias por ciclos, da hora em que desperta até a próxima hora de despertar. As manhãs são atarefadas: ao se levantar, ele liga para sua equipe de pesquisa lá em cima, que acende as luzes instaladas na caverna. Ele anota sua pressão sanguínea, anda três milhas, quase cinco quilômetros, numa bicicleta estacionária e pratica cinco rodadas de tiro ao alvo com uma arma de ar comprimido. Conecta eletrodos no peito, para medir seus ritmos cardíacos, e na cabeça, para registrar a natureza de seu sono; com uma sonda retal ele mede a temperatura corporal. Quando se barbeia, guarda os pelos para estudar mais tarde quaisquer mudanças hormonais. E ele varre. As rochas a sua volta se decompõem em pó que se deposita em toda parte; o pó se mistura com o guano originário de uma antiga colônia de morcegos, e por isso, enquanto varre, tenta não inalar.

    Siffre está interessado em saber o que acontece com os ritmos naturais do corpo de uma pessoa quando ela fica tão longamente isolada do tempo. Estudos de Jürgen Aschoff e outros pesquisadores mostraram que alguns sujeitos, isolados durante um mês, começaram a habitar um dia de 48 horas, dormindo e acordando a intervalos que eram o dobro dos de uma pessoa normal. Poderiam as tripulações de naves espaciais e de submarinos nucleares adotar um tal regime e se beneficiar dele? Porém todas essas medições, aplicar e remover sondas e eletrodos, peneirar pelos, logo se tornam tediosas para Siffre. Antes de se passar um mês, o toca-discos, sua única fonte de diversão, quebra. "Agora só tenho livros", ele escreve em suas anotações. O mofo está se espalhando, crescendo até mesmo nos mostradores de seu equipamento científico.

    Os resultados de testes e medições iriam demonstrar mais tarde que nas cinco primeiras semanas no subsolo Siffre viveu num ciclo circadiano de 26 horas. Sua temperatura corporal subia e baixava a cada 26 horas e, embora não tivesse consciência disso, dormia e acordava segundo esse ritmo também, acordando duas horas mais tarde a cada dia e dormindo durante uma terça parte do tempo. Como tinha acontecido na Scarasson, ele "corria solto": vivia o ideal rousseauniano, num horário estritamente endógeno onde não se engajavam nem a luz do sol nem a sociedade.

    Em seu 37º dia debaixo da terra, que nos cálculos de Siffre era o trigésimo, algo sem precedentes aconteceu. Sem que ele soubesse, sua temperatura e seu ciclo de sono, que já estavam descolados do dia solar, tornaram-se descolados um do outro: Siffre fica acordado até muito depois da hora em que usualmente ia dormir e depois dorme durante quinze horas, o dobro de seu período usual de sono. Depois disso, seus horários oscilam, para a frente e para trás; às vezes ele dorme num ciclo de 26 horas, outras vezes o ciclo dura quarenta ou cinquenta horas. Enquanto isso, o ciclo de sua temperatura mantém o ritmo de 26 horas. Siffre fica alheio a isso tudo.

Desde então, os cientistas aprenderam que nossos hábitos de sono são só parcialmente governados pelo ciclo circadiano. No decorrer do dia, a adenosina neuroquímica se acumula no corpo, induzindo ao sono; essa acumulação é chamada de pressão homeostática. Você pode superar essa sensação tirando uma soneca, o que queima algumas adenosinas e prorroga a sensação de sono para mais tarde, à noite; ou suportando-a, talvez tomando cafeína e tentando ficar acordado tanto quanto possível. Uma vez dormindo, no entanto, seu ciclo circadiano assume o controle. No estágio inicial do sono você dorme profundamente, mas à medida que a noite avança você começa a sonhar. É mais provável que o sonho, ou o sono REM (de *rapid eye movement* [movimento rápido dos olhos]), ocorra quando a temperatura do corpo está mais baixa. Para a maioria das pessoas, isso acontece algumas horas antes de acordar para um novo dia. Assim, como a temperatura corporal segue um horário circadiano, é muito provável que se acorde de um longo sonho antes do amanhecer, e que isso aconteça por volta da mesma hora, todo dia — por exemplo, às 4h27.

Seguindo outro roteiro, a adenosina pode pô-lo para dormir, se você deixar, e a intensidade de seu sono é determinada por quanto tempo você esteve acordado antes — por quanto tempo resistiu à pressão homeostática. Mas a elevação de sua temperatura antes do amanhecer, que é uma questão circadiana, é o que vai despertá-lo. Você pode manipular o primeiro fator em alguma medida, mas não o segundo. O tempo em que você fica dormindo depende de quando você adormeceu em relação ao nadir de sua temperatura corporal. Quanto mais perto dele você estiver quando adormecer, menos vai dormir, mesmo se esteve desperto por mais tempo que o usual.

Tudo isso seria descoberto mais tarde, com cientistas realizando experimentos de isolamento em laboratórios e com voluntários nem de longe tão sensorialmente privados quanto Siffre. "Estou vivendo o nadir de minha vida", ele escreve em certo momento. No 77º dia, suas mãos tinham perdido a destreza e quase não conseguiam enfiar contas numa fieira. Sua memória estava falhando. "Não me lembro de nada que aconteceu ontem. Mesmo os eventos desta manhã se perderam. Se não escrever imediatamente as coisas, eu as esqueço." Ele entra gravemente em pânico quando, depois de raspar o mofo de uma revista, lê que a urina e a saliva de morcegos podem transmitir a raiva pelo ar. No 79º dia, Siffre pega o telefone. "*J'en marre!*", ele grita. Para mim basta!

Mas não bastava; sua estada não estava nem na metade. Ele faz medições, monitora, testa, conecta e desconecta eletrodos, barbeia-se, varre, exercita-se na bicicleta, atira. Até que um dia não consegue. Desconecta-se de todos os fios e cabos e pensa: "Estou desperdiçando minha vida nesta pesquisa idiota!". Depois pensa nos dados valiosos que seus colegas estão perdendo quando ele se desconecta, e liga tudo de novo. Considera a ideia de se suicidar — faria parecer um acidente —, depois se lembra das contas por seus experimentos que teriam de ser pagas por seus pais.

No 160º dia, Siffre ouve o murmúrio de um camundongo. Durante seu primeiro mês na Caverna da Meia-Noite, enervado pelos ruídos noturnos dos camundongos, Siffre tinha conseguido capturar e eliminar toda uma colônia deles. Agora está desesperado pela companhia de pelo menos um. Ele lhe dá um nome, Mus, e passa o dia estudando seus hábitos e tramando sua captura. Finalmente, no 170º dia, com uma armadilha feita com uma panela e tendo geleia como isca, ele espera que seu amigo potencial se aproxime cautelosamente. Um passo a mais e... Siffre faz a panela cair, seu coração batendo de excitação. "Pela primeira vez desde que entrei na caverna, senti uma onda de alegria", ele escreve. Mas algo deu errado; ele levanta a panela e vê que acidentalmente esmagara o camundongo. Enquanto está olhando, ele morre. "Seus lamentos vão se extinguindo. Ele está imóvel. A desolação toma conta de mim."

Nove dias depois, em 10 de agosto, o telefone toca: o experimento terminou. Siffre passará mais um mês na caverna fazendo testes adicionais, mas finalmente pode ter companhia humana. Em 5 de setembro, após mais de duzentos dias debaixo da terra, ele volta à superfície, para o tumulto dos cumprimentos e o cheiro da grama. Siffre acomodou caixotes cheios de fitas de áudio, quilômetros delas, que aguardam para ser analisadas. Também desenvolveu uma deficiência visual, um estrabismo crônico, e uma dívida de meio milhão de dólares que ele levaria a década seguinte para pagar.

Possivelmente, a coisa menos útil a se levar para o Ártico em julho é uma lanterna. Eu levei duas.

Nem mesmo agora sou capaz de dizer por quê. Na região ao norte do Círculo Ártico, que começa na latitude de 66 graus norte, mais de duzentos quilômetros ao norte de Fairbanks, Alasca, o sol não se põe de meados de maio a meados de agosto. Em seu ponto mais baixo ele fica logo acima do horizonte, e se arrasta em torno dele, lançando uma luz pálida a quilômetros e quilômetros de uma tundra ondulada, pantanosa, até mesmo às duas da manhã. O verão é um longo dia. O ecossistema inteiro se desenvolveu para tirar vantagem dessa estação de constante luz diurna: para florescer, sair da casca, alimentar, nadar, acasalar, desovar e novamente se esconder antes que o sol se ponha pela primeira vez, no fim de agosto, e a luz diurna comece a despencar para as longas semanas de noite hibernal. Eu sabia de tudo isso antecipadamente. Mas de algum modo, em algum lugar, eu imaginei uma escuridão que teria de iluminar: numa caverna que ia explorar; na toca de um esquilo terrícola na qual eu entraria; em meu catre, na minha tenda muito, muito escura.

Eu tinha vindo até o Ártico para passar um tempo com os biólogos da Estação de Campo Toolik, à margem do lago Toolik, na Encosta Norte do Alasca. A estação, estabelecida em 1975, é um ativo acampamento formado por trailers-laboratórios de alta tecnologia e barracões Quonset reforçados para o clima, mas fora isso está tão no meio de lugar nenhum quanto se possa estar. Mais ao sul, a cordilheira Brooks Range é uma parede denteada que cruza o horizonte. A 210 quilômetros ao norte fica a cidade de Deadhorse, em Prodhoe Bay, na costa do oceano Ártico e na extremidade norte do oleoduto Trans-Alasca; chegar até lá implica um esforço estafante, cinco horas dirigindo na Dalton Highway, uma estrada larga com calçamento de cascalho, dominada por semirreboques que, quando passam roncando, lançam no ar pedras do tamanho de um punho.

No meio do caminho há milhares de quilômetros quadrados de tundra e centenas de lagos rasos, gotas de lágrimas, como o Toolik. Embora a tundra pareça constituir uma paisagem suave e uniforme, ela é um ecossistema rico e variado, uma mistura de musgos, liquens e hepáticas, juncos, relvas e arbustos anões. Cerca de meio metro abaixo do solo é permanentemente congelado, mas a camada não gelada no topo é habitada por ratos-do-mato, lebres, raposas, esquilos terrícolas, mangavas, pássaros nidificantes e outras criaturas. Todo verão, cerca de cem cientistas e estudantes de pós-graduação vêm até a estação para investigar a tundra, juntar espécimes de lagos e riachos, e medir, pesar e documentar. A paisagem não é tão frágil quanto é lenta em sua mutação. Em outros lugares, o estudo ecológico típico não dura mais que alguns anos, abreviado por orçamentos limitados e pelo alcance da atenção. Toolik representa um compromisso científico de aprender como um meio ambiente funciona durante décadas.

Eu me deixei atrair pela ciência dos dias. Em minha solicitação para passar um tempo na estação, descrevi meu interesse nos ritmos circadianos e nas questões que esperava explorar acompanhando as andanças dos biólogos em Toolik. "Como o regime da luz afeta o metabolismo e os ciclos dos micróbios e fitoplânctons? Como se expressam esses efeitos — via distribuições da população e taxas de crescimento, disponibilidade de oxigênio e nutrientes e outros caminhos — na grande rede alimentar?" O que eu queria dizer era: como se manifestam os ritmos circadianos no mais frugal dos ecossistemas, sob as condições extremas de um verão polar? Qual é o aspecto do tempo biológico em sua condição mais desnuda?

Na verdade, contudo, eu só queria saber como era sentir aquilo. Em 1937, o explorador Richard Byrd passou quatro meses, de abril a julho, sozinho numa cabana na escuridão gelada do inverno antártico, fazendo leituras meteorológicas. "Tudo isso deve ser compreendido desde o início", ele escreveu em *Sozinho*, suas memórias daquela época.

> Que acima de tudo o mais, e além da sólida importância do clima e das observações da aurora no até agora desocupado interior da Antártida, e de meu interesse por esses estudos, eu realmente queria ir pela experiência em si mesma [...] não tinha propósitos importantes. Não foi nada disso. Nada, seja o que for, exceto o desejo de um homem de conhecer completamente esse tipo de experiência, estar consigo mesmo por um momento e saborear a paz e o silêncio e a solidão por tempo bastante para descobrir como são realmente bons.

Eu queria desligar meu relógio. Todos os experimentos de isolamento no tempo sobre os quais eu tinha lido envolviam estar enfiado em cavernas ou num barraco escuro e gelado. Mas duas semanas de verão com luz constante, ao ar livre do Alasca — aquilo soava tentador, exatamente o tipo de aventura que meu antigo e retrocedente *eu* apreciaria. Esqueça meus dois filhos, que comemorariam seu segundo aniversário em minha ausência; o sol estava esperando para fazer brilhar uma luz eterna sobre mim.

Há 10 mil anos terminou a mais recente Era do Gelo, e as últimas geleiras retrocederam da Encosta Norte; deixaram para trás uma rede de riachos em expansão e pequenos e rasos lagos interligados, quase todos inacessíveis por estradas. Em 1973, chegaram biólogos — uma equipe pequena do Laboratório Biológico da Marinha, em Woods Hole, Massachusetts —, que vieram estudar os impactos potenciais do oleoduto, então em construção. Eles acharam o lago Toolik bem ao lado da estrada de cascalho, próximo a um acampamento da construtora do oleoduto. Estenderam suas tendas nas proximidades e começaram a trabalhar, visitando ocasionalmente o acampamento para lavar roupa ou pegar um sorvete no freezer. Depois eles se reposicionaram no outro lado do lago e criaram raízes; a estação se estende agora por vários acres e se tornou o mais avançado laboratório do mundo para o estudo dos ecossistemas do Ártico.

Certa manhã acompanhei John O'Brien, um biólogo de água doce da Universidade da Carolina do Norte, a um de seus campos de pesquisa, Greensboro, um trio de pequenos lagos, poucos quilômetros ao sul de Toolik. Era uma distância impossível de ser percorrida a pé; a tundra é uma mistura lamacenta de hepáticas esponjosas e tufos duros de capim pontudo, e atravessar esse terreno por uma grande distância é exaustivo, como caminhar num atoleiro, mas com risco muito maior de torcer o tornozelo. A estação tem um pequeno helicóptero para excursões de pesquisa, e O'Brien providenciou que fôssemos baixados — juntamente com três estudantes de pós-graduação, um bote inflável, remos e mochilas cheias de equipamento para recolher amostras — numa suave elevação acima de um dos lagos, o qual, com apenas cem metros de largura, não chegava a ser uma lagoa. Quando o helicóptero partiu e os capins se aquietaram, os mosquitos atacaram. O dia, claro e sem brisa, estava incomumente ameno.

O'Brien havia participado da equipe que colonizou Toolik em 1973 e desde então voltava lá quase todo verão, deixando sua família durante semanas para estudar as interações entre plantas microscópicas de água doce e o apenas um pouco maior zooplâncton de água doce, que as come. Tipicamente, nós consideramos os ecossistemas em termos de seus componentes vivos — copépodes, liquens, pulgas-da-neve, mariposas-tigres, gaios cinzentos, trutas do Ártico. Porém essas formas de vida são corpos efêmeros, vasos temporários para o fluxo perene de nutrientes através deles. Os cientistas vêm a Toolik com interesses variados — botânica, limnologia, entomologia —, mas decididamente investigam a mesma e subjacente biogeoquímica: carbono, nitrogênio, oxigênio, fósforo e outros elementos que percorrem ciclos, do solo para o riacho, da folha para o ar, da chuva para o solo, e tudo de volta. Essas substâncias, medidas meticulosamente em sua taxa de crescimento, ritmo respiratório e peso da biomassa, com o passar do tempo e na extensão da paisagem, provêm uma sólida medida de como o ecossistema, como um todo, está se desempenhando e mudando.

Depois de meu primeiro dia em Toolik já ficou bem claro que nenhum dos pesquisadores ali estava estudando biologia circadiana, no Ártico ou em qualquer outro lugar. Mas cada vez mais todos eles estudavam facetas diversas de uma única preocupação, o inegável aquecimento do clima no planeta. O Ártico, com relativamente poucos componentes biológicos, serve como modelo básico para se compreender como ecossistemas mais complexos podem responder ao aquecimento global. E a região é vital por direito próprio; pelo menos 10% do carbono terrestre do mundo está trancafiado na tundra gelada. À medida que as temperaturas sobem, quanto desse carbono será liberado? Quanto será recapturado pelas plantas para fazê-las continuar a crescer e quanto irá para a atmosfera, para aquecer a Terra ainda mais? Na maior parte do tempo Toolik era lugar nenhum; cada vez mais ele está no cerne de tudo.

"Antigamente, a cordilheira lá atrás tinha neve no topo, e assim ficaria durante todo o verão", disse O'Brien. "Este clima quente está cheirando mal." Ele estava à beira do lago, apoiado num remo do bote como se fosse um bastão e olhando para o sul, na direção de Brooks Range. O'Brien, 66 anos, era corpulento e inquisitivo, com uma massa de cabelos brancos e uma barba branca e eriçada. Eu achava sua presença reconfortante, como uma âncora, e gostei de que ele gostasse de contar histórias, muitas das quais começavam com "Nos velhos tempos…". Nos velhos tempos você nunca veria uma tempestade com trovoadas na Encosta Norte. Nos velhos tempos você nunca pensaria em vestir uma camiseta no trabalho de campo, como está fazendo agora. Nos velhos tempos, antes dos laptops e do GPS e de uma dedicada equipe na oficina de máquinas, você construía tudo em Toolik sozinho.

"Nos velhos tempos, você ficava muito preocupado com suas necessidades animais, e expunha a animalidade que há em você", disse ele. Durante os primeiros verões no Alasca, ele e vários colegas passaram três meses investigando o Noatak River Valley, outra joia de puro lugar nenhum na vasta reserva que o estado tem disso. Trabalhavam catorze horas por dia, sete dias por semana; o sol não se punha, e eles também não. Logo ficaram enjoados uns dos outros e quase pararam de se falar. O cozinheiro cozinhava, o mínimo, mas se recusava a lavar a louça, e assim o grupo comia direto de uma toalha de oleado, sem pratos ou utensílios. Como distração e fuga, O'Brien lia *Sometimes a Great Notion* [Às vezes uma grande ideia], um romance de Ken Kesey sobre uma família de madeireiros. A história e seu entorno o absorviam tanto que ele começou a pensar que era um personagem do romance e que sempre seria, e que sua vida doméstica é que era a ficção. "Ficamos totalmente doidos", disse ele.

***

Durante duas semanas em Toolik meu lar foi uma cabana da WeatherPort, com assoalho de tábuas e paredes de lona ocre. Eu dormia num colchão sobre uma cama de molas em espiral e embaixo de um mosquiteiro. Assim como outros residentes na estação, eu só tomava banho de chuveiro duas vezes por semana, durante dois minutos, para economizar água doce. Havia certas amenidades: acesso a internet de alta velocidade; um refeitório, aberto a todas as horas, que servia tilápia com crosta de polenta e molho de banana e goiaba; e, com vista para a superfície vítrea do lago Toolik, uma sauna de cedro que ficava especialmente ativa depois da meia-noite.

Mas nunca ficava escuro. Nos primeiros dias, eu pulava para fora de meu saco de dormir para saudar o dia — que era óbvio porque a luz solar iluminava as paredes de minha cabana — e via, ao olhar o relógio, que eram 3h30. À noite (ou seja, aquilo que eu pensava ser "noite") eu comecei a usar viseira, como se estivesse num voo transoceânico. Quando, segundo meu relógio, a verdadeira manhã chegava, eu saía e espicaçava a mim mesmo com o mesmo lembrete irrelevante: "Não se esqueça de apagar a luz".

No tempo evolucionário, os habitantes ecológicos das regiões polares se adaptaram para não se abalarem com essa confusão diurna. Na Antártida, pinguins-de-barbicha tendem a se fixar nas rotas que conhecem bem quando se movimentam de suas colônias para o litoral para mergulhar e se alimentar, e são muito rigorosos quanto ao tempo do percurso; partem para sua jornada no início de seu dia com uma pontualidade de quase 24 horas, não importa qual seja a temperatura ou a luminosidade. (Eles retornam, ao fim do dia, com um horário mais relaxado.) Abelhas, no norte da Finlândia, na luz contínua do verão, não se mantêm ativas durante todas as 24 horas. Sua atividade atinge o pico por volta do meio-dia e elas largam o trabalho à meia-noite, talvez para aquecer seus ninhos durante essa parte um tanto mais fria do dia, ou talvez, ao descansar, consolidar suas memórias do esforço de forrageio. Nesses empenhos, pelo menos, os animais ignoram o horário do sol e obedecem estritamente ao relógio circadiano que carregam dentro de si.

A rena do Ártico adotou a estratégia oposta. Em 2010, Andrew Loudon, um pesquisador da Universidade de Manchester, na Inglaterra, e seus colegas descobriram que, na rena do Ártico, dois genes de relógio cruciais não oscilam de modo circadiano, como fazem em outros animais. A maioria dos outros organismos complexos dorme, acorda e secreta hormônios segundo uma programação de mais ou menos 24 horas, e seus relógios circadianos são sensíveis o bastante à luz do dia para, mesmo na varredura contínua da luz estival, ficar engajados no dia físico e se manter sincronizados com ele. Mas não a rena; ela não gera sinais circadianos internos. Em vez disso, ela se comporta numa reação direta à luz: acorda quando o céu fica mais claro e dorme quando a luz diminui. Ela realmente desligou seu relógio — e é uma total escrava do sol. "A evolução achou um meio de desligar o relógio celular", disse Loudon. "Pode ser que ainda haja ali um relógio tiquetaqueando, mas não conseguimos achá-lo."

Os biólogos em Toolik adotaram um amplo espectro de respostas para a luz constante. A estação de coleta de dados é curta, e assim os pesquisadores, sem uma escuridão que os faça ficar mais lentos, se espalham pela paisagem a todas as horas para reunir, medir, sintetizar, comparar e converter. No dia 4 de julho eu fui até Deadhorse para ver o oceano Ártico; quando voltei, às duas e meia da manhã, encontrei pessoas no refeitório comendo lagosta e filé-mignon. Todo mundo em Toolik tem uma história sobre algum insone que conheceu. Um deles mantinha um colchão de camping no trailer que era seu laboratório de modo que pudesse dormir lá a qualquer hora; num verão, com o tempo que ganhara dormindo menos que o usual, construiu uma mesa de pebolim e um barco a vela. Outro fez questão de pôr de lado seu relógio durante toda a sua estada em Toolik, tentando ignorar qualquer coisa que lembrasse a hora; ele dormia e comia quando tinha vontade, e trabalhava sem parar. Quando voltar para casa no fim da estação, ele me confiou, a noite "vai me deixar pirado". Outra falou de uma caminhada que fizera recentemente depois do jantar; perdeu a noção do tempo e quando voltou para o acampamento ficou surpresa ao descobrir que a turma da cozinha estava preparando o café da manhã.

Mas outros obedeciam zelosamente ao relógio. "Eu tenho de ir para a cama quando é hora de ir para a cama", disse-me um dos alunos de O'Brien. Nós tínhamos inflado aquele bote e estávamos colhendo amostras na água no meio do lago, enquanto O'Brien, de pé na margem, pescava zooplânctons com uma pequena rede. "Se eu fosse esperar até estar cansado", disse o aluno, "ficaria acordado a noite toda, provavelmente comendo bolo no refeitório." O'Brien seguia rigorosamente o relógio, e era famoso por arrastar seus alunos em seus horários, ou tentar fazê-lo. Ele esperava que se apresentassem no refeitório todo dia, para o café da manhã, mas eles acharam um subterfúgio: passavam a noite acordados terminando seu trabalho, apareciam para o café, onde encontravam O'Brien, atualizavam-no de seus progressos e discutiam suas tarefas do dia, e depois voltavam para a cama. Passaram-se vinte anos até O'Brien descobrir isso.

Se havia uma marca horária comum naquele mar de luz, era a do café da manhã. Com poucas exceções, todos no campo programavam seu dia em torno dele; a refeição começava oficialmente às seis e meia da manhã, e às 6h45 o salão ficava uma bagunça de tão cheio. A atração era social tanto quanto fisiológica: havia planos de campo a ser discutidos, dados a ser revistos, novos empregos a ser compartilhados, discordâncias a ser resolvidas quanto a quem era capaz de inflar mais rápido um bote Sevylor 66. Em teoria, qualquer um poderia realmente ignorar todos os relógios de Toolik e viver apenas de acordo com seu ritmo interno, ou talvez desligar até mesmo isso, mas dificilmente seria prático. Todo projeto envolvendo mais de uma pessoa requeria um tempo compartilhado para consolidá-lo: encontre-me no píer ao meio-dia; o helicóptero parte para Anaktuvuk às nove em ponto; baile de salsa na grande tenda às oito e meia da noite de sexta-feira.

Quando olho para o meu relógio vejo números, mas a cada dia que passava em Toolik os números tinham cada vez menos significado. Mesmo a expressão "cada dia que passa" perdeu seu sentido. Eu simplesmente habito um longo dia no qual às vezes tiro uma soneca e, ao acordar, fico surpreso ao constatar que, segundo os números de meu relógio, eu dormi várias horas. O sono deixou de ser aquilo que separa um dia do dia seguinte, e começou a parecer algo opcional. Descobri que passo mais tempo na cabine telefônica da estação, amarrado à minha casa por uma linha T1.

Sonho cada vez mais com o tempo. Sonho que meus filhos quebraram meu relógio e espalharam seus fragmentos pelo chão. Sonho que estou andando e atravessando dunas de areia quando subitamente caio no fundo de um desfiladeiro e não consigo escalar e sair; meus amigos não sabem onde fui parar e não conseguem me ouvir gritar por eles. Assim, vou me aprofundando no desfiladeiro sob o peso monumental das dunas, a luz diurna retrocedendo atrás de mim, sabendo que a qualquer momento o teto vai desabar silenciosamente e me soterrar na areia.

O sonho quase com certeza deriva de minha vida quando em vigília, de um livro que li na biblioteca lá em casa, sobre um montanhista que cai numa fenda e quebra a perna. Incapaz de sair, ele se arrasta mais além, na escuridão e no coração da montanha. Ele se sustenta lambendo a umidade do musgo até, milagrosamente, encontrar uma saída que leva a uma saída, e à encosta banhada de sol. Mas o acampamento está a quilômetros de distância. Assim, continua a rastejar; atravessa um impossível labirinto de pontes de gelo naturais, descendo por uma vala coberta de pedregulhos, contornando a margem rochosa de um lago. O que o impulsiona, ele escreve, é seu relógio. Ele ergue a cabeça da neve, marca um ponto de referência cem ou duzentos metros à frente, olha para o relógio e diz a si mesmo: "Você tem vinte minutos para chegar lá", e continua a rastejar. Só que a voz que ouve não é a sua — é uma voz incorpórea, alguma autoritária Voz de Todo o Tempo que ecoa em sua cabeça e o empurra adiante. Perto do fim, pouco antes de seus companheiros montanhistas o acharem estendido, semiconsciente, perto do acampamento, ele fica acordado à noite sob um campo de estrelas, desidratado, totalmente desorientado, certo de ter estado lá durante séculos.

Num lugar como Toolik é fácil confundir a quietude e a imobilidade com a ausência do tempo. Mas o tempo tem sempre estado lá, no deslizar das nuvens, nos pequenos movimentos do zooplâncton, no congelamento e descongelamento, ao longo de éons, da tundra. A mudança está vindo mais rápida agora, e isso é preocupante. As temperaturas médias têm subido constantemente em Toolik e em todo o Ártico. Tempestades com trovões e relâmpagos, coisa rara na Encosta Norte trinta anos atrás, são comuns. Os cientistas suspeitam que o recuo do gelo no mar, no oceano Ártico, está causando uma mudança nos padrões climáticos que faz a região ficar mais seca e mais suscetível a relâmpagos. Em 2007 — até agora o ano mais quente registrado na estação, e o mais seco de que se tem lembrança — relâmpagos atingiram a tundra ao longo do rio Anaktuvuk, a pouco mais de trinta quilômetros de Toolik; isso desencadeou um incêndio que ardeu durante dez semanas e carbonizou quase mil quilômetros quadrados, área com mais ou menos o tamanho de Cape Cod. Foi o maior incêndio de tundra na história do Alasca, e possivelmente do globo. No verão em que estive lá, os pesquisadores estavam atarefados tentando mapear o impacto. Tendo-se perdido com isso a camada isolante de turfa, mais calor estava penetrando no solo; em vários lugares, o *permafrost* tinha derretido parcialmente, fazendo encostas deslizarem e escorrendo solo e nutrientes para dentro dos riachos.

Certa manhã eu acompanhei Linda Deegan, uma bióloga marinha de Woods Hole, enquanto ela vadeava o rio Kuparuk, que corre ao longo da Encosta Norte, de Brooks Range a Prudohe Bay. Ela vinha a Toolik desde a década de 1980 para estudar a truta do Ártico, que migra rio abaixo na primavera e volta no fim do verão; é o único peixe nesse rio e é fundamental na dieta de algumas aves e de trutas maiores do lago, ao longo do caminho. Ao rastreá-las durante a estação e ao longo dos anos, Deegan tinha tentado estabelecer uma medida de como a mudança no clima pode alterar seu número e a natureza de sua migração — quando é, quão rápida é, que distância atinge — e o impacto mais amplo dessas mudanças.

Assim como muitos animais migratórios, a truta é geneticamente sintonizada com o sol. Nas regiões árticas na primavera, cada novo dia tem oito ou dez minutos adicionais de luz diurna. O sistema circadiano do animal registra o alongamento do período de luz, o qual desencadeia uma cadeia de mudanças fisiológicas que preparam o peixe para sua jornada corrente abaixo, para se reproduzir. Deegan se interessa pelos insetos com que a truta conta para abastecer sua jornada; seu ciclo de vida não está condicionado a mudanças na luz solar, mas à temperatura da água. Quando a temperatura anual se eleva, os insetos podem desovar um pouco mais cedo na estação, talvez antes que a truta, presa ao inexorável horário da luz, possa chegar para se beneficiar totalmente de sua presença. Dois ciclos de vida, um conduzido pela temperatura e o outro pela luz, correm o risco de se desconectar. Deegan não quantificou isso, e o fenômeno não foi estudado em detalhes no Ártico. "É só uma percepção que eu tenho", disse ela.

Os cientistas estão, por toda parte, documentando uma lacuna crescente entre o mundo da temperatura e o mundo do tempo. Em resposta ao aquecimento da primavera, algumas aves migratórias estão chegando ao Ártico e começando sua temporada de reprodução até duas semanas mais cedo do que em anos anteriores, deixando os que chegam mais tarde numa nova desvantagem; e a distância coberta por outras aves está se estendendo para o norte e chegando ao Ártico, onde competem por recursos com as aves locais. Algumas espécies são adaptáveis; muitas das plantas em torno de Walden Pond florescem agora mais cedo e em mais abundância do que floresciam no tempo de Henry David Thoreau. Mas organismos cujo comportamento sazonal é mais rigorosamente orientado por ciclos circadianos são mais vulneráveis. O papa-moscas-preto passa seu inverno na África Ocidental e voa na primavera rumo às florestas da Europa para se reproduzir; a programação temporal de sua viagem, condicionada à periodicidade da luz, varia pouco. Mas os filhotes se alimentam de larvas que estão saindo do ovo na primavera mais cedo do que saíam vinte anos atrás; quando o papa-moscas chega a algumas áreas, pouco sobrou para seus filhotes comerem, e suas populações diminuíram 90%. É como se o planeta, como um todo, estivesse começando a experimentar uma espécie de jet lag. Algumas espécies farão a transição para um clima mais quente e talvez até prosperem nele; vão migrar mais cedo, ou mais tarde, ou achar outras coisas para comer. Outras espécies não, e isso será seu fim.

A ausência de tempo, ou algo parecido com isso, pode ser encontrada numa caverna profunda ou no extremo norte, no meio da noite ou numa infindável luz diurna. Mas é ainda mais fácil de acessar do que isso: simplesmente viaje de avião; quanto mais longe, melhor.

Comece com a física: você está ao longo de muitos quilômetros no ar, movendo-se com rapidez, e preso à gravidade, literalmente caindo. Uma das consequências peculiares da teoria da relatividade especial de Einstein é que o tempo avança mais devagar a bordo de um objeto que se move muito rápido comparado com o tempo de um observador que está imóvel. Experimentos comprovaram isso: descobriu-se que relógios atômicos a bordo de aviões a jato tiquetaqueiam mais lentamente — uma questão de nanossegundos em várias horas — do que relógios estacionários no solo. (Dentro do avião, um segundo ainda tem exatamente a duração de um segundo, com duração idêntica ao segundo anterior; apenas para observadores num contexto que não se movimenta ele será mais lento.) O efeito é pequeno, mas real. Em março de 2016, o astronauta Mike Kelly retornou à Terra depois de passar 520 dias em órbita em torno do planeta a uma velocidade de quase 29 mil quilômetros por hora. Nesse tempo, seu irmão gêmeo em terra, Mark, que nascera primeiro, seis minutos antes dele, tinha envelhecido cinco milissegundos adicionais.

Depois, temos os fusos horários: 24 no total, cada um com uma hora de largura e espaçados mais ou menos regularmente ao longo das linhas de longitude da Terra, a cada quinze graus. O tempo zero convencionado é Greenwich, Inglaterra, onde fica o Observatório Real. Como a Terra é uma esfera em rotação, o Sol não pode iluminá-la toda ao mesmo tempo, assim as horas de luz diurna não podem ocorrer simultaneamente em toda parte; são os fusos horários que permitem que "doze horas" ou "meio-dia" signifiquem a mesma coisa — a metade do dia, quando o sol está em seu zênite — em quase toda parte do mundo, mesmo que ocorra em um só fuso horário num determinado momento. Fusos horários começaram a ser usados, aos poucos, no século XIX, como um meio de permitir que as ferrovias coordenassem os horários em suas redes ferroviárias em expansão. Em 1929, a maior parte do mundo tinha aderido ao esquema dos fusos horários, embora alguns países hoje tenham suas zonas horárias estabelecidas a cada meia hora, e até mesmo, no Nepal, em divisões de 45 minutos. Em 1949 a China, em sua grande extensão geográfica, adotou a estratégia oposta e reduziu suas cinco zonas de tempo a uma única e grande zona.

Na atualidade, com o tráfego aéreo, atravessamos zonas de tempo regularmente. Nas sete horas que leva para viajar de Paris a Nova York, pode-se apagar as seis horas de diferença entre os horários das duas cidades. Os relógios são definitivamente locais; que horas são, depende de onde você está. Se está num avião, movendo-se a alta velocidade, olhando lá embaixo para uma interminável tela que é o oceano — seu "onde e quando você está" mudam a cada momento. Meu relógio pode estar ainda marcando a hora de Paris, cidade que está algumas horas atrás de mim, mas cuja hora está agora a minha frente, enquanto o mapa informativo na traseira da poltrona diante de mim me dá a hora em Nova York, cidade que está a algumas horas de distância mas cuja hora local é anterior à minha. Estou no meio disso, num indefinido — aparentemente eterno — período de tempo.

Existe um tempo central em nosso voo, na cabine do supraquiasmático comandante. O tempo universalmente coordenado dos muitos relógios atômicos no mundo, peneirado e pesado de acordo com os algoritmos de controle do Escritório Internacional de Pesos e Medidas em Paris, é continuamente transmitido via satélite para os sistemas de orientação de navios cargueiros em movimento, carros de aluguel e aviões. No entanto, quanto aos relógios na cabine de passageiros, é cada um por si. Alguns passageiros cochilam, outros comem. Alguns se dirigem à reunião que os espera no final da tarde; outros se recuperam de seu esforço de manhã cedo para pegar aquele voo. E outros ainda estão perdidos no tempo do filme que está passando a bordo, num lugar distante e com final feliz. Viajando para oeste, a uma constante luz diurna, desprovidos de referências de tempo significantes, seguimos nossas próprias e descentralizadas horas.

Ainda não se compreende bem como o núcleo supraquiasmático do cérebro dissemina seu tempo pelo corpo humano. Mas o processo leva tempo — entre horas e dias. Se você é submetido a uma súbita mudança em seu regime de luz e é obrigado a se ajustar a um novo horário — tipo de coisa que acontece quando atravessa alguns fusos horários, ou mesmo durante um ou dois dias se adaptando à mudança para um horário de verão —, seus relógios periféricos não se ajustam imediatamente e todos ao mesmo tempo. Seu corpo para de ser uma confederação de relógios sincronizados e em vez disso se torna, temporariamente, uma conflagração de estados temporais autônomos. Essa é a essência do jet lag. Quando meu núcleo supraquiasmático pousa em Nova York, meu fígado pode ainda estar no tempo de Nova Scotia, e meu pâncreas pode estar em algum lugar sobrevoando a Islândia. Por alguns dias, meu sistema digestório pode não estar funcionando, enquanto meu cérebro me orienta a ingerir alimento em horas nas quais meus órgãos não estão completamente alinhados para metabolizá-lo. (O corpo se recupera ao ritmo de cerca de um fuso horário por dia.) O resultado disso é a gastrenterite, reclamação comum de quem viaja longas distâncias e de pilotos de linhas aéreas. O jet lag não está em sua cabeça; é um transtorno de todo o seu corpo dessincronizado.

A literatura científica se refere às vezes aos relógios periféricos de seu corpo como relógios "escravos" submetidos a seu núcleo supraquiasmático. Mas podem se comportar com autonomia, e nas circunstâncias certas são capazes de sincronizar seus ritmos circadianos não com o relógio central do ciclo natural da luz diurna, mas com ordens recebidas de outro lugar. Constata-se que o alimento envia uma mensagem especialmente forte a certos componentes do relógio corporal. Vários estudos na década passada demonstraram que fazer as refeições em horas regulares pode mudar a fase do relógio circadiano no fígado, fazendo com que ignore o horário baseado na luz que é transmitido do cérebro e talvez até mesmo envie uma mensagem própria de volta, lá para cima. A hora da refeição, não o tempo solar, vai definir o dia do fígado. "Se você alimentar um rato de laboratório no meio de seu ciclo de sono, ele logo vai aprender a acordar pouco antes", disse-me Chris Colwell, importante pesquisador circadiano da UCLA. "Eu digo a meus alunos que, se o entregador de pizza começar a entregar em sua casa todo dia às quatro da manhã, garanto que vocês vão começar a acordar às três e meia."

Então, um modo de minimizar o jet lag, sobretudo depois de um voo longo, é evitar comer a bordo as refeições quando são entregues pelos comissários. Seu protocolo exige que eles o alimentem a cada determinado número de horas, tipicamente num horário definido pela hora no país do qual você partiu. Em trânsito, sem as referências de luz normais, o fígado vai dirigir o relógio circadiano, prendendo-o ainda mais ao fuso horário que você está tentando deixar para trás. É melhor ajustar seu relógio imediatamente à hora no fuso horário de seu destino e programar suas refeições como se já tivesse chegado lá. "O conselho-padrão que damos a pessoas que viajam", diz Colwell, "é que se exponham o mais rapidamente possível à luz natural, ao horário das refeições e às interações sociais." Ele também recomenda que se tome o café da manhã. "Se os humanos funcionam de algum modo como os camundongos de laboratório", diz ele, "o desjejum é importante para manter esses sinais, e assim você não fica confuso quando esses sinais de luz não estão presentes."

A pesquisa de Colwell sugere que se exercitar regularmente pode ajudar também a ativar o sistema circadiano. Em seu laboratório, descobri que o núcleo supraquiasmático gera sinais mais fortes em camundongos aos quais se permite que se exercitem numa roda giratória do que em camundongos menos ativos; o maior efeito foi em camundongos que puderam se exercitar somente no início de seu dia de vigília. Os maiores beneficiários foram camundongos nos quais faltava uma determinada proteína-relógio; quando se exercitavam no final de seu dia, o núcleo supraquiasmático demonstrava uma reforçada capacidade de enviar seus sinais organizadores ao coração, fígado e outros órgãos. Correr mais fazia seus relógios funcionarem melhor. Ainda é cedo para saber se um exercício programado pode ajudar os humanos na mesma medida. Mas a ideia é tentadora, diz Colwell, porque a qualidade de nosso relógio central diminui com a idade. "Mal cheguei aos cinquenta e estou com dificuldades para dormir a noite inteira", diz ele. "E estou ficando mais cansado ao longo do dia." Mesmo os guardiães do tempo envelhecem.

O jet lag, afinal, é temporário. Mas os humanos estão encontrando outros modos, mais duradouros, de desafiar a divisão-padrão entre a luz do dia e a escuridão, e os efeitos são preocupantes. Milhões de americanos trabalham em horários noturnos: dirigem durante a noite, trabalham no último turno de um centro de expedição ou têm um horário maluco de trabalho num hospital. Muitos sofrem do que os biólogos circadianos chamam de jet lag social, com consequências que são mais do que mera inconveniência ou desconforto. Uma das funções-chave do relógio circadiano é supervisionar o metabolismo corporal — assegurar que comamos quando temos fome e que nossas células recebam os nutrientes de que necessitam no tempo certo. Mas muitos pesquisadores estão descobrindo que as pessoas que trabalham habitualmente em turnos fora do horário comum têm mais propensão a ser obesas, diabéticas ou terem uma doença cardíaca. Cada vez mais evidências sugerem que existe uma forte ligação entre um desalinhamento circadiano — um ciclo sono-vigília que está em descompasso com o relógio circadiano — e um transtorno metabólico, um conjunto de condições, inclusive a diabetes, que acontece quando o sistema corporal para a digestão de alimentos se desalinha do processo de produção e armazenagem de energia.

Milhões de dólares são gastos no estudo do *que* devemos comer, mas *quando* comemos pode ser igualmente importante. Camundongos que comem quando deveriam estar dormindo — isto é, no momento errado em relação a seu ciclo circadiano — ganham mais peso do que camundongos que comem nas horas normais, um estudo recente descobriu. Embora a maioria dos estudos do desalinhamento circadiano tenha sido feita com roedores e primatas não humanos, os pesquisadores da área médica voltam cada vez mais sua atenção para os humanos. Num estudo em Harvard, dez voluntários humanos foram treinados para viver um dia de 28 horas. No quarto dia, suas programações tinham se invertido: estavam acordados, e comendo, no meio da noite. Quatro dias depois, sua programação se invertera de novo, e eles voltaram ao normal. Em dez dias — tempo de duração do estudo — a pressão sanguínea deles tinha disparado, os níveis de açúcar estavam acima do normal, e três voluntários foram classificados como pré-diabéticos. A causa, confirmada, era a falta de sono; na verdade, era o fato de que eles estavam consistentemente comendo em horas do dia nas quais seus órgãos e células adiposas não estavam preparados para, prioritariamente, metabolizar o alimento. "Mesmo após só uns poucos dias as células apresentavam diferenças marcantes no metabolismo da glicose", observou um dos autores do estudo. "Essa ocorrência rápida, em apenas uns poucos dias, demonstra que essas mudanças podem até mesmo afetar temporariamente os milhões de pessoas que experimentam o jet lag em cada ano."

A atual epidemia de obesidade tem muitas causas, inclusive nosso estilo de vida sedentário e uma dieta menos que recomendável. Mas a pesquisa circadiana sugere outro, e menos visível, culpado: estamos tentando cada vez mais colonizar o segmento errado do dia. "Dispomos de um sistema de timing endógeno bom e perfeito que funciona com base em antigas regras", disse Colwell. "É uma loucura pensar que só porque inventamos a luz elétrica podemos ignorar isso."

Cedo ou tarde, se os cientistas estiverem com a razão, os humanos irão para Marte. Isso será um grande empreendimento. O planeta está a uma distância de 58 milhões de quilômetros, e chegar até lá, usando a atual tecnologia de propulsão, levará seis meses. Serão seis meses dentro de uma lata com seus companheiros e numa luz artificial. Não haverá janelas, para minimizar a exposição à radiação cósmica enquanto se viaja por tanto tempo além do escudo de proteção magnética da Terra. (De qualquer maneira, você não veria nada lá fora a não ser escuridão e estrelas.) Os pesquisadores estão sempre conjecturando como fazer essa viagem suportável para os passageiros — quais seriam os alimentos mais saudáveis e mais saborosos, quais as melhores atividades para amenizar o tédio, o que fazer diante de uma emergência médica. E, então, chegaremos lá. Você sai da lata para o brilho do sol do verão marciano, e corre para qualquer habitação que tenha sido construída ali — outro contêiner sem janelas com suas luzes artificiais atenuadas para economizar energia.

Nosso primeiro dia em Marte será o mais longo que a humanidade jamais conheceu. O planeta não gira em torno de seu eixo tão rapidamente quanto a Terra, assim cada dia em Marte dura 24,65 horas terrestres — isto é, 39 minutos mais longo que um dia na Terra. Pode não parecer muito, mas são 39 minutos a mais do que o sistema circadiano humano foi naturalmente dotado para acomodar, e os novos marcianos logo sentiriam os efeitos nocivos. "Seria como viajar atravessando dois fusos horários a cada três dias", disse-me Laura Barger, fisiologista da Escola de Medicina de Harvard e Brigham e do Hospital de Mulheres em Boston. Com Charles Czeisler, diretor das divisões de medicina do sono de Harvard e Brigham e do Hospital de Mulheres, e outros colegas, Barger estudou os ritmos circadianos de astronautas em órbita e dos controladores de missão, que têm de manter contato com eles em todas as horas. Num estudo, voluntários tentaram se adaptar ao dia com duração de 24,65 horas. "Seus ritmos circadianos não estão sendo capazes de se adaptar", disse Barger. "Eles têm problemas ao dormir e todos andam por aí com uma palidez exangue."

Em 2007, Czeisler conduziu um experimento para ver se, usando luzes artificiais com um certo comprimento de onda em determinadas horas do dia, ele poderia obrigar o relógio circadiano a mudar para um ciclo de 24 horas, que seria mais ameno para uma vida em Marte. Uma dúzia de voluntários passou 65 dias em recintos com iluminação baixa e sem relógios, janelas ou outras pistas que indicassem a hora. Nos primeiros três dias eles viveram um dia de 24 horas; depois os cientistas adicionaram uma hora extra de luz, acrescentando efetivamente uma hora de vigília a cada dia dos participantes. Para ajudá-los a se adaptar, os pesquisadores regularam as luzes no final de cada dia extralongo numa luminosidade mais ou menos equivalente à do pôr do sol ou à do nascer do sol, em duas doses de 45 minutos, com uma hora de intervalo. Depois de trinta dias, os voluntários tinham se adaptado com sucesso a um dia de 25 horas.

A ciência demonstrou que isso pode ser feito, que o sistema solar — e sua conexão com a biologia humana — pode ser conquistado temporariamente, pelo menos um pouco. O que o gênero humano vai fazer amanhã com essa hora extra? Trabalhar, provavelmente. Os pesquisadores, em seu trabalho, observam que as atividades produtivas poderiam incluir "cuidar de plantações num módulo de estufa muito bem iluminado". Depois tomaremos um drinque, olharemos a paisagem sem janelas e contemplaremos nossas velhas fotos da Terra.

Em 30 de novembro de 1999, 37 anos depois de sua descida na caverna de Scarasson, Michel Siffre começa sua terceira e talvez última experiência de isolamento. Então com sessenta anos, ele visa a estudar como seus ritmos circadianos podem ter sido afetados por seu envelhecimento. Escolhe mais uma vez uma caverna natural: a Grotte de Clamouse, uma rede de calcário no Languedoc, região meridional da França. Novamente se constrói uma ampla plataforma de madeira numa caverna especialmente grande, onde é erguido mais um toldo de nylon. Na entrada da caverna, pesquisadores, incentivadores e a mídia aplaudem Siffre, que usa um capacete de mineiro com uma lâmpada, tira seu relógio e, voltando-se mais uma vez para acenar um adeus, mergulha na escuridão.

Seus alojamentos estão banhados da luz de lâmpadas de halogênio. Na gravação de vídeo que faz dele mesmo, vemos Siffre em sua bancada de madeira comendo salmão de uma lata e registrando os horários de suas refeições num computador. Seus registros, suas atividades e seu bem-estar são monitorados de uma sala de pesquisa que fica mais além da caverna. Siffre calça botas de borracha verdes e um colete de lã vermelho, mesmo quando se exercita numa máquina que emula degraus a ser escalados. Ele guarda sua urina em frascos de vidro. Dorme num saco de dormir amarrado a uma cadeira de jardim; quando quer, pode se reclinar confortavelmente e ler um dos livros de uma prateleira apinhada nas proximidades. Nunca fala consigo mesmo, mas às vezes canta.

Numa segunda-feira, 14 de fevereiro de 2000, Siffre emerge de seu útero geológico. Vivas, aplausos, flashes de máquinas fotográficas. Mais uma vez ele demonstrou que, isolado da luz do dia, o relógio biológico humano vai avançar livremente a um ritmo mais lento que o da rotação da Terra. Setenta e seis dias tinham se passado desde que Siffre desceu para debaixo da terra, mas ele pensa que foram só 67, e que hoje é 5 de fevereiro. Nas primeiras horas de 1º de janeiro, enquanto o mundo saudava um novo milênio (e respirava aliviado por seus computadores não terem sofrido uma pane total), Siffre não fez nada; pela sua contagem, a data era 27 de dezembro. Seu Ano-Novo caiu no dia que para o vasto mundo era 4 de janeiro.

Anos depois, Siffre diz a um entrevistador que estar isolado debaixo da terra por tanto tempo é habitar um presente aparentemente eterno: "É como um dia comprido. As únicas coisas que mudam são a hora em que você acorda e a hora em que vai dormir. Fora isso, tudo é totalmente negro". Ao emergir de Clamouse, ele confia a um repórter: "Tenho a impressão de que minha memória foi prejudicada, não consigo me lembrar do que fiz lá embaixo ontem ou anteontem".

Ele sai para a luz do sol. Está aliviado por estar ali fora, ao ar livre, num agora que tem começo e fim. Ele diz: "É brilhante ver novamente o céu azul".

O presente

Na intoxicação por haxixe há um curioso aumento da perspectiva aparente do tempo. Pronunciamos uma sentença e, antes de chegarmos ao fim, seu início já parece datar de um passado indefinidamente distante. Entramos numa rua curta, e é como se nunca chegássemos a seu final.

William James, *Princípios de psicologia*

Quão longo é o agora?

Enquanto escrevo isto, estou sentado no vagão-cafeteria de um trem, indo para casa depois de visitar um amigo em outra cidade. Ocupo um compartimento na extremidade dianteira do vagão e me sento com as costas para a parede, olhando para a parte traseira do trem. O vagão inteiro está diante de mim, como se fosse um palco: numa mesa próxima, dois colegas estudantes tomam café e conversam sobre seus livros de estudo; em outra, o condutor conversa com a atendente da cafeteria, que está no seu intervalo; na outra extremidade, vários passageiros se amontoam em torno do laptop de um jovem assistindo aos tensos momentos finais de um jogo de futebol. Meus olhos vagueiam pela extensa fileira de janelas ao longo do vagão; na penumbra cada vez mais profunda, ainda consigo discernir as silhuetas de casas e um ocasional lampião de rua, pelos quais vamos passando. Eles aparecem abruptamente à beira de uma janela à minha direita, vão passando ao longo do comprimento do vagão, depois desaparecem da vista e da mente, sendo seguidos por mais lampiões e silhuetas num fluxo contínuo que vai escurecendo aos poucos. Eu me entretenho com o pensamento de que cada lampião que passa e cada casa está entrando em existência só por agora, a partir de algum ponto bem atrás de meu ombro direito. Parecem emanar de mim enquanto eu me arremesso para trás e para o futuro, olhando através do presente para dentro da memória.

Deitado na cama, em casa, nas horas escuras de antes do amanhecer, vivencio a experiência oposta. O relógio na cabeceira tiquetaqueia, e um por um os sons dos segundos tomam forma na escuridão à minha frente como marcos de quilometragem numa estrada à noite. Eles se aproximam, passam por mim, depois somem em algum lugar atrás de meu travesseiro, e eu fico me perguntando de onde eles vêm e como exatamente cada um cede seu lugar ao próximo. "Se você pudesse escolher uma hora de vigília no meio da noite inteira, seria esta", escreveu Nathaniel Hawthorne. "Você achou um espaço intermediário, onde a azáfama da vida não se intromete, onde os momentos que passam se demoram e se tornam verdadeiramente o presente." Não sei dizer aonde leva a estrada, mas nessa hora, e apenas nessa hora, parece que tenho todo o tempo do mundo para pensar nisso.

Durante mais de 2 mil anos, as grandes mentes do mundo debateram sobre a verdadeira essência do tempo. Ele é finito ou infinito? É contínuo ou discreto? Flui como um rio ou é granular, avançando em pequenos pedaços como a areia que escoa numa ampulheta? E, numa visão mais imediata, o que é o presente? O *agora* é um instante indivisível, uma linha vaporosa entre o passado e o futuro? Ou é um instante que pode ser medido — e, se é isso, quão longo ele é? E o que existe entre os instantes? De que forma um dá lugar ao outro: como é que *agora* se torna *depois*, ou *mais tarde*, ou simplesmente *não agora*? "O instante, essa natureza estranha, às vezes se insere entre movimento e repouso, e não é absolutamente tempo", observou Platão no século IV a.E.C. "Mas dentro dele, e a partir dele, o que se movimenta muda para ficar em repouso, e o que está em repouso muda para se pôr em movimento."

Um século antes de Platão, Zenão de Eleia jogou essas perguntas num formidável conjunto de paradoxos. Considere uma flecha em voo. Em qualquer instante ao longo de seu percurso, a flecha está em algum ponto fixo; depois está em outro ponto fixo. Como — quando, em qual espaço de tempo — ela se movimenta de um para o próximo: para Zenão, um instante de tempo é irredutivelmente breve. A flecha não pode se movimentar num instante assim; se pudesse — se cobrisse alguma distância fracionária —, então o instante deveria ter alguma duração, um começo e um fim. E se um instante tem uma duração, ele é divisível: em meio instante a flecha ia percorrer metade da distância, e assim para baixo, até chegar à indivisibilidade. Pobre do célere Aquiles, incapaz de alcançar sua linha de chegada. Aristóteles, aluno de Platão, ficou acabrunhado com o paradoxo. "O movimento é impossível", escreveu, resumindo a lógica de Zenão, "porque um objeto em movimento tem de chegar à metade do percurso antes de chegar ao fim." Se o movimento é impossível, o tempo também é impossível; ele não pode voar, porque nunca deixará o solo.

Aristóteles tentou resolver esse enigma com uma semântica bruta, alegando que tempo e movimento são sinônimos. O tempo não é um firmamento no qual ocorrem os eventos; o movimento — o arqueamento do Sol, o voo da flecha — *é* o tempo. Ele alegou também que um instante tem uma duração efetiva, mensurável, na qual se desenrola o movimento: "O tempo não é composto por 'agoras' indivisíveis, não mais do que o é qualquer outra magnitude". Mas levou a um buraco de coelho: será que o *agora* faz mais do que simplesmente separar o passado do futuro? Ele é o mesmo agora, ou muda? E, se muda, quando ocorre essa mudança? Certamente não *no* agora, observou Aristóteles, pois ele "não poderia desaparecer em seu próprio instante, já que estava lá então".

Essas preocupações infinitesimais levaram a verdadeiras cavernas existenciais. Se não conseguimos explicar como o tempo avança de um momento para outro, como podemos explicar mudança, novidade, criação? Como algo pode surgir do nada? Como qualquer coisa — criação, o próprio tempo — começa?

O próprio *eu* entra em questão: como é que eu sou o mesmo indivíduo que era um momento atrás, ou na semana passada, ou no ano passado, ou quando era criança? Como é que eu mudo e continuo sendo continuamente eu? Numa peça cômica grega que precede Zenão, um homem se acerca de outro para cobrar um dinheiro que lhe emprestara. O devedor diz, com efeito: "Oh, mas você não o emprestou a mim! Não sou mais a mesma pessoa que era então, não mais do que um monte de pedrinhas ao qual acrescentamos pedrinhas e do qual tiramos outras". Diante disso, o primeiro homem esbofeteia o segundo no rosto. "Por que você fez isso?", pergunta o segundo homem, ao que o primeiro responde: "Quem, eu?".

Se existe uma coisa sobre a qual os especialistas no tempo gostam de falar quase tanto quanto do próprio tempo é de como nós falamos. O tempo está codificado em nossa língua como tempo verbal: passado, presente, futuro e suas várias subcategorias. Aprendemos isso cedo, instintivamente; aos dois anos de idade a maioria das crianças já domina a conjugação adequada do pretérito, embora talvez não distinga consistentemente "amanhã" de "ontem" e "antes" de "depois". Pirarrã, língua falada pelo povo pirarrã do Brasil (e por um punhado de linguistas eruditos), contém poucas referências temporais em geral. Os filósofos modernos, por sua vez, se dividem entre conjugadores e não conjugadores: os que defendem a ideia de que "passado" e "futuro" são qualidades reais contra os que discordam disso.

Para Agostinho, era ainda mais simples. Mais cedo ou mais tarde, quase todo cientista que escreve sobre a biologia e a percepção do tempo cita Agostinho, pois ele foi realmente o primeiro a falar sobre o tempo a partir de uma experiência interior — perguntando o que é o tempo ao explorar o que se sente ao habitar nele. O tempo parece ser escorregadio e enlouquecedoramente abstrato, mas também profundamente íntimo. Agostinho sugeriu que o tempo está em cada ato nosso, em cada palavra; temos apenas de parar para ouvir a nós mesmos falando para captar a urgência da mensagem. De fato, a essência do tempo, toda a sua textura e seu paradoxo, pode ser apreendida de um único verso, como

Deus, creator omnium.

Deus, criador de todas as coisas. Diga isso em voz alta, ou ouça interiormente: em latim, oito sílabas, alternando entre curtas e longas. "Cada uma que é posterior dura duas vezes mais que cada uma que lhe é anterior", escreveu Agostinho. "Basta eu pronunciar o verso para reparar que este é o caso." Mas como conseguimos fazer essa medição? O verso é uma série de sílabas em sucessão com que a mente se depara, uma a uma. Como o ouvinte será capaz de considerar duas sílabas ao mesmo tempo, para comparar suas durações? "Como poderei me deter na [sílaba] curta, como poderei compará-la com a longa, como se fosse uma barra de medição, se a longa só começa a soar depois que a curta já cessou?" E, para isso, como se pode ter em mente a sílaba longa? Não é possível definir sua duração enquanto ela não se completar — mas então as duas sílabas já terão se passado. "As duas se fizeram ouvir e já se foram, voaram, não existem mais", escreveu Agostinho. "Então o que existe agora para que eu possa medir?"

Em síntese, o que é o presente e onde estamos nós com relação a ele? Não o presente como o deste século, deste ano ou mesmo do dia de hoje, mas o presente que está agora mesmo diante de nós, sempre se dissolvendo. Se você alguma vez ficou deitado e acordado à noite, a mente em atividade, ficou ouvindo de perto um córrego borbulhante, ou apenas tentou identificar seus próprios pensamentos à medida que entram e saem de sua consciência — esse riacho que William James chamou de "fluxo de consciência" —, saberá o que Agostinho quis dizer. Tomando emprestado de Aristóteles, Agostinho alegou que o presente é tudo. O futuro e o passado não existem: o nascer do sol de amanhã "ainda não aconteceu"; sua infância não existe mais. O que resta é o presente — uma duração efêmera, sem extensão, "cuja única alegação para ser chamado de 'tempo' é o fato de estar indo embora, escorregando para o passado". No entanto, é claro que medimos o tempo. Podemos afirmar que o som de uma sílaba tem o dobro da duração do som de outra sílaba; podemos avaliar a duração da fala de uma pessoa. Quando é que medimos o tempo? Certamente não é no passado nem no futuro; não podemos medir o que não existe. "Podemos apenas esperar poder medi-lo quando ele está passando" — isto é, no presente. Mas como isso é possível? Como se pode medir a duração de algo — um som ou um silêncio — antes que ele se conclua?

A partir desse paradoxo, Aristóteles chegou a um insight tão fundamental que a moderna ciência da percepção do tempo o considera um dado inegável: o tempo é uma propriedade da mente. Quando você se pergunta se uma sílaba que está soando dura mais ou menos tempo que outra, você não está medindo essas sílabas em si mesmas (que já não existem mais), mas algo em sua memória, "algo que lá é fixo e permanente", observou Agostinho. As sílabas já passaram, mas deixam uma impressão que persiste, que ainda está presente. Na verdade, ele escreveu, o que chamamos de três tempos verbais são apenas um. Passado, presente e futuro não existem *per se*; estão *todos* presentes na mente — em nossa memória atual de eventos passados, em nossa atenção atual ao presente e em nossa expectativa atual em relação ao que está por vir. "Há três tempos verbais: o presente das coisas passadas, o presente das coisas presentes e o presente das coisas futuras."

Agostinho tirou o tempo do reino da física e o dispôs diretamente no que hoje chamamos de psicologia. "Em você, minha mente, eu meço o tempo", ele escreveu. Nossa experiência de tempo não é uma sombra cavernosa de alguma coisa verdadeira e absoluta; o tempo *é* uma percepção nossa. Palavras, sons, fatos vêm e vão, mas sua passagem deixa uma impressão na mente; o tempo está lá, e em nenhum outro lugar: "Ou o tempo é essa impressão, ou o que eu meço não é tempo". Atualmente os cientistas exploram esse insight em laboratórios com modelos em computador, roedores, voluntários universitários e aparelhos de ressonância magnética de muitos milhões de dólares. Agostinho começou onde todos nós começamos, com o ato de falar e a vontade de ouvir.

"Agostinho não está tentando sugerir uma filosofia ou teologia do tempo", diz meu amigo Tom num almoço no início da tarde. "Está tentando apresentar um relato psicológico: qual é a sensação de se estar no tempo?"

Tom é um amigo que mora na vizinhança; nossos filhos têm mais ou menos a mesma idade e às vezes brincam juntos e tentam mandar um no outro. Durante o dia Tom é teólogo numa grande universidade. À noite ele toca baixo em bandas barulhentas e tem um blog de música, cultura popular e espiritualidade. Não estou certo de que sei o que é espiritualidade, mas Tom consegue fazer com que soe intelectualmente atrativa e legal. Estamos num restaurante de nossa cidadezinha, e a não ser por nós o lugar está vazio. É sexta-feira, antes do Memorial Day, e o tempo lá fora está impecável, a primavera em seu auge.

Tom ensina o pensamento de Santo Agostinho como parte de suas aulas de introdução à teologia, e seus alunos, diz ele, se identificam com a perspectiva íntima de Agostinho. "Somos treinados para ver o tempo como algo externo a nós — tempo é o que está tiquetaqueando, o que você vê faiscando num relance", diz Tom. "Mas ele está em nossa cabeça, nossa alma, nosso espírito — nosso presente." O tempo não é meramente observado; ele é ocupado, habitado. Ou talvez ele ocupe a nós; em algum lugar Agostinho assemelha o tempo a um volume — nós somos o vaso que o contém. Assim, o tempo não é algo a ser discutido no abstrato; em vez disso, olhe dentro dele, ouça o que você diz, sílaba por sílaba, palavra por palavra. Conheça o contentor através daquilo que ele contém.

É uma maneira sutil de argumentar, um estilo que filósofos mais tardios, como Heidegger, abraçarão como fenomenologia: o estudo da experiência consciente do ponto de vista subjetivo. "Podemos dizer isso sobre nós mesmos, porque é assim que o experimentamos", diz Tom. É um dispositivo retórico com uma agenda, ele acrescenta: "A intenção é puxá-lo para dentro e mudar sua percepção, como quando você sai para o mundo". Atualmente as pessoas assistem a seminários de fim de semana em busca de novos modos de manejar, experimentar e se relacionar com o tempo. Agostinho disse: preste atenção às palavras em si mesmas.

A agenda de Agostinho foi feita para efetuar uma mudança psicológica no leitor, dispô-lo a transformar seu eu e sua alma, o que só conseguirá fazer se se engajar totalmente no presente. "Você só saboreia a beleza no que é particular, no transiente, no oportuno, em relação ao que vai passar", diz Tom. "A questão é: como você faz desse saborear um exercício espiritual? Como você faz as coisas certas no tempo?" Estamos acostumados a pensar no tempo como uma quantidade a ser despendida, ou uma ferramenta a empunhar na busca por autoaprimoramento. Para Agostinho, o tempo é algo para refletir sobre ele e dentro dele; o imperativo intelectual não é fazer o melhor uso do tempo, mas melhor habitá-lo — viver dentro da sílaba. "Muito do que apreendo de meus alunos é o que eles apreendem de seus pais", diz Tom. "Eles sentem que têm de fazer o melhor que podem no tempo de que dispõem. É uma questão de durações, de potenciais parcelas de produtividade. Uma maneira de interpretar o tempo é como se ele fosse os degraus de uma escada. Outra maneira é: tempo é exatamente aquilo que você está escalando."

O restaurante fecha às três; somos os últimos clientes, e os garçons circulam à nossa volta com visível impaciência. Tom irá para casa a fim de cuidar das crianças à tarde. Juntos estamos aprendendo uma primeira lição de paternidade: crianças são terríveis gerenciadores de tempo; se não estiver acontecendo agora mesmo, segundo seu relógio, já é motivo para um piti. Estou aprendendo que parte de meu trabalho é introduzir o vocabulário "mais tarde" e "espere". Na verdade, está ficando evidente que grande parte da missão dos pais se reduz à educação temporal: ensinar a nossos filhos a dizer, manter, respeitar, cultivar, organizar e administrar o tempo, mas também, ocasionalmente, ignorar todas essas obrigações.

A primavera está escorregando para o verão, e já faz várias semanas que Leo, nosso filho de quatro anos, está acordando cada vez mais cedo. Talvez a luz o esteja acordando; às 5h30 a claridade do alvorecer ilumina as persianas e os pintarroxos irrompem em coro. O mais provável é que seja sua bexiga, que funciona como um relógio. Eu ouço seus passos no corredor indo para o banheiro e depois de volta para o quarto. Não vai ficar lá. Enquanto seu irmão dorme numa cama a centímetros dele, com animais estufados pressionados contra seu rosto para protegê-lo da luz, Leo, olhos bem abertos, vem na ponta dos pés para o nosso quarto e até a cama. "Quero ir lá para baixo jogar um jogo", ele sussurra. Isso quer dizer: *Você vem também.*

Nunca fui madrugador, e especialmente no inverno eu não era capaz de contemporizar com a ideia de descer, ainda no escuro, para um frio quarto de brinquedos. Tentamos a tecnologia.

Os meninos ainda não sabiam ver a hora, assim compramos um relógio que parecia um sinal de trânsito; você o regulava para uma certa hora, digamos, 6h45, quando a luz mudava de vermelho para verde — sinalizando às crianças que podiam se levantar, fazer barulho e começar o dia. Tom disse que havia funcionado com sua filha. Mas ela não tinha a disposição de Leo, nem do irmão de Leo. O dispositivo teve exatamente o efeito contrário ao que era esperado. Leo acordava cedo, como de costume, voltava para a cama, depois ficava deitado, transfixado pela luz vermelha e por sua própria e crescente impaciência com ela. Várias vezes, na hora seguinte, ele se esgueirava até o nosso quarto para anunciar num sussurro: "Ainda não está verde". Ou ficava se agitando e suspirando tão alto que acordava Joshua, e logo os dois estavam conversando e rindo da misteriosa intransigência da luz vermelha. Quando davam as 6h45 e a luz ficava verde, acontecimento que eles saudavam com gritos de alegria, sua liberação oficial era um alívio para todo mundo.

Assim, eu deixava Leo descer sozinho tranquilamente, ou às vezes Susan ia com ele e eu enfiava o travesseiro no rosto e adormecia de novo. Mas cada vez mais me vi saindo primeiro da cama e indo para o andar de baixo. Os garotos logo iam terminar a pré-escola. Em setembro iriam para o jardim de infância na escola pública e a vida deles ia começar a florescer furiosamente para fora, longe de nós. Seria gradual, é claro, e quase imperceptível. Ainda assim, recentemente era difícil não sentir que estávamos à beira de uma transformação, e os dias assumiram uma qualidade cristalina, como se já tivéssemos começado a enxergá-los de nossa memória. Os meninos sentiram isso, mesmo que por nosso intermédio. Uma meia hora tranquila com apenas um dos meninos — a pedido, bem verdade — é uma dádiva. Assim, Leo e eu nos sentamos no chão de madeira, a porta dos fundos aberta para o som dos pintarroxos, jogamos mais uma partida de bingo, ou damas, ou (eu juro) o Jogo da Ratoeira, até que Joshua aparece, mal--humorado e com os cabelos amarfanhados — como eu antes do café —, e apresenta suas próprias diretivas. Esses dias, essas horas, percebo agora, são doces e poucos, para serem passados apenas dormindo.

William James não consegue dormir.

O ano é 1876, e o jovem James, que acaba de ser nomeado em Harvard professor assistente da nascente ciência da psicologia, deitado e desperto, pensa em sua futura esposa, Alice Gibbens, por quem está delirantemente apaixonado. "Sete semanas de insônia pesam mais que muitos escrúpulos", ele diz a ela quando por fim expressa seu desejo numa carta. Uma década depois, ele se debate no escuro com seu livro que tem muitos e longos anos de trabalho, dois volumes, 1200 páginas, *Princípios de psicologia*, que se tornará um clássico quase no ato da publicação, em 1890. (De acordo com a biografia de James por Robert Richardson, *In the Maelstrom of American Modernism* [No turbilhão do modernismo americano], a insônia de James piorava quando seus escritos estavam indo bem; no fim da década de 1880 ele frequentemente recorria ao clorofórmio para adormecer.) Talvez, em sua agitação, James esteja se perguntando sobre a eficácia da "cura da mente" que lhe administrava Annetta Dresser, adepta do que ela chamava de Sistema de Quimby para Tratamento Mental de Doenças, em nome de seu criador, o falecido Phineas Quimby, um relojoeiro que acreditava que as enfermidades físicas se originam na mente e podiam ser aliviadas por alguma combinação de hipnotismo, conversa e pensamento adequado. "Eu me sentava ao lado dela e na mesma hora caía no sono, enquanto ela desenredava os rosnados de minha mente", diz James a sua irmã. Talvez, acordado no escuro, James ache que deveria ter seguido o conselho de seu médico, de tentar um travesseiro maior.

Ou talvez esteja ali deitado absorvendo o presente. "Que cada um tente, não direi deter, mas perceber, ou prestar atenção ao momento presente do tempo. Uma experiência das mais desconcertantes ocorre então. Onde está ele, esse presente? Ele se esvaiu de nosso agarrão, fugiu de onde podemos tocá-lo, foi-se no instante em que se tornou." Seu livro *Princípios de psicologia* aborda uma ampla gama de assuntos, inclusive memória, atenção, emoções, instinto, imaginação, hábito, a consciência do *eu* e a "teoria do autômato", a persistente noção, que James desaprovava, de que dentro de nossa maquinaria neural jaz algum tipo de homúnculo, ou mini-homem, "que oferece uma contrapartida viva para cada acobertamento, por tênue que seja, da história da mente de seu dono", em suas palavras.

Entre os capítulos mais influentes há um sobre a percepção do tempo; é uma hábil síntese de investigações recentes sobre outros pesquisadores e os pensamentos do próprio James sobre o assunto. Na Europa, o interesse científico estava mudando da fisiologia pura — o estudo da mecânica do corpo — para a sinalização neurológica que lhe é subjacente, e de uma estrita filosofia para um estudo mais rigoroso da mente e da cognição. Em 1879 foi aberto em Leipzig, na Alemanha, o primeiro laboratório de psicologia experimental, sob a direção de Wilhelm Wundt, cujo escopo era quantificar sensação e experiência interior. "A descrição exata da consciência é o único objetivo da psicologia experimental", escreveu Wundt. A percepção do tempo era uma questão central nesse estudo. James não acreditava na consciência *per se*, com o que queria dizer que ela não deveria ser encarada como uma "coisa mental" extramolecular. E ainda, ele achava, o que quer que seja a consciência exatamente, que era possível ter uma percepção razoável dela ao se examinar o modo como percebemos o tempo. James muitas vezes descrevia o tempo através de uma experiência em primeira pessoa, pois a considerava o melhor lugar a partir do qual se podia abordar com precisão o assunto.

Sente-se tranquilamente, ele propôs. Feche os olhos, desligue o mundo e tente "presenciar apenas a passagem do tempo, como alguém que desperta, como diz o poeta, 'para ouvir o tempo fluir no meio da noite, e todas as coisas se movendo para um dia de perdição'". (James estava citando Tennyson.) O que encontramos lá? Provavelmente muito pouco: uma mente vazia, uma mesmice de pensamento. Se notarmos alguma coisa, ele diz, é a sensação dos momentos florescendo, um após o outro — "a série pura de durações como que brotando e crescendo sob nosso olhar voltado para dentro". Estamos experimentando algo real, ou é uma ilusão? Para James, a questão diz respeito à verdadeira natureza do tempo psicológico. Se a experiência pode ser considerada em seu valor nominal — se alguém é realmente capaz de agarrar um momento vazio assim que ele surge —, então devemos ter "um sentido especial para o tempo puro". Por essa lógica, o tempo puro é vazio, e uma duração vazia é suficiente para estimular nossos sentidos. Mas suponha em vez disso que a experiência que alguém tenha de um momento que brota é uma ilusão; nesse caso, a impressão de que o tempo está passando é uma resposta ao que quer que esteja preenchendo esse tempo e à "nossa memória de seu conteúdo anterior, que comparamos com o conteúdo que tem agora". A questão é: o tempo é alguma coisa sem ter algo dentro dele? O tempo é um contentor ou as coisas nele contidas?

Para James, o tempo está no conteúdo. Não somos capazes de perceber um tempo vazio, assim como não podemos intuir um comprimento ou distância sem nada nele ou nela, ele escreveu. Olhe para um céu claro e azul: tente imaginar trinta metros de distância de você, onde fica? E um quilômetro? Sem pontos de referência, não é possível dizer. O mesmo acontece com o tempo. Se percebemos a passagem do tempo é porque percebemos uma mudança, e para que percebamos uma mudança o tempo tem de ser algo preenchido; uma duração vazia, sozinha, não vai estimular nossa percepção. Então, o que a preenche?

Simplesmente nós. "A mudança tem de ser de algum tipo concreto — uma série que se possa sentir externa ou interiormente, ou um processo de atenção ou volição", escreveu James em *Princípios*. Um momento aparentemente vazio nunca o é de verdade porque, ao nos determos para considerá-lo, o preenchemos com uma corrente de pensamentos. Feche os olhos, desligue o mundo, e ainda verá uma película de luz dentro de suas pálpebras, "uma crosta coagulada da mais obscura luminosidade". A mente preenche o tempo.

James está fazendo circular uma ideia apresentada séculos antes por Agostinho, e, antes disso, por Aristóteles — de que o tempo é em grande parte uma propriedade da mente. James pode não ter ido tão longe a ponto de afirmar que o tempo não existe fora da percepção que alguém tenha dele, mas enfatizou que o que o cérebro oferece é uma *percepção* do tempo, não o tempo em si mesmo, e que isso é o mais próximo a que podemos chegar — não há experiência do tempo a não ser nossa experiência subjetiva. Pode soar quase tautológico, mas não está longe do ponto a que chegaram muitos psicólogos e neurocientistas contemporâneos. Uma pessoa mediana está consciente de que o tempo parece acelerar ou desacelerar em certas situações, e é fácil imaginar que essas impressões surgem porque em algum lugar, de algum modo, o cérebro está rastreando quanto tempo realmente leva determinada extensão de tempo. Mas talvez esse relógio não exista. O cérebro talvez não meça o tempo do mundo real, como fazem os computadores; talvez só meça o tempo de seu próprio processamento desse mundo.

Seja como for, nunca podemos escapar o bastante de nós mesmos. "Estamos sempre imersos interiormente no que Wundt em algum lugar chamou de o crepúsculo de nossa consciência geral", refletiu James. "Nosso ritmo cardíaco, nossa respiração, os pulsos de nossa atenção, os fragmentos de palavras ou sentenças que passam por nossa imaginação, é o que povoa esse turvo habitat... Resumindo, por mais que esvaziemos a mente, alguma forma de um processo de mutação resta lá para o sentirmos, e não pode ser expelido."

O tempo nunca está vazio, porque nós o ocupamos implacavelmente. Mas até mesmo essa formulação dá ao tempo um crédito demasiado. Eu fico sentado quieto, os olhos fechados, ou deitado e desperto na cama antes do alvorecer, observando um tempo vazio fluir. "Nós o contamos em pulsos", escreveu James. "Dizemos 'agora! agora! agora!' ou contamos 'mais! mais! mais!' quando o sentimos brotar." O tempo parece fluir em unidades discretas — parece ser de certa forma independente e autocontido —, não porque percebamos unidades discretas de tempo vazio, escreveu James, mas porque nossos sucessivos atos de percepção são discretos. O *agora* surge mais e mais uma vez só porque nós dizemos "agora!" mais e mais uma vez. O momento presente, ele argumentou, é "um dado sintético", não tão experimentado quanto fabricado. O presente não é algo em que tropeçamos e o qual atravessamos; é algo que criamos para nós mesmos repetidas vezes, momento a momento.

Tudo isso — tudo que importa, contesta Agostinho — se desdobra numa sentença. Imagine-se recitando um poema ou um salmo de cor. À medida que as palavras vão se seguindo, a mente se esforça por lembrar o que foi dito e segue adiante para captar o que ainda resta ser dito. A memória está a serviço da expectativa: "A energia vital do que estou fazendo está na tensão entre as duas coisas". *A energia vital* — essa é a essência de Agostinho, e a sua também, agora mesmo, enquanto absorve estas palavras, se esforça por lembrar e se pergunta o que vem em seguida. "O tempo não é nada além de tensão", observa Agostinho, "e eu ficaria muito surpreso se não for a tensão da própria consciência." Depois de tantos séculos, os cientistas ainda se esforçam para definir consciência o *eu* e o tempo. Agostinho conectou os três por meio da linguagem. Você só aborda o tempo tentando medir sua passagem enquanto se desenrola uma sentença; ali sua mente está tensa, presente. E apenas no presente, na ação de participar, você vislumbra o que você é. Para Agostinho, *agora* é uma experiência espiritual.

James acrescentou uma pegadinha. Declarou todos os três tempos verbais — futuro, passado e presente — inexistentes, e invocou um quarto, que chamou de "presente especioso". (Tomou o termo emprestado de E. R. Clay, que era o pseudônimo de um magnata de charutos aposentado e filósofo do amor chamado E. Robert Kelly.) O verdadeiro presente é um pontinho sem dimensão; o presente especioso, em contraste, é "a curta duração à qual somos imediata e incessantemente sensíveis". É tempo bastante para reconhecer um pássaro em voo ou uma estrela cadente, para assimilar todas as notas num compasso de uma canção, ou as palavras numa sentença falada. Não importam Zenão e seus paradoxos, ou a noção de Kant de que podemos de certa forma intuir a natureza, a priori, do tempo; esqueça passado, presente e futuro. A única coisa que vale a pena discutir quanto ao presente é nossa consciência dele, a qual efetivamente define o presente especioso.

Quando olho para um pássaro em voo, leio um verso de um poema ou ouço o relógio de cabeceira à noite, o que posso dizer sobre esse presente especioso? James observou que ele está (ou melhor, parece estar, na consciência) em constante mudança. "Todo relato de nossa percepção do tempo deve levar em conta esse aspecto de nossa experiência." Como Agostinho, James observou que, para ter consciência da mudança, é preciso recorrer à memória; para afirmar com propriedade que um relógio *está tiquetaqueando* ou que um pássaro *está voando*, devemos ter em mente a consciência de que a atividade começou ou estava em andamento um momento atrás e que agora ela continua. Um reconhecimento do presente invoca algum aspecto do passado imediato, e assim essa consciência deve se manifestar durante algum breve período. "Resumindo, o presente cognoscível na prática não é como o fio de uma faca, mas como a superfície de uma sela, com uma largura própria em que nos sentamos empoleirados, e da qual olhamos para as duas direções do tempo", escreveu James. "A unidade que compõe nossa percepção do tempo é a duração, como se fosse uma proa e uma popa — uma extremidade dianteira e uma traseira... Parece que sentimos o intervalo do tempo como um todo, com suas duas extremidades inseridas nele."

O presente especioso, então, é uma medida substituta de consciência. James apresentou um *mix* de metáforas: é um barco, um telhado em cumeeira, algo (um pedaço de corda?) com "uma extremidade que vagamente vai sumindo para a frente e para trás"; ele até mesmo "é permanente como o arco-íris na cachoeira". O que importa é o fluxo de pensamento por trás dele, o fluir da consciência. Sua consciência sempre contém várias ideias ou impressões dos sentidos ao mesmo tempo. Você não experimenta o evento C, seguido discretamente por D, depois E, e assim por diante; em vez disso você experimenta CDEFGH, os primeiros eventos se dissolvendo do presente e os novos começando a acontecer. Os conteúdos se sobrepõem; a consciência de alguma outra parte desse fluxo está sempre misturada com o presente em seu sentido estrito. Se, em vez disso, a consciência fosse meramente uma série de imagens e sensações enfiadas juntas como contas de um colar, não conseguiríamos adquirir conhecimento ou experiência, e tudo o que seríamos capazes de conhecer seria o instante atual. James cita John Stuart Mill: "Cada um de nossos sucessivos estados de consciência, no momento em que cessasse, estaria perdido para sempre. Cada um desses estados momentâneos seria todo o nosso ser". Nossa consciência, acrescentou James, "seria como um fulgor de um vaga-lume, iluminando o ponto que ele cobre de imediato, mas deixando tudo o que está além dele em total escuridão".

James duvidava que uma vida prática fosse possível nessas circunstâncias, embora isso fosse "concebível". É mais que isso. Em 1985, um talentoso músico e maestro chamado Clive Wearing foi vítima de uma encefalite viral que danificou vários lobos de seu cérebro, inclusive todo o seu hipocampo, que é essencial para evocar memórias e guardar memórias novas. Depois disso, ele conseguia caminhar, conversar com lucidez, barbear-se e vestir-se sozinho, até mesmo tocar piano. Mas se lembrava de muito pouca coisa, e, três décadas mais tarde, ainda não conseguia se lembrar de seu nome ou dos nomes das pessoas de seu entorno, nem de quais comidas tinham quais sabores, nem de nenhum pensamento anterior à sentença que estivesse pronunciando. No momento em que dava uma resposta já tinha esquecido a pergunta. "Um vírus tinha feito buracos no cérebro de Clive", escreveu mais tarde Deborah, sua mulher, no *Telegraph*. "Suas memórias foram apagadas." Ele tampouco se lembrava do nome dela, mas a cumprimentava efusivamente, com um abraço de quem esteve perdido há muito tempo, que não dava a mais ninguém, mesmo se ela estivesse voltando de uma breve ida ao quarto ao lado. Ele liga ansiosamente para ela, em casa, sem noção de que ela estava na companhia dele poucas horas atrás. "Venha para cá ao amanhecer", ele a exorta. "Venha para cá com a velocidade da luz."

Para Wearing, existe apenas o presente especioso. "Ele está encalhado, digamos assim, nesse minúsculo fragmento de tempo", diz Deborah na BBC, num dos muitos documentários e artigos sobre ele. Deborah também escreveu um livro sobre seu marido. Um dia, ela escreve, encontrou-o estudando um chocolate. Ele o mantinha na palma de uma das mãos e, com a outra, o cobria e descobria a cada poucos segundos, olhando bem de perto.

"Veja", diz ele, "é novo!"

"É o mesmo chocolate", ela lhe diz.

"Não... veja! Ele mudou! Não era assim antes..." Ele faz o truque novamente para si mesmo. "Veja! Está diferente agora! Como é que eles fazem isso?"

Tudo e todos são perpetuamente novos, inclusive seu próprio *eu*, como se estivesse acordando para o mundo pela primeira vez. "Eu consigo ver você!", ele exclama para Deborah em outra ocasião. "Agora estou vendo tudo direito!" Ou: "Nunca tinha visto ninguém em geral, nunca ouvi uma só palavra até agora, nunca sequer sonhei. Dia e noite a mesma coisa: em branco. Exatamente como a morte". Ele diz isso mais e mais uma vez, só com uma pequena variação na forma, e isso durante anos. "Nunca vi nada, ouvi nada, toquei em nada, nunca cheirei coisa alguma. É como estar morto." A menos que sua mente esteja ligada em outra coisa, essa é sua experiência de vida.

Mas a consciência de acordar, de entrar no presente, é tão momentosa que Wearing anotava isso por escrito de novo e de novo. Ele escreve a hora — 10h50 — e registra sua percepção: "Acordado pela primeira vez!". Repara que há um registro semelhante uma linha acima, escrita alguns minutos mais cedo; confere a hora em seu relógio, depois risca o primeiro registro como se tivesse sido escrito por um impostor, e sublinha o atual. Muitas páginas estão preenchidas com esses registros, todos, menos o atual, riscados. O diário, se é que este é o termo correto, tem agora milhares de páginas, dezenas de volumes, cada momento do despertar anunciando sua primazia sobre todos que o antecederam.

14h10: A esta hora devidamente acordado...
14h14: A esta hora finalmente acordado...
14h35: A esta hora completamente acordado...
21h40: Acordo pela primeira vez, a despeito de minhas alegações anteriores.
E acordei devidamente às 8h47.
E completamente às 8h49 e tomei conhecimento dos problemas que existem para me compreenderem.

O viajante no tempo em *A máquina do tempo*, romance de H. G. Wells, tem uma história para contar a seus convidados num jantar: como construiu um dispositivo que o faria girar através do tempo; e como, só alguns momentos antes — antes de ter encontrado o combalido Eloi e os abrutalhados Morlocks no ano de 802 701, e antes de ter avistado uma praia quase sem vida daqui a uns 30 milhões de anos, e antes de entrar agora mesmo no salão pedindo um drinque —, ele havia se sentado em sua sela, puxado uma alavanca e "se atirado na futuridade".

> Há uma sensação exatamente como a que se sente numa montanha-russa — a de um inevitável e impetuoso movimento! [...] Quando o ponho em andamento, noite e dia se sucedem como o ruflar de uma asa negra. Eu ia perdendo a tênue percepção que tinha do laboratório, e via o sol cruzando o céu aos saltos, a cada minuto, e cada minuto correspondia a um dia. [...] A mais lenta das lesmas que rastejou um dia passava por mim rápido demais. [...] Vi árvores crescendo e mudando como exalações de vapor, ora marrons, ora verdes; cresciam, se espalhavam, se desmanchavam e morriam. Vi prédios enormes se erguerem majestosos, e desaparecerem como num sonho. Toda a superfície da terra parecia ter mudado — derretia-se e fluía diante de meus olhos. [...] Eu avançava mais de um ano por minuto; e minuto a minuto a neve branca refulgia através do

mundo, e desaparecia, dando lugar ao brilhante e breve verdor da primavera.

Publicada em 1895, *A máquina do tempo* apareceu num momento de fascínio literário pela ideia de uma viagem no tempo. A maioria das incursões no futuro ou no passado acontecia inesperadamente, sem que fossem claros os meios para isso. Os protagonistas de *Looking Backward* [Olhando para trás] e de *Notícias de lugar nenhum* adormeciam no século XIX e, depois de sonecas muito longas, acordavam no século XXI. Em *A Crystal Age* [Uma era de cristal], o viajante desperta mil anos depois (ele tem quase certeza) caindo de um penhasco. Em *The British Barbarians* [Os bárbaros britânicos], um antropólogo do século XXV chega de algum modo a Surrey usando um "bem talhado terno de tweed cinzento". *A máquina do tempo* é incomum porque seu personagem mais atraente é o modo com que se faz a viagem e, em certo sentido, o próprio tempo. O viajante não é um agente passivo; ele escolhe seu destino no momento da partida. Nem simplesmente chega lá: ele acelera a cada momento entre o agora e o depois. Em suas mãos, o tempo tem uma escala e é fungível; o presente especioso pode ser dilatado para abranger estações, vidas humanas, éons. O presente percebido não é mais que isso — percebido. Ao alterar a percepção, o viajante altera o tempo.

Wells estava firmemente fundamentado na teoria científica contemporânea. Na universidade ele estudou biologia com T. H. Huxley, e está claro que leu *Princípios de psicologia*, como quase todo mundo em seu círculo. Em 1894, no *Saturday Review*, ele publicou uma crítica à psicologia contemporânea que expunha uma sólida compreensão da literatura na memória, da consciência, da percepção visual, da sugestão e da ilusão. (Um erudito moderno, depois de dissecar a cronologia em *A máquina do tempo*, cria uma atraente teoria de que a história no jantar do viajante do tempo é na verdade um embuste que ele arma para seus convidados — e que tinha sonhado com a história durante uma soneca depois de uma excursão que fizera naquela tarde em sua bicicleta de três rodas.) O capítulo de abertura de *A máquina do tempo* é na verdade um breve curso sobre as noções então vigentes a respeito da percepção do tempo. "Não existe diferença entre o tempo e qualquer uma das três dimensões do espaço, exceto pelo fato de que é nossa consciência que se movimenta ao longo dela", diz o viajante do tempo a seus convidados, e depois lança sua teoria do tempo como uma geometria quadridimensional, teoria que se supõe que Wells tenha tirado de uma palestra feita em 1893, na Sociedade Matemática de Nova York. "Você não pode escapar do momento presente", objeta um convidado a certa altura, ao que o viajante no tempo responde: "Estamos sempre escapando do momento presente". Quando chega o momento de enviar um modelo da máquina do tempo em sua viagem inaugural, é o psicólogo quem aciona o interruptor.

William James anotava assiduamente tudo o que lia, mas não há menção de *A máquina do tempo*. Ele leu quase tudo o mais, desde Agostinho até *Tristram Shandy* e *O médico e o monstro*. ("O homem é um mágico" ele escreveu sobre Robert Louis Stevenson.) Em sua correspondência com Wells, James elogiou seus livros *Utopia* e *First and Last Things* [Primeiras e últimas coisas] e o comparou a Kipling e Tolstói; Wells assimilou a filosofia pragmática de James e se referiu a ele como "meu amigo e meu mestre". Em 1899, segundo um relato, eles se cruzaram numa festa na casa de Stephen Crane, onde houve também um jogo de pôquer tarde da noite. A biografia de Richardson descreve uma ocasião, vários anos depois, em que Wells foi buscar James na casa de seu irmão Henry, na Inglaterra. Henry estava agitado; tinha surpreendido William em cima de uma escada olhando por cima do muro do jardim, tentando ter um vislumbre do romancista G. K. Chesterton, que estava hospedado numa pousada vizinha. "Isso era, enfaticamente, o tipo de coisa que não se faz", relembrou Wells.

Mas era o tipo de coisa que William fazia com frequência. Ele era impulsivo, e deve ter ido para a escada sem um segundo de reflexão, como se não tivesse tempo a perder. Ele subia uma escada dois ou três degraus de cada vez. "Era um homem que estava o tempo todo com pressa", disse-me Richardson. Ele mencionou o livro autobiográfico de Henry James *A Small Boy and Others* [Um pequeno menino e outros], que foi publicado em 1913, três anos depois da morte de William, relativamente jovem, com 68 anos. Henry escreveu que William "estava sempre num canto e fora de vista", o que para Henry tinha um sentido figurado (William era um ano mais velho), mas que talvez também se aplicasse literalmente. "Ele era muito vivaz o tempo todo, bem no limite disso — e bem no limite de um colapso nervoso", escreveu Richardson sobre William. "Não creio que ele achasse que tinha muito tempo. E não tinha."

Uma noite no final do verão de 1860, os membros da Sociedade Entomológica Russa se reuniram em São Petersburgo para seu primeiro encontro. O discurso principal seria feito pelo augusto zoólogo alemão Karl Ernst von Baer, que a história relembra notadamente como um rabugento opositor da noção darwinista de que todos os organismos vivos se desenvolveram de ancestrais comuns. Mas o próprio Darwin admirava muito Von Baer, que era um intelectual obstinado e um biólogo e observador inovador. Von Baer foi o primeiro a alegar que todos os mamíferos, inclusive os humanos, se originavam de ovos, conclusão à qual chegou depois de um tedioso exame pelo microscópio de minúsculas massas informes de embriões de pintos e outras criaturas, maravilhando-se com o fato de que organismos tão amplamente diferentes pudessem ter surgido de formas semelhantes de nascimento.

O tema de sua fala — "Welche Auffassung der lebenden Natur ist die richtige? Und wie ist diese Auffassung auf die Entomologie anzuwenden", ou seja, "Qual concepção da natureza viva é a correta? E como isso se aplica à entomologia?" — poderia parecer estranho e elusivo para qualquer plateia, quanto mais para uma plateia de entusiastas por insetos. Mas ao discorrer sobre ele, Von Baer pôs em discussão uma questão que circulava entre filósofos desde o século XVII e tinha entrado recentemente nas conversas de cientistas naturais: quanto dura o agora?

Nada dura, disse Von Baer a sua audiência. O que tomamos erroneamente por persistência — a aparente permanência das montanhas e dos mares — é uma ilusão derivada da curta duração de nossa vida. Imagine por um momento "que o ritmo de passagem da vida no homem fosse muito mais rápido ou muito mais lento, então logo descobriríamos que, para ele, todas as relações com a natureza pareceriam ser totalmente diferentes". Suponha que o tempo de vida de um humano, do nascimento à senilidade, durasse apenas 29 dias, um milésimo de sua duração normal. Esse *Monaten-Mensch*, ou "homem de um mês", nunca veria a Lua passar de um único ciclo; o conceito das estações do ano, da neve e do gelo seria tão abstrato quanto o da Era do Gelo é para nós. A experiência seria análoga à de muitas criaturas, inclusive alguns insetos e cogumelos, que só vivem alguns dias. Agora suponha que a duração de nossa vida fosse ainda mil vezes mais breve, apenas de 42 minutos. Esse *Minuten-Mensch*, ou "homem de minutos", não teria conhecimento direto de noite e dia; flores e árvores lhe pareceriam imutáveis.

Considere o cenário oposto, continuou Von Baer. Imagine que nosso pulso, em vez de acelerar, fosse mil vezes mais lento que o normal. Se supormos que vivenciamos por batimento a mesma experiência sensorial que vivenciamos normalmente, "então o tempo de vida dessa pessoa chegaria a uma 'idade madura' aproximadamente aos 80 mil anos. Um ano pareceria ser 8,75 horas. Perderíamos a capacidade de ver o gelo derreter, sentir um terremoto, ver as árvores lançarem brotos, lentamente dar frutos e depois se desfolhar". Veríamos cadeias de montanhas se erguer e desmoronar, mas não poderíamos acompanhar a vida das joaninhas. Para nós, as flores estariam perdidas; apenas as árvores nos causariam uma impressão. O sol talvez deixasse uma cauda no céu, como a de um cometa ou uma bala de canhão. Agora multiplique novamente essa vida por mil, para produzir um homem que vive 80 milhões de ano, mas só tem 31,5 batimentos cardíacos e 189 percepções num ano terrestre. O Sol deixaria de ter o aspecto de um círculo discreto e pareceria ser, em vez disso, uma brilhante elipse solar, menos luminosa no inverno. Durante dez batimentos do pulso no ano, a Terra seria verde, depois branca em mais dez batimentos; a neve derreteria durante 1,5 batimento cardíaco.

Durante os séculos XVII e XVIII, o uso cada vez maior do telescópio e do microscópio levou a que se considerasse o que poderia ser chamado de relatividade de escalas. O cosmos era maior do que se imaginara, em ambas as direções; ele floresceu e aumentou para fora e para dentro. A perspectiva humana começou a perder seu sentido de privilégio: nossa visão das coisas poderia ser apenas uma dentre muitas. Vamos supor, propôs o filósofo Nicolas Malebranche em 1678, que Deus tenha criado um mundo tão vasto que uma árvore que nos parece enorme pareceria normal para os habitantes daquele reino — ou, ao contrário, um mundo que nos parecesse minúsculo seria imenso aos olhos de seus minúsculos residentes. "*Car rien n'est grand ni petit en soi*", escreveu Malebranche; nada é grande ou pequeno em si mesmo. Jonathan Swift logo captou a ideia num romance; a aparência dos liliputianos e a dos gigantescos brobdingnaguianos é equivalente em seus detalhes e em sua extensão.

O mesmo acontece com o tempo. "Imagine um mundo formado por tantas partes quanto é o nosso, e que não fosse maior que uma avelã" escreveu o filósofo francês Bonnot de Condillac em 1754. "Não há dúvida de que as estrelas nasceriam e se poriam milhares de vezes em uma de nossas horas." Ou imagine um mundo tão vasto que faz o nosso parecer um anão: a duração de uma vida em nosso mundo não seria mais do que um lampejo aos seres daquele mundo maior, enquanto para os residentes no planeta Avelã nossa vida duraria bilhões de anos. A percepção da duração é relativa; um momento, na percepção de alguém, pode ser muitos na percepção de outro.

Em certa medida, isso é um jogo de palavras. Se definimos um dia como o tempo de uma única rotação da Terra em torno de seu eixo, então um dia sempre dura um dia da mesma forma para um humano, um ácaro e uma avelã. (Um biólogo circadiano ressaltaria que na verdade o dia está geneticamente inscrito em cada um de nós, avelã ou humano, estejamos conscientes disso ou não.) O que Condillac quis dizer, no entanto, foi que para os ácaros ou para a avelã um dia pode não ser uma duração de tempo útil, ou mesmo perceptível. Essa ideia contém uma noção de tempo que está muito em voga hoje em dia: nossa estimativa de quanto um momento parece durar é configurada pelo número de ações ou ideias que passam por nossa mente enquanto decorre aquele momento. "Não temos percepção de uma duração a não ser considerando a série de ideias que se revezam em nosso entendimento", alegou John Locke em 1690. Se você experimentar muitas sensações num breve período de tempo, então essa duração, densamente preenchida, parecerá mais longa enquanto você estiver nela. Um instante pode nos parecer adimensional, escreveu Locke, embora possa haver outras mentes capazes de percebê-lo e nós não termos mais consciência dele do que "um verme fechado na gaveta de um armário tem dos sentidos ou da compreensão de um homem". Nossa mente, que só se movimenta com aquela presteza, só pode ter tantas e tantas ideias ao mesmo tempo, assim há um limite para a duração de tempo que somos capazes de perceber. "Se nossos sentidos se alterassem, e se tornassem mais rápidos e mais agudos, a aparência e o esquema exterior das coisas teriam para nós outra cara."

William James adotou a ideia. Suponha que seus sentidos sejam alterados pelo haxixe, ele escreveu em 1886; você poderia ter uma experiência temporal parecida com

> a condição dos seres de vida curta de Von Baer e de Spencer. [...] A condição seria, resumindo, exatamente análoga à ampliação do espaço por um microscópio; poucas coisas reais ao mesmo tempo no campo de visão, mas cada uma delas ocupando mais do que seu espaço normal, e fazendo os excluídos parecerem anormalmente distantes.

Em 1901, H. G. Wells escreveu um conto chamado "O novo acelerador", sobre a invenção de um elixir que acelerava mil vezes mais o corpo e suas percepções. Deixe cair um copo e vai parecer que ele está pendurado no ar; pessoas na rua estariam como que atacadas de rigidez, com a aparência de realistas bonecos de cera", ele escreveu. "Vamos fabricar e vender o Acelerador, e quanto às consequências — veremos."

Embora quase nunca apreciemos esse fato, os humanos funcionam e se baseiam em várias e diversas escalas de tempo simultaneamente. Um coração humano bate em média uma vez por segundo. Um relâmpago dura um centésimo de segundo. Um computador doméstico executa uma única instrução do software em nanossegundos, ou bilionésimos de segundo. Os tempos de comutação de circuitos são medidos em picossegundos, ou trilionésimos de segundo. Vários anos atrás, físicos conseguiram criar um pulso de luz de laser que durou apenas cinco femtossegundos, ou cinco quadrilionésimos (5×10^{-15}) de segundo. Numa fotografia normal, um flash pode "parar o tempo" em cerca de um milésimo de segundo — o bastante para congelar o movimento de um rebatedor no beisebol, e talvez o de uma bola rápida arremessada. Da mesma forma, uma "lâmpada de flash" de um femtossegundo possibilitou aos cientistas observar fenômenos nunca antes vistos em imagens congeladas: moléculas em vibração, a ligação de átomos durante uma reação química, e outros ultrapequenos, ultrafugazes eventos.

O pulso de um femtossegundo evoluiu para ser uma ferramenta poderosa. Ele é soberbo para perfurar buracos minúsculos; sua energia se deposita tão rapidamente que não há tempo para o material circundante se aquecer, assim há menos desordem e ineficiência. Além disso, dada a velocidade da luz — quase 300 milhões de metros por segundo —, um pulso de luz com duração de um femtossegundo tem um comprimento físico de apenas cerca de um milésimo de milímetro. (Em contraste, um pulso de luz com duração de um segundo se estenderia por quatro quintos da distância da Terra à Lua.) Pense neles como minúsculas bombas inteligentes: elas podem ser focadas para atingir logo abaixo da superfície de um material transparente sem na verdade o perfurar. Pulsos de um femtossegundo estão sendo usados para gravar guias de ondas ópticas dentro de painéis de vidro, desenvolvimento que pode revolucionar o armazenamento de dados e as telecomunicações. Pesquisadores do femtossegundo desenvolveram um novo método de cirurgia a laser do olho que opera diretamente na córnea sem danificar o tecido acima dela. "É um modo de pôr sua mão dentro de materiais biológicos, e de fazer isso com muito pouca energia", disse-me Paul Corkum, físico da Universidade de Ottawa.

Mas ultrarrápido ainda não é bom o bastante. Todo tipo de coisas importantes pode acontecer entre um quadrilionésimo de segundo e o próximo, e se sua lâmpada de flash é demasiado lenta, você vai perdê-la. Assim, os cientistas têm pressionado, martelando o relógio, correndo para criar janelas de tempo ainda mais minúsculas através das quais possam estudar o mundo físico. Poucos anos atrás uma equipe internacional de físicos, inclusive Corkum, finalmente conseguiu romper a assim chamada barreira do femtossegundo. Com um complexo laser de alta energia, eles geraram um pulso de luz com uma duração de pouco mais de meio femtossegundo — 650 attossegundos, para ser exato. O attossegundo (10^{-18} de segundo) existe há muito tempo como entidade teórica, mas foi a primeira vez que alguém efetivamente deparou com ele. É uma nova fatia de tempo descoberta — minúscula mas com um potencial gigantesco. "Essa é a escala de tempo real da matéria", disse Corkum. "Estamos obtendo a capacidade de olhar para o mundo microscópico dos átomos e das moléculas em seus próprios termos."

Assim que os físicos captaram o pulso do attossegundo, já estavam demonstrando sua utilidade. Eles o apontaram, junto com um pulso mais longo de luz vermelha, para dentro de um gás de átomos de criptônio. O pulso de attossegundo excitou os átomos de criptônio, liberando elétrons; depois o pulso de luz vermelha alcançou os elétrons e fez uma leitura de sua energia. Ajustada a defasagem entre os dois pulsos, os cientistas conseguiram fazer uma medição muito precisa — uma questão de attossegundos — do tempo que um átomo leva para decair. Nunca antes a dinâmica do elétron tinha sido estudada numa escala de tempo tão breve. O experimento deixou o mundo da física em polvorosa. "Os attossegundos nos darão uma nova maneira de pensar sobre os elétrons", disse-me Louis DiMauro, físico no Laboratório Nacional de Brookhaven. "Eles se tornaram uma nova forma de investigar a matéria que será depois aplicada em todas as ciências. Começou a era da attofísica."

É claro que um dia, talvez num futuro não muito distante, mesmo o attossegundo não será de todo satisfatório. Para investigar a atividade do núcleo atômico, onde a escala de tempo natural é mais rápida em várias ordens de magnitude, os físicos terão de irromper no reino dos zeptossegundos, ou de sextilionésimos de segundo. Enquanto isso, terão de se arranjar com o pouco tempo livre que já conseguiram. Dá para imaginá-los se empolgando, enchendo seus discos rígidos com vídeos caseiros de elétrons, entupindo as ondas de rádio com vídeos de attossegundos que por segundos parecem bocejar — basicamente, por toda a eternidade. Corkum acredita em que isso não acontecerá: "Na prática, achamos que isso só vai levar um período razoável de tempo". No tempo de rápida duração, assim como no de longa duração, o tédio do observador ainda estabelece os limites. "Meu cunhado me enviou recentemente alguns filmes do bebê deles", disse Corkum. "No início era divertido, mas depois de quinze minutos — uau, isso é um bocado de tempo."

Quando eu era mais moço e tinha mais tempo, gostava de me deitar na grama no verão, fechar os olhos e tentar contar quantos sons eu conseguia ouvir ao mesmo tempo. Ali, o zumbido das cigarras. Lá em cima, o ronco de um jato em grande altitude. Atrás de mim, as folhas de uma árvore farfalhando na brisa. Alguns sons eram uma presença constante; outros, como o trinado de um gaio-azul, intermitentes. Descobri que eu podia ter em mente quatro ou cinco até algum deles sumir, quando eu então ia em busca de outro, como um malabarista que deixou cair uma bola e com uma das mãos tateia em volta para agarrar outra que a substitua. Não demorou muito para que eu dominasse os constantes altos e baixos do processo e o desafio passou a ser menos o do número de sons que eu podia manter em suspenso e mais o de quanto espaço interior eles ocupavam e o do menor esforço possível necessário para mantê-los em movimento.

Isso era relaxante, mas também era minha maneira de avaliar... bem, eu não tinha exatamente certeza do que seria. O alcance de minha atenção? As fronteiras de minha percepção? Em retrospecto, está claro que eu estava tentando, à minha maneira rudimentar, quantificar o momento atual, um empreendimento que tem uma longa história. Ainda antes que William James (por intermédio de E. R. Clay) aterrissasse na noção do presente especioso, a maioria dos cientistas já aceitara a noção de que o presente psicológico tinha alguma duração efetiva, e muito esforço foi despendido para tentar quantificá-lo. Exatamente quão longo, ou breve, é o agora?

Uma maneira de medir o presente era contar quantos itens mentais podem se encaixar nele. Ritmos eram uma medida útil. Imagine uma série de batidas que produzem um ritmo assim: *tiketa-tik-tik-tik tiketa-tik-tik-tik*, e assim por diante. Se cada batida isolada vem lenta ou rápida demais, não se pode discernir o ritmo; somente numa zona intermediária de velocidades — tantas batidas por segundo ou minuto — as batidas se fundem em sua mente para formar um todo. Ou, dizendo isso de outra maneira, o ritmo surge apenas quando um número suficiente de batidas individuais (mas não demais) chega num breve, levemente variável, período de atenção. O fisiologista alemão Wilhelm Wundt chamou isso de "âmbito da consciência", ou *Blickfield* — o breve intervalo no qual impressões disparatadas se fundem numa sensação do agora. Na década de 1870, ele empreendeu esforços para medir seus parâmetros. Num experimento, fez soar uma série de dezesseis batidas — oito pares de duas batidas — num ritmo de uma a 1,5 batida por segundo, definindo um *Blickfield* de entre 10,6 e dezesseis segundos de duração. Fez soar a série duas vezes para pessoas que serviam de cobaias: uma vez, e depois de uma breve pausa, novamente. Suas cobaias discerniram no mesmo instante um ritmo e também reconheceram que os dois ritmos eram idênticos. Se ele acrescentava ou suprimia uma batida na segunda série, o ouvinte notava de imediato, mesmo sem contar as batidas individuais. Estavam conscientes de que havia um padrão geral; cada ritmo "está presente na consciência como um todo", observou Wundt. Ele acelerou as coisas, de modo que doze batidas individuais viessem a intervalos de meio a um terço de segundo, e as cobaias ainda conseguiam discernir um ritmo, ou um "todo", e compará-lo com outro. Por essa medição, o *agora* discernível dura algo entre quatro e seis segundos. Até quarenta batidas podiam ser reconhecidas de uma só vez, contanto que chegassem em cinco grupos de oito elementos cada um, num ritmo de quatro batidas por segundo. (Isso poria o âmbito da consciência em dez segundos.) A mais breve duração perceptível consistia de doze batidas — três grupos de quatro batidas, a três batidas por segundo — e durava quatro segundos.

Em outras medições, esse intervalo poderia ser muito mais breve. Em 1873, o fisiologista Sigmund Exner relatou que conseguia ouvir dois estalos sucessivos de centelhas elétricas se um se seguisse ao outro 1/500 de segundo. Enquanto as cobaias estavam acessando o conteúdo de um momento preenchido, Exner estava marcando as fronteiras de um momento vazio. E o tamanho dele, descobriu Exner, dependia muito de qual sentido o captava. A audição dava acesso ao menor intervalo perceptível (0,002 segundo). A visão era mais lenta: se Exner olhasse para duas centelhas sucessivas que estivessem um pouco afastadas uma da outra, conseguia discernir corretamente qual acontecia primeiro apenas se elas ocorressem com um intervalo maior que 0,045 segundo (pouco menos de um vigésimo de segundo). Se a tarefa consistisse em ouvir um som e depois ver uma luz, era necessário um intervalo ainda maior (0,06 segundo) para discernir em que ordem ocorriam. O menor intervalo perceptível para a tarefa inversa, primeiro ver e depois ouvir, era ainda mais longo, 0,16 segundo.

Poucos anos antes, em 1868, o médico alemão Karl von Vierordt oferecera outra medida do agora. Em seus experimentos, as cobaias ouviam um intervalo vazio — frequentemente marcado por dois tique-taques de um metrônomo — e tentavam reproduzi-lo, em geral pressionando uma chave que fazia uma marca num tambor rotativo de papel. Às vezes, o intervalo a ser reproduzido era marcado por oito batidas de um metrônomo em vez de duas, ou as duas batidas eram dadas na mão da cobaia com um pequeno ponteiro de aço. Ao rever os dados, Vierordt notou algo curioso: durações de menos de cerca de um segundo eram tipicamente consideradas um pouco mais longas do que realmente eram, enquanto durações mais longas tendiam a ser subavaliadas. Em algum lugar intermediário havia uma duração breve que as cobaias avaliaram com exatidão. Por meio de muitos experimentos, Vierordt tentou definir exatamente esse breve intervalo no qual a sensação que alguém tem do tempo correspondesse exatamente ao tempo físico. Ele o chamou de ponto de indiferença. Variava de um a outro observador, mas, na média, alegaram os pesquisadores mais tarde, era notavelmente constante, com cerca de 0,75 segundo de duração.

Hoje está claro que a descoberta ocultou várias falhas metodológicas. Para começar, quase todos os dados experimentais de Vierordt derivaram de apenas dois voluntários: Vierordt e seu aluno de doutorado. Assim mesmo, o ponto de indiferença foi amplamente adotado como significativo. Wundt e outros pesquisadores conduziram seus próprios experimentos com o ponto de indiferença para ir adiante, quantificá-lo e articulá-lo; seus valores com frequência oscilaram em torno de três quartos de segundo, embora alguns fossem bem mais baixos, de um terço de segundo. A evidência de haver um ponto de indiferença se dissolveu amplamente num escrutínio ulterior, mas ao menos por um momento os cientistas pareciam ter identificado uma unidade psicológica de tempo — "certa duração absoluta", escreveu um historiador, que "está sempre disponível para a mente como um padrão". Essa duração, qualquer que fosse seu tamanho exato, era como um substituto da consciência; era o mais breve momento possível de uma consciência humana direta.

O tamanho exato do agora seria esmiuçado e analisado já na metade do século XX. Os cientistas tendem, atualmente, a estabelecer uma distinção entre dois conceitos. Um é o do movimento perpétuo, uma fugaz porém quantificável duração que se define como o maior intervalo possível entre dois eventos sucessivos, como um par de faíscas, que no entanto são percebidos como simultâneos. O outro é o do presente psicológico, um período levemente mais longo no qual um único evento, como um rufar de tambor, parece se desenrolar. O primeiro pode ser de noventa segundos, ou de 4,5 milissegundos, ou algo com uma duração entre um quinto e um vigésimo de segundo, dependendo de a quem você pergunta e como você o mede; o segundo pode ser de dois ou três segundos, ou de quatro a sete segundos, ou não mais que cinco segundos de duração. Ao menos um grupo de cientistas cognitivos propôs a existência de um quantum de tempo, "o mais baixo limite absoluto de resolução temporal", que eles fixaram em mais ou menos 4,5 milissegundos.

Quando James publicou *Princípios de psicologia*, em 1890, o tamanho do agora, em sua opinião, estava basicamente estabelecido. "Estamos constantemente conscientes de uma certa duração — o presente especioso — cujo comprimento varia de alguns segundos a talvez não mais que um minuto", ele escreveu. Uma investigação adicional — mais "privação e enfado" — foi tida como pouco dignificante: "Há pouco de um grande estilo nesses filósofos de prisma, pêndulo e cronógrafo. Sua intenção é o negócio, não o cavalheirismo". James considerou a nova fase da pesquisa alemã uma "psicologia microscópica" que "sobrecarrega a paciência ao máximo, e dificilmente aconteceria num país cujos nativos fossem capazes de ficar entediados". Havia coisas melhores para alguém fazer com o tempo do que ficar bicando nele até morrer.

O que quer que esses experimentos tenham revelado sobre nossa "percepção do tempo", eles foram testemunho de uma precisão cada vez maior dos medidores mecânicos do tempo. Os cientistas havia muito estavam intrigados com o "espírito animal" ou as "ações nervosas" que animam os músculos e permitem o movimento, a cognição e a percepção do tempo. Mas os impulsos neurais, como são chamados atualmente, podem viajar a uma velocidade de mais de 120 metros por segundo, ou mais de quatrocentos quilômetros por hora — rápido demais para a tecnologia do século XVIII conseguir detectar. Até onde a questão diz respeito à ciência, uma ação segue-se instantaneamente ao pensamento que a provocou. Mas no século XIX, avanços na medição do tempo — relógios de pêndulo, cronoscópios, cronógrafos, quimógrafos e outros dispositivos trazidos sobretudo da astronomia — proveram acesso a novas escalas de tempo: décimos, centésimos e até milésimos de segundo. Instrumentos projetados para investigar o cosmos foram aplicados no estudo da fisiologia, e abriram uma janela no tempo grande o bastante para revelar o inconsciente.

Até uma época relativamente recente, com a adoção do tempo atômico e de um padrão de tempo universal tão avançado que tem de ser disseminado por boletim informativo, o tempo em nossos relógios chega até nós por intermédio de observatórios astronômicos, que o colhem das estrelas. Imagine uma linha que passa sobre nossa cabeça e conecta os pontos cardeais do norte e do sul; onde quer que você esteja o Sol cruza essa linha — o meridiano celeste — todo dia exatamente em seu meio-dia. (O meio-dia solar é definido como o momento no qual isso ocorre.) À noite, estrelas cruzam o — ou transitam pelo — meridiano em tempos igualmente precisos; os astrônomos chegaram a rastrear de perto esses trânsitos de estrelas. Pode-se acertar um relógio por eles — e relojoeiros e donos de relógios fizeram isso, primeiro importunando diretamente um astrônomo e depois assinando alguma forma de "serviço do tempo" aprovado por um observatório. Em 1858, construiu-se um observatório em Neuchâtel, na Suíça, expressamente para fornecer uma hora exata para a indústria de relógios. "A hora será distribuída nas casas, como água ou gás", jactou-se Adolph Hirsch, o fundador do observatório e seu astrônomo-chefe. Os fabricantes locais podiam deixar seus relógios no observatório para ser testados, calibrados e oficialmente certificados. Fabricantes de relógios de lugares mais distantes recebiam diariamente um sinal de hora pelo telégrafo. Em 1860, toda agência de telégrafo suíça recebia sua hora de Neuchâtel, estabelecendo com isso o que Henning Schmidgen, um historiador e professor de teoria da mídia da Universidade de Bauhaus, em Weimar, chamou de "uma vasta paisagem de tempo-padrão".

É claro que não será exatamente meio-dia, ou qualquer determinada hora, em todos os lugares da terra simultaneamente. Nosso mundo gira, e o sol não brilha para todos nós ao mesmo tempo; o meio-dia em Nova York é meia-noite em Hong Kong. Quando se viaja para leste, o nascer e o pôr do sol (e o meio-dia) ocorrem um tanto mais cedo em relação a seu ponto de partida; ocorrem mais tarde quando se viaja para oeste. Para cada quinze graus de longitude para leste ou oeste (dos 360 graus no total), o meio-dia ocorre uma hora mais cedo ou mais tarde, respectivamente. Com um telescópio e um relógio você pode mapear o mundo. Vamos supor que você seja um astrônomo no Observatório de Greenwich, que fica na longitude 0°; se você sabe a que hora uma determinada estrela cruza seu meridiano, você é capaz de prever com exatidão o momento em que ela cruzará o meridiano a uma longitude de, digamos, 35° W, a meio caminho através do Atlântico. Agora, em vez disso, entre nesse barco e com seu telescópio e um relógio determine o momento exato em que a mesma estrela cruza seu meridiano. Se você também souber a hora exata em que essa estrela cruza o meridiano de Greenwich, você poderá calcular sua longitude a partir da diferença entre as horas de trânsito.

Esse método de cômputo foi central para as explorações britânicas nos séculos XVI e XVII; impulsionou a invenção de relógios precisos para a navegação e suscitou a construção, em 1765, do Observatório Real em Greenwich, primeiro observatório construído para fornecer uma base sólida mediante a qual navios de longo percurso poderiam determinar suas localizações.

O processo de estabelecer uma hora local para um trânsito estelar foi trabalhoso. Quando o momento visado se aproximava, o astrônomo olhava o relógio, anotava hora, minuto e segundo, depois olhava pelo telescópio. Estendendo-se por todo o seu campo de visão havia uma série de linhas verticais regularmente espaçadas, que muitas vezes estavam marcadas no telescópio como se fossem fios de uma teia de aranha. Não demorava muito e a estrela — um ponto brilhante de luz prateada, num halo de cor — entrava no campo de visão. Enquanto o astrônomo contava os segundos em voz alta, ou ficava ouvindo o relógio ou às vezes um metrônomo marcando os segundos com batidas, ele anotava exatamente quando a estrela cruzava cada uma das linhas, sobretudo a do meio, que representava o meridiano. Isso implicava fixar visualmente a localização da estrela na batida exatamente anterior ao cruzamento da linha e na batida imediatamente posterior, lembrar as duas posições, compará-las e expressar a diferença — o momento exato do cruzamento —, tudo em décimos de segundo. As horas exatas do trânsito podiam ser comparadas no decorrer de dias ou semanas. Como a estrela era sempre pontual, a culpa de todo desvio em relação ao horário esperado podia ser atribuída com segurança ao relógio, que deveria ser acertado de acordo com isso.

A técnica era considerada precisa com uma margem de dois décimos de segundo, mas era cheia de erros. Telescópios diferem quanto à clareza de um observatório para outro, e nem todo relógio de observatório tem a batida tão constante quanto a do próximo, ou foi isolado do ruído e da vibração exteriores. Uma estrela pode ser incomumente brilhante ou turva; pode tremeluzir em correntes de ar ocultas; pode sumir atrás de uma nuvem no momento crítico. Mais insidioso era um tipo de erro humano que ficou conhecido na astronomia como a "equação pessoal". Em 1795, o astrônomo real em Greenwich observou que tinha demitido seu assistente porque os tempos de trânsito estelar anotados por ele eram consistentemente um segundo mais lentos dos que ele mesmo registrava: "Ele caiu em algum método próprio irregular e confuso". Mas logo ficou claro que dois observadores não registram exatamente o mesmo tempo de trânsito; cada um tem sua equação pessoal. Nos cinquenta anos seguintes, astrônomos em toda a Europa mediram e compararam seus erros, num esforço inútil de decompô-los.

A falha provinha da fisiologia humana: era uma "infeliz característica do sistema nervoso dos astrônomos", concluiu Hirsch em 1862. Uma década antes, experimentos feitos por Hermann von Helmholtz, físico e fisiologista alemão, revelou que a percepção, o pensamento e a ação não são afinal instantâneos; a velocidade do pensamento humano é finita. Aplicando choques elétricos fracos em diferentes partes do corpo de voluntários, ele conseguiu medir quanto tempo levou para cada um reagir aos estímulos, que ele sinalizava mexendo a cabeça. Os tempos de resposta variavam muito, mas Helmholtz calculou que em geral sinais nervosos humanos se deslocam a cerca de 36,5 metros por segundo, muito mais lentamente que a estimativa de 14,5 milhões de quilômetros por hora, feita por alguns investigadores. Helmholtz comparou os nervos humanos a cabos de telégrafo que "enviam relatórios das mais distantes fronteiras do estado para o centro de governo". Uma transmissão assim leva tempo — tempo para ficar ciente do estímulo, tempo para transmitir uma resposta, e, no meio, o tempo requerido "pelo cérebro para os processos de perceber e querer", escreveu Helmholtz. Ele estimou que a etapa de perceber e querer levava um décimo de segundo.

Hirsch, o astrônomo, se referiu a esse intervalo como um "tempo fisiológico", e suspeitava que ele era o responsável pela equação pessoal. Realizou uma série de experimentos para esclarecer a questão. Num deles, uma bola de aço caía ruidosamente numa prancha; ao ouvir o som, a cobaia do teste acionava uma chave de telégrafo. Hirsch mediu o tempo entre o som e o acionar da chave com um cronoscópio, dispositivo capaz de medir intervalos de tempo de um milésimo de segundo, e chegou a uma velocidade neural de mais ou menos a metade do que Helmholtz calculara. O cronoscópio havia sido inventado alguns anos antes por Matthias Hipp, um fabricante de relógios que se tornou mais tarde um dos voluntários na pesquisa de Hirsch, para medir velocidade de balas de espingarda e de objetos em queda. Hipp se tornou subsequentemente o diretor do serviço telegráfico suíço; em 1860, ele se aposentou para começar sua própria companhia telegráfica em Neuchâtel, em parte para fornecer equipamento ao novo negócio de transmissão de tempo de Hirsch. O astrônomo realizou experimentos com uma engenhoca que mostrava estrelas artificiais cruzando as linhas de um meridiano no telescópio. Ele descobriu que a equação pessoal não variava apenas de uma pessoa para outra. Variava de uma observação para outra, no decorrer de um dia e durante o ano; variava dependendo do brilho da estrela e da direção em que estava se movendo. Se você registrasse a hora do trânsito se antecipando ao momento em que ela cruzava a linha do meridiano, em vez de esperar até que efetivamente cruzasse, isso alterava também a equação pessoal.

Os astrônomos logo aprenderam a decompor a equação pessoal despersonalizando o processo de observação astronômica.

O método do olho-e-orelha foi substituído pelo eletrocronógrafo, um tambor rotativo de papel ligado diretamente ao relógio. O astrônomo observava o trânsito de uma estrela, apertava uma chave e com isso marcava o papel, eliminando a necessidade de olhar para o relógio ou de pensar nele, e com isso a defasagem de tempo exclusivamente pessoal. Agora dois astrônomos podem comparar objetivamente seus erros no mesmo relógio. À distância de quilômetros um do outro, em observatórios separados, podem registrar simultaneamente o mesmo trânsito estelar, usando o tempo marcado por um único relógio, compartilhado via telégrafo (depois de decompor o tempo da transmissão telegráfica), e calculando suas diferenças.

Mas a equação pessoal havia deixado sua marca; o estudo do tempo se espalhara da astronomia para a fisiologia e a psicologia. O trabalho de Hirsch de 1862, com sua referência ao "tempo fisiológico", foi traduzido do alemão e circulou mais amplamente entre os cientistas. Seu projeto experimental para astrônomos que estudavam a questão serviu como modelo para experimentos subsequentes de Wilhelm Wundt sobre a extensão temporal da consciência. Cresceu o interesse pelo estudo de tempos de resposta. Em 1926 e 1927, Bernice Graves, um treinador de futebol americano que estava trabalhando em seu mestrado em psicologia na Universidade Stanford, realizou um estudo com os tempos de reação dos jogadores de futebol americano de Stanford, sob a orientação do psicólogo Walter Miles e de Glenn "Pop" Warner, o treinador do time. Central nesse empreendimento foi a engenhoca de medição de tempo que Miles tinha inventado, mas que para Hirsch teria parecido familiar. Miles a chamou de "cronógrafo múltiplo", e ele podia ser conectado a sete jogadores de linha ao mesmo tempo, para medir quão rapidamente eles desfaziam a linha depois do sinal do quarterback de que ia arremessar a bola. Na época houve um considerável debate sobre qual seria o melhor método de sinalizar. Um sinal audível — no qual o quarterback gritava uma série de números que informava a seus companheiros de time a jogada que ia fazer, seguida de um grito mais alto, "Hike!" — era claramente superior ao sinal visual, pois os homens na linha de ataque podiam manter os olhos fixos na linha de defensores à sua frente. Mas os homens na linha deveriam ser surpreendidos com o "hike" ou, como parte do código auditivo, deveriam ter uma pré-indicação de que ele ia acontecer? A cadência do sinal devia ser uniforme ou variada? Graves testou todas as variáveis com o dispositivo de tempo de Miles. Numa posição com três pontos de apoio, cada homem na linha apoiava a cabeça num gatilho que era acionado quando liberado da pressão; dado o sinal o jogador se movia, liberando o gatilho e fazendo cair uma bola de golfe, que deixava uma marca num tambor rotativo de papel. O tempo de reação podia ser medido em milésimos de segundo. Graves descobriu que os jogadores se moviam da linha de modo mais uniforme quando o sinal era inesperado e não rítmico. Mas, quando o sinal era antecipado e rítmico, os jogadores se arremessavam à frente com mais rapidez, cerca de um décimo de segundo mais rápido — tempo que, não fosse por isso, seria mais ou menos o requerido para uma pessoa pensar. "Uma ação rápida, precisa e conjunta é o objetivo de força com o qual o treinador trabalha e para o qual os homens treinam", observou Miles. "O esforço visa a fazer dos onze sistemas nervosos individuais uma máquina bem integrada e poderosa."

Voltando um dia da mercearia para meu escritório, depois do almoço, dei uma olhada no relógio que fica sobre um alto pedestal no lado de fora do banco. De certo modo ele parece uma gigantesca bússola de navio, e de repente tomei ciência dos esforços tranquilos do relógio para me orientar, em mais de uma maneira.

Na verdade esse relógio — ou o relógio em meu celular ou em minha mesinha de cabeceira, ou o relógio de pulso que às vezes uso — tem várias coisas a me dizer sobre o tempo. Em seu mais básico, o relógio é um marcador de tempo; ele me situa em relação a um breve momento passado e algum tempo ainda por vir. "Se eu tiro meu relógio de pulso", observou o filósofo Martin Heidegger, "a primeira coisa que digo é: 'Agora são nove horas; faz trinta minutos que aquilo aconteceu. Daqui a três horas serão doze horas'." Em outras palavras, um relógio orienta no que concerne ao passado e ao futuro; seu objetivo, diz Heidegger, "é determinar a fixação específica do agora" — sendo o *agora* um alvo sempre em movimento.

Mas essa informação por si só é útil apenas marginalmente; meu *agora* é um navio à deriva a menos que se refira a marcos de referência estabelecidos. Um desses marcos é o Sol: um relógio me informa onde estou no dia. Um relógio em minha mesa de cabeceira que marque 14h, quando posso vê-lo claramente no meio da noite, está fazendo uma coisa muito errada; está fora de sincronia com a rotação da Terra. O relógio também, de modo implícito, me diz onde (ou melhor, quando) estou em relação aos outros relógios, fora o que estou olhando no momento. Se o relógio do banco diz que são 14h quando passo por ele em meu caminho para pegar um trem às 14h15, eu gostaria de não chegar à estação em cinco minutos e descobrir que o relógio lá está marcando, digamos, 14h30 e que eu perdi meu trem. Esperamos que nossos relógios estejam sincronizados um com o outro, bem como com o dia planetário em geral. Meu agora deve ser o seu agora, mesmo que você esteja do outro lado do mundo.

Essa expectativa está arraigada na vida digital moderna, mas não foi sempre assim. No século XIX, a Europa, os Estados Unidos e o resto do mundo lutavam por sair daquilo que o historiador Peter Galison chamou de "caos do tempo descoordenado". A astronomia possibilitou que toda cidade que quisesse ter um relógio preciso tivesse um. Mas um relógio local só seria suficiente enquanto ninguém fosse a parte alguma. Quando as ferrovias se espraiaram e ofereceram um movimento mais rápido através de maiores distâncias, os viajantes descobriram que a hora numa cidade quase nunca coincidia exatamente com a hora em outra cidade. Em 1866, quando era meio-dia em Washington, DC, a hora local oficial em Savannah era 11h43; em Buffalo, 11h52; em Rochester, 11h58; na Filadélfia, 12h07; em Nova York, 12h12; e em Boston, 12h24. Havia mais de duas dúzias de horas locais distintas só no estado de Illinois. Em 1882, quando William James viajou de navio para a Europa, para se encontrar com os mais importantes psicólogos e tentar progredir em seu livro, deixou atrás de si uma nação em que havia algo entre sessenta e cem horas-padrão locais.

A bem da conveniência, para simplificar horários ferroviários e impedir que trens se chocassem, empreendeu-se um esforço para coordenar relógios nas cidades e entre elas, usando o telégrafo para trocar sinais horários. A simultaneidade se tornou uma mercadoria distribuída; a paisagem do tempo mudou, passando de um terreno minuciosamente granular para tratos mais regulares do agora. James voltou para os Estados Unidos na primavera de 1883; mais tarde, no mesmo ano, exatamente ao meio-dia de segunda-feira, 18 de novembro, o governo reduziu o número de zonas horárias da nação de algumas dúzias para apenas quatro. O evento ficou conhecido como "o dia dos dois meios-dias", pois metade da população em cada nova zona teria de acertar ligeiramente o relógio e vivenciar de novo o meio-dia. "Os que estão na metade leste da zona é como se estivessem 'vivendo um pouco de sua vida novamente', mas os que estão no outro lado são jogados, alguns deles em mais de meia hora, no futuro", observou o *The New York Herald*.

Na virada do século, com tremendo esforço político, os sistemas de marcação do tempo do mundo foram convencidos a, da mesma forma, se coordenarem entre si. Foram traçadas linhas invisíveis e se estabeleceram no globo 24 zonas regularmente espaçadas. Foi fixado um *agora* para cada um na Terra. O matemático francês Henri Poincaré, uma voz de liderança no movimento, observou que o tempo é nada mais que "uma convenção". Em francês, escreve Galison, *convention* comporta dois significados: um consenso, ou convergência de opiniões, e uma conveniência. *Agora* é quando todos nós concordamos que é, para tornar nossa vida compartilhada mais fácil.

Esse era um novo conceito. Desde o século XVII, a maioria dos físicos acompanhou a crença de Newton de que tempo e espaço são "entidades infinitas, homogêneas, contínuas, inteiramente independentes de qualquer objeto ou movimento sensíveis através dos quais nós tentemos medi-los". Newton acrescenta: "O tempo absoluto, verdadeiro e matemático, por si mesmo e da sua própria natureza, flui uniformemente sem relação com qualquer coisa externa". O tempo era inerente à tessitura do universo, um palco em si mesmo. Com o século XX, o tempo se tornou estritamente cotidiano; ele existe apenas em sua medição. Einstein foi contundente: o tempo não era nem mais nem menos aquilo "que medimos com um relógio".

Assim, quando acordo à noite e me recuso a olhar o relógio ao lado de minha cama, estou aderindo a uma forma de protesto. O mundo do tempo é, por definição, social, um acordo comum pelo qual povos e nações percorrem seus problemas e suas necessidades. Meu relógio se oferece para me revelar seu *agora* — para fixá-lo especificamente com números —, mas apenas se eu assinar a convenção universal. No meio da noite, ou a qualquer hora, quero que meu tempo seja só meu.

Estou consciente de que isso é uma ilusão. Todo corpo vivo — o meu próprio, o de uma nebulosa medusa de mar profundo ou a placa microbiana que cresce em meus dentes enquanto durmo — é uma organização de partes: células, cílios, citoesqueletos, órgãos e organelas, e baixando aos segmentos herdáveis de dados genéticos que permitem que alguns aspectos de todo indivíduo permaneçam ao longo das eras. Ser organizado é se comunicar — providenciar qual parte faz o quê, quando e em que ordem. O tempo é a conversa por meio da qual nossas partes criam um todo que é maior do que sua soma. Posso ignorar essa conversa no meio da noite e vagar sozinho por um momento, mas apenas enquanto não pressionar muito profundamente por uma definição do *eu*...

A industrialização do fim do século XIX é frequentemente caracterizada como um período de desumanização: o trabalho ficou cada vez mais automático e mecânico, os trabalhadores se tornaram como que engrenagens numa maquinaria. Mas quando se aproximava o século XX, a cidade como um todo passou por uma transformação oposta, assumindo as características de um corpo vivo. Suas fronteiras se ampliaram, sua massa crítica inflou com o aumento da população; a rede de canos e fios cresceu para suprir a demanda. "A cidade grande se parece cada vez mais com um perfeito organismo, com seu sistema nervoso [...], seus vasos sanguíneos, suas artérias e veias distribuindo gás e água vital, de uma extremidade à outra", diz um livro escolar em Berlim, em 1873. "Só quando as ruas são reviradas para conserto é que se percebem esses espíritos ocultos, que irradiam sua misteriosa eficácia lá embaixo."

Enquanto isso, o estudo dos organismos vivos se tornou mais técnico. Para compreender o funcionamento do que o fisiologista alemão Emil du Bois-Reymond chamou de "máquina animal" — respiração, movimentos musculares, sinais nervosos, o fluxo do sangue e da linfa, a batida do coração —, precisava-se de mecanismos: polias com correias, motores rotativos, energia a gás. Um laboratório, com a ajuda de dois motores que funcionavam no porão, estudou "as perturbações que ocorrem em animais" — principalmente rãs e cães — "como resultado de rodopios". Gatos e coelhos foram dissecados vivos para se deduzir como os órgãos funcionam; foi necessário usar um fole para manter o animal respirando. Mas ficar bombeando o fole era um trabalho duro para um assistente humano, e assim, na década de 1870, o trabalho foi confiado a bombas mecânicas, que permitiam que o animal respirasse com uniformidade e precisão, como um relógio. Nessa fábrica fisiológica, observou o historiador Sven Dierig, "o primeiro organismo vivo que era parte máquina, parte animal foi criado e utilizado para propósitos científicos". A marcação precisa do tempo tornou isso possível.

Essa foi a idade de ouro dos autômatos: homens mecânicos, animados por intricados relógios interiores, capazes de puxar uma carruagem, recitar o alfabeto, desenhar uma figura ou escrever um nome. Para Karl Marx, as próprias fábricas eram autômatos: "Eis aí, em lugar da máquina isolada, um monstro mecânico cujo corpo preenche fábricas inteiras, e cujo poder demoníaco, no início oculto sob os movimentos lentos e medidos de seus gigantescos membros, acaba irrompendo no rápido e furioso giro de seus incontáveis órgãos em funcionamento". A combinação de metáforas só aprofunda o mistério: o que distingue exatamente os humanos do mecanismo, a mente de um corpo em movimento? Como é que o mecanismo vivo dá origem à consciência? E onde jaz escondido esse algo evanescente — o homúnculo que existe em nós, a alma, o espírito debaixo da rua? "Mesmo que seja altamente improvável, sendo para sempre um vão desejo de juntar as partes do Homúnculo, os cientistas já deram importantes passos nessa direção", observou Wilhelm Wundt em 1862. No ano anterior, um anatomista francês chamado Paul Broca havia descoberto que um filamento de córtex no lobo frontal esquerdo do cérebro é essencial para a fala e a memória humanas. Thomas Edison ficou fascinado com essa descoberta. "Oitenta e duas notáveis operações no cérebro provaram definitivamente que o alimento de nossa personalidade está na parte do cérebro conhecida como área de Broca", disse ele em 1922. "Tudo o que chamamos de memória fica numa pequena faixa com não muito mais que alguns milímetros de comprimento. É aí que vivem esses pequenos seres que guardam nossas lembranças para nós."

A fabricação e o estudo do tempo também estavam se tornando mais industriais. Em 1811, o Observatório de Greenwich tinha um único funcionário, o astrônomo real. Em 1900 havia 53 pessoas na equipe, metade delas envolvida apenas em fazer cálculos; esses funcionários eram chamados de "computadores". Nos novos laboratórios de psicologia, telégrafos, cronógrafos, cronoscópios e outros dispositivos altamente precisos de marcação de tempo eram usados para medir os tempos de reação e de percepções temporais. E tanto astrônomos quanto psicólogos reclamaram do barulho — o ronco de máquinas, o rumor do tráfego, o ruído de vibrações do lado de fora que penetravam, sacudiam, estremeciam, distraíam e perturbavam.

Muitas vezes os mais altos barulhos vinham dos próprios laboratórios. A essa altura os psicólogos reconheciam que as estimativas de suas cobaias quanto à duração — quanto tempo parecia durar o toque de um carrilhão, por exemplo — variava com a atenção. Manter-se focado era crítico, mas os cliques e assobios das máquinas de medir o tempo usadas nos estudos podiam distrair os participantes tanto quanto o barulho de fora. "Ouço o som do cronoscópio", reclamou um voluntário na pesquisa. "Não consigo me livrar disso." Os cientistas se esforçaram por se afastar de si mesmos. Construíram ferramentas mais silenciosas e entornos mais silenciosos; os participantes eram colocados em um quarto separado do equipamento experimental e conectado ao pesquisador por linhas de telégrafo e telefone. O laboratório de tempo, cheio de cabos e fios, cada vez mais parecia a cidade da qual tentava escapar — e as redes cerebrais que tentava decifrar. Hoje mencionamos casualmente que o cérebro envia "sinais" que os nervos "transmitem". Essa metáfora entrou na fisiologia no século XIX e foi emprestada diretamente da indústria telegráfica.

Mais tarde, talvez de forma inevitável, foi concebida uma cabine de isolamento. O psicólogo de Yale Edward Wheeler Scripture propôs um guia do construtor: um recinto dentro de um recinto no meio do prédio, com paredes de tijolo estanques apoiadas em suportes de borracha, com serragem preenchendo o espaço entre as paredes. As portas de entrada são pesadas. "O recinto deve ser mobiliado e iluminado exatamente como um quarto confortável à noite. Todos os fios e aparelhos devem estar ocultos. A pessoa que entra deve supor que está apenas numa sala de recepção. Deve acreditar que está meramente fazendo uma visita."

Imagine-se numa cabine telefônica sem janela, luzes apagadas, um observador deixado no escuro e num silêncio total. Ou quase isso: há um último ruído que Scripture não é capaz de eliminar. "Eia! Fomos deixados com uma triste fonte de perturbação, a saber, a própria pessoa", ele lamenta. Scripture descreve sua própria experiência: "Minhas roupas rangem, esfregam-se, farfalham a cada respiração; os músculos das bochechas e das pálpebras ressoam; se acontece de eu movimentar os dentes, o barulho é horrível. Ouço um ronco alto e terrível na cabeça; claro, sei que é apenas o ruído do sangue passando pelas artérias do ouvido... mas posso facilmente imaginar que possuo um relógio antiquado e que, quando penso, consigo ouvir as engrenagens girar".

O que acaba de acontecer

São 5h28 de quarta-feira, 18 de abril de 1906, e William James está bem acordado, como sempre. James está morando em Palo Alto, dando aulas em Stanford durante o semestre. "Era uma vida simples", ele escreveu em maio a seu amigo John Jay Chapman. "Fico contente por ter sido parte da máquina de trabalho da Califórnia."

De repente sua cama começa a sacudir com violência. James senta-se e no mesmo instante é arremessado e sacudido "exatamente como um terrier sacode um rato", ele rememora mais tarde em outra carta. É um terremoto. James tinha curiosidade quanto a terremotos, e agora eis aí um deles; ele está quase atordoado. Mas agora não há tempo para isso. A escrivaninha e a cômoda são derrubadas, as paredes de gesso racham, "um ronco terrível" enche o ar, ele observa. E então, num instante, tudo está quieto novamente.

James sai ileso. O terremoto foi "um memorável pedaço de experiência, e, em suma, achamos que foi edificante", ele diz a Chapman. Lembra a experiência de um estudante em Stanford que estava dormindo no quarto andar de um dormitório quando o terremoto o sacudiu e ele acordou. Quando se levantou, livros e móveis foram ao chão, e ele foi derrubado. Depois a chaminé desmoronou e despencou pelo centro do prédio, e livros, móveis e o estudante foram arrastados para baixo com ela por aquele esfarrapado buraco de coelho. James escreve: "Com um ronco terrível, sinistro e triturador, tudo cedeu, e com chaminés, vigas de assoalho, paredes e tudo ele despencou atravessando os três pisos mais baixos do prédio até o porão. 'Este é meu fim, esta é minha morte', ele pressentiu; mas o tempo todo, nenhum sinal de medo".

Estou caindo, até aí eu sei. O céu, quando o vi da última vez, era uma expansão incomparavelmente azul. Agora ele está crescendo e ficando um pouco maior e mais distante à medida que caio e me afasto dele, para trás, em direção à terra.

Sei também, pois fiz os cálculos antecipadamente, que uma queda de trinta metros de altura — no meu caso, da atração Zero Gravity Thrill Amusement Park's Nothin' but Net 100-foot Free Fall [Nada a não ser uma rede e uma queda livre de trinta metros no Parque de Diversões e Aventura Gravidade Zero], que é pouco mais do que uma estrutura de andaimes em forma de torre e um par de redes num terreno poeirento em Dallas — dura menos de três segundos. Não sei onde estou nesse intervalo, só sei que minha queda começou e ainda não se completou.

Sempre se diz que o tempo passa mais devagar durante momentos de trauma e estresse extremos. Um amigo se choca com a bicicleta e cai, e anos depois relembra vividamente aqueles momentos dilatados: sua mão se estende à frente para aparar a queda, um caminhão freia a alguns centímetros de sua cabeça. O carro de um homem enguiça na linha de um trem que se aproxima e, com uma clareza de raciocínio e de ação que o deixa espantado, dá-se conta de que só tem tempo suficiente antes da colisão para puxar sua filha para o banco da frente e protegê-la com seu corpo. Pesquisadores voluntários que assistem a um estressante vídeo de um assalto a banco relatam o acontecimento como se tivesse levado mais tempo do que realmente levou. Paraquedistas novatos sobrestimam a duração de seus primeiros saltos, mais ou menos proporcionalmente ao nível de seu medo.

Aqui estou agora, caindo pelo presente, para ver se o tempo vai passar mais devagar para mim também. Posso fazer mais coisas durante esse presente dilatado — reagir mais rápido, perceber meu entorno com mais detalhes? Como é que alguém mesmo começa a estudar uma coisa dessas? Cientistas que tentam se atracar com essas questões sempre deparam com um enigma: *quando* deveria ser estudado esse agora supostamente expandido? Bem agora, no breve momento, talvez inacessível, de sua ocorrência? Ou depois, quando fica difícil distinguir o que efetivamente ocorreu, a partir de uma inconfiável memória do fato? Não se pode ir muito longe no pensamento sobre o tempo sem tropeçar numa das questões mais profundas da literatura: quanto dura o presente, e onde fica a mente humana em relação a isso? Como diz o historiador da psicologia Edward G. Boring (cujo texto é de fato bem atraente): "Em que momento num tempo alguém percebe o tempo?". Agostinho, é claro, tinha uma resposta: "Só podemos esperar medi-lo quando ele está passando, porque uma vez tendo passado... não existirá para ser medido".

O que me traz ao agora, ou quando quer que estejamos. Alguns estudos psicológicos concluíram que o que chamamos de "presente" está enquadrado no piscar dos olhos, o que lhe daria uma duração de cerca de três segundos. Duvido que meus próprios olhos sejam uma métrica confiável. Eles podem estar piscando rapidamente; podem não estar piscando de todo — quem é que nota esse tipo de coisa na maior parte do tempo? O vento deve estar uivando em minhas orelhas enquanto estou caindo, mas, se está, não consigo ouvi-lo. Em três segundos quase não dá tempo de pensar em nada, e aquilo de que vou me lembrar depois pode ser bem diferente do que estou percebendo agora. Por enquanto, tudo o que tenho certeza de sentir é que estou caindo numa velocidade cada vez maior.

Quando David Eagleman tinha oito anos de idade, ele caiu de um telhado. "Tenho uma clara lembrança disso", ele me disse. "Tinha aquela manta asfáltica pendurada na beira — eu não conhecia o termo 'manta asfáltica' na época — e eu pensei que era a beira, e pisei nela. Logo depois eu estava caindo."

Eaglement lembra claramente a sensação de que o tempo passava mais devagar durante sua queda. "Eu tinha uma série de pensamentos que eram imóveis e claros, como: 'Será que eu tenho tempo para agarrar essa manta asfáltica?'", disse ele. "Mas eu de certo modo sabia que ela provavelmente rasgaria. E então me dei conta de que talvez não tivesse tempo para alcançá-la, de qualquer forma. Eu estava então indo em direção ao chão de tijolos e vendo-o vir em minha direção."

Eagleman teve sorte; ele ficou inconsciente por alguns momentos e saiu de lá com um nariz quebrado. Mas ficou fascinado com a experiência do tempo passando mais lentamente. "Durante toda a minha adolescência, e como adulto jovem, li um bocado de física popular sobre tempo e contração. *O universo e o dr. Einstein*, esse tipo de coisa. Achei isso interessante, a ideia de que o tempo não é algo constante."

Eagleman é um neurocientista em Stanford, onde estuda, entre outras coisas, a percepção do tempo; foi indicado para o cargo recentemente, e antes disso, durante muitos anos, trabalhou na Faculdade de Medicina Baylor, em Houston. Pesquisadores que estudam o tempo assumem diferentes especialidades. Alguns focam em relógios circadianos, os ritmos biológicos em 24 horas que governam nossos dias. Outros estudam "medição de tempo de intervalo", a capacidade do cérebro de planejar, estimar e tomar decisões quanto a intervalos de tempo que duram de mais ou menos um segundo a vários minutos. Um grupo muito menor de cientistas, inclusive Eagleman, estuda a base neural do tempo, em milissegundos, ou milésimos de segundo. Aparentemente uma janela muito tênue do tempo, os milissegundos na verdade governam muitas das atividades humanas básicas, inclusive nossa capacidade de produzir e compreender a fala, e sustentam nosso senso intuitivo de causalidade. Entender o que são os instantes — e como o cérebro humano os percebe e processa — é entender as unidades fundamentais da experiência humana. Porém, enquanto o funcionamento do relógio circadiano foi acuradamente descrito nas últimas duas décadas, os pesquisadores apenas começaram a se perguntar como funciona o "medidor do tempo de intervalo" do cérebro, qual é sua localização no cérebro, até mesmo se um modelo com um único relógio se aplica ao caso. O relógio que mede milissegundos, se é que tal coisa existe, é um enigma ainda maior, em parte porque as ferramentas da neurociência só recentemente alcançaram precisão suficiente para investigar a atividade de variação temporal nessa escala tão pequena.

Eagleman transborda de energia e de ideias que vão além das fronteiras acadêmicas. Quando o encontrei pela primeira vez, ele tinha acabado de publicar *A soma de tudo* e começado a fazer uma série de experimentos aparentemente sem importância mas profundamente instigantes, inclusive o que foi realizado no Zero Gravity Thrill Amusement Park's Nothin' but Net 100-foot Free Fall, para explorar como o tempo parece passar mais lentamente, e por quê. Desde então ele escreveu cinco livros e apresentou uma série na televisão sobre o cérebro, foi tema de reportagens em revistas, inclusive uma na *The New Yorker*, e fez uma palestra no TED que foi muito popular. Mudou-se para a Bay Area de San Francisco, em parte para desenvolver duas ideias empresariais: um colete para surdos que traduz vibrações sonoras em sensações táteis, possibilitando a quem o usa perceber sons, mais ou menos como o alfabeto Braille permite que uma pessoa cega leia; e um aplicativo para smartphone e para tablet que, mediante uma série de jogos cognitivos, ajuda a revelar se o usuário sofreu uma concussão.

É o tipo de atividade e de atenção que pode suscitar ceticismo e ciúme profissional, em especial de neurobiologistas, cuja pesquisa lida mais diretamente com o *wetware** do cérebro e nem sempre proporciona a mesma arrebatadora clareza, ou excitação, que os cientistas cognitivos podem criar. "Estou impressionado e entretido com o trabalho de David", disse-me um dos principais pesquisadores do tempo. Mas os colegas de Eagleman também observam que seus estudos deixaram uma marca autêntica nesse campo. Uma vez, quando o visitei em Baylor, ele tinha convidado Warren Meck, um neurobiologista da Universidade Duke e a autoridade na medição de tempo de intervalo, para dar uma palestra em seu departamento. Meck, uma figura tranquila e intimidante com um sorriso sarcástico, apresentou seu tema dizendo: "Eu sou a onda do passado; sou o pai tempo. David é a onda do futuro".

Eagleman cresceu em Albuquerque, Novo México, como David Egelman, segundo filho de um psiquiatra e uma professora de biologia. (*Egelman* se pronuncia "Iglman", a mesma pronúncia de "Eagleman", mas tanta gente pronunciava errado — ou escrevia errado depois de ouvir sua pronúncia correta — que ele depois mudou oficialmente a escrita.) Em casa, conversas sobre o cérebro eram "parte da radiação de fundo", ele disse. Começou a faculdade na Universidade Rice com duas matérias, literatura e física espacial. Deu-se bem, mas saiu depois do segundo ano, entediado e desanimado. Estudou em Oxford durante um semestre, depois viveu em Los Angeles por um ano, onde trabalhou para produtoras lendo

---

* Termo que corresponderia, em computação, ao conjunto de hardware e software, e, no caso, ao conjunto do sistema nervoso como estrutura anatômica e fisiológica, e a mente humana. [N. T.]

roteiros e planejando pródigas festas, as quais ele não tinha idade legal para frequentar. Voltou para Rice para terminar sua graduação em literatura, mas logo começou a passar seu tempo livre na biblioteca lendo tudo que conseguia encontrar sobre cérebro.

No último ano ele se candidatou para a escola de cinema na UCLA. Um amigo sugeriu que considerasse se tornar um neurocientista, apesar do fato de ele nunca mais ter estudado biologia desde o ensino médio, e assim ele se inscreveu para o programa de graduação em neurociência em Baylor. Enfatizou que fizera o curso de graduação em matemática e física, e apresentou um extenso trabalho que havia escrito com base em suas leituras extracurriculares, e que resumia suas teorias pessoais sobre o cérebro. ("Em retrospecto, é totalmente embaraçoso", disse ele.) Como plano B, ele pensou que poderia se tornar comissário de bordo, com a premissa de que "voaria para diferentes países e escreveria romances".

Foi semifinalista na UCLA, mas foi para a Baylor. Durante seu primeiro ano na pós-graduação teve sonhos cheios de ansiedade, inclusive um no qual seu orientador lhe dizia que a carta em que era aceito havia sido um erro, e era dirigida na verdade a alguém chamado David Engleman. Mas se saiu bem na pós-graduação e foi para o Instituto Salk, em San Diego, fazer sua pesquisa de pós-doutorado. Não demorou muito para ser recrutado pela Baylor, com um financiamento para tocar um pequeno laboratório, o Laboratório de Percepção e Ação. Foi um dos vários laboratórios que se alinhavam num longo corredor, dentro de um labirinto de corredores, com espaço para diversos cubículos destinados a seus estudantes de pós-graduação, uma mesa de reuniões, uma pequena cozinha e seu próprio escritório interno. Quando perguntei, ele descreveu seu relacionamento com o tempo como "misto". Muitas vezes não cumpre prazos, ele diz, escreve de pé e não gosta de cochilar. "Se eu acidentalmente adormeço por 35 minutos", disse, "acordo e penso: 'Nunca terei de volta esses 35 minutos'."

Em seu pós-doutorado, Eagleman trabalhava numa amplíssima simulação no computador de como os neurônios interagem no cérebro humano. A percepção do tempo não esteve em seu radar até dar com o efeito *flash-lag*,* uma das menos conhecidas ilusões sensoriais que vêm mobilizando psicólogos e cientistas da cognição há anos. Em seu escritório, ele me mostrou um exemplo do *The Great Book of Optical Illusions* [O grande livro das ilusões de óptica], de Al Seckel, que descrevia centenas de ilusões, inclusive uma das mais antigas, o *"motion aftereffect"*, o "pós-efeito do movimento", às vezes chamado de efeito da cachoeira. Olhe para uma cachoeira por cerca de um minuto e depois desvie o olhar; tudo o que está à vista parecerá estar se arrastando para cima. "Na física, movimento é definido como mudança de posição ao longo do tempo", disse Eagleman. "Mas no cérebro não é assim: você pode ter movimento sem mudança de posição."

Eagleman gosta de ilusões. Em cada uma é como se, enquanto se assiste ao teatro dos sentidos, você avistasse um assistente de palco mudando o cenário; é uma delicada lembrança de que nossa experiência consciente é algo fabricado e que, com maravilhosa confiabilidade, o cérebro dá um jeito de fazer o espetáculo continuar sem problemas noite após noite. O efeito *flash-lag* pertence à categoria relativamente pequena das ilusões temporais. Pode ser apresentado de diversas maneiras. Numa delas, você olha para uma tela de computador enquanto um anel preto atravessa o campo de visão; em algum

---

* Ilusão de óptica que consiste numa defasagem (em relação à posição real) na percepção de um objeto em movimento iluminado por um flash. [N.T.]

ponto de seus percursos (não importa se aleatoriamente ou não, constata-se), o interior do anel lampeja num flash, assim:

Só que não é isso que você vê. Em vez disso, e invariavelmente, o flash e o anel não se alinham. Você vê o anel como se ele tivesse passado do ponto do flash, assim:

O efeito é tão perceptível e tão facilmente replicado que você pode pensar que há algo errado com o monitor do computador. Mas o efeito é bem real, uma manifestação do modo peculiar com que o cérebro processa informação. E é fundamentalmente desconcertante: se você está observando o anel no momento do flash — isto é, se o flash está denotando o "agora mesmo" —, como e por que o anel aparece *depois* do agora mesmo?

Uma explicação comum, proposta na década de 1990, é que o sistema visual está prevendo para onde o anel vai se mover. De um ponto de vista evolucionário, isso faz algum sentido. Uma das tarefas essenciais do cérebro é prever o que vai acontecer a sua volta no futuro próximo: precisamente quando e onde o tigre vai dar o bote; onde posicionar sua luva de beisebol para interceptar o arremesso. (O filósofo Daniel Dennett descreveu o cérebro como uma "máquina de antecipação".) Da mesma forma, prossegue essa ideia, seu sistema visual mapeia a trajetória e a velocidade do anel em movimento, e no momento do flash — o "agora mesmo" — você tem a impressão de ter pegado seu cérebro trapaceando: ele antecipou [a posição do anel] logo adiante do agora (cerca de oitenta milissegundos depois, para ser exato) e lhe apresenta a imagem de onde o anel está prestes a estar.

Essa ideia parecia ser simples o bastante para ser testada, e Eagleman fez isso. "Eu acreditava que era verdade, quanto à previsão", ele disse. "Eu só estava curioso. Mas as coisas não estavam fazendo o que eu esperava." Nos experimentos-padrão de *flash-lag*, o anel percorre um caminho conhecido. A hipótese da previsão parece se sustentar, porque, com base na trajetória antes do flash, o observador pode antecipar com exatidão sua posição depois. Mas, pensou Eagleman, e se essa expectativa for violada? E se, logo depois do momento do flash, o anel mudar de curso — desviar-se num certo ângulo, ou reverter o percurso, ou parar completamente?

Ele projetou uma versão do experimento do *flash-lag* que explorava essas três alternativas. Supostamente, no momento do flash, ainda se poderia ver o anel um pouco depois do ponto-do flash porque, com base em seu movimento anterior ao flash, é para lá que você prevê que ele estava se dirigindo. De acordo com a explicação-padrão, o que interessa é o que acontece antes do flash; para onde o anel vai depois dele deveria ser irrelevante. Mas, quando Eagleman testou esse experimento, consigo mesmo e com outras pessoas, algo diverso aconteceu. Em todos os casos, os observadores viram o anel posicionado ao longo da nova trajetória — acima, abaixo, na direção contrária — e ligeiramente separado do flash, mesmo que a mudança de direção tivesse sido aleatória e inesperada. Os observadores pareciam estar prevendo um futuro totalmente imprevisível com 100% de exatidão. Como poderia ser?

Numa variação do experimento, o anel começou a se movimentar simultaneamente com o flash: não havia uma movimentação anterior ao flash, portanto não havia como o cérebro antecipar para onde ele iria. Os observadores continuaram vendo o anel, ligeiramente separado do flash, ao longo da trajetória real. Em outra variação, o anel se move da esquerda para a direita, ocorre o flash, o anel continua a se mover na mesma direção e então, alguns milissegundos *depois* do flash, inverte sua direção. Se a inversão ocorre dentro de uma margem de oitenta milissegundos depois do flash, o observador vê o anel — e o efeito do *flash-lag* — ao longo da nova e invertida trajetória, assim:

Qualquer mudança de direção — até oitenta milissegundos *depois* do flash — influencia o que as pessoas acreditam estar vendo no momento do flash. Uma mudança de direção imediatamente depois do flash causa o maior efeito; quanto mais tempo depois do flash, menor o efeito. Parece que o cérebro continua a reunir informação sobre um evento, como o flash, durante até oitenta milissegundos depois da ocorrência do evento; esses dados vão alimentar a análise retrospectiva do cérebro na determinação de quando e onde o evento ocorreu. Eagleman disse: "Eu fiquei confuso, até me dar conta de que havia uma explicação simples: não pode ser previsão. Tem de ser posvisão".

Ao contrário da previsão, a posvisão é retrospectiva. Fundamentalmente, a ilusão do *flash-lag* pergunta onde o observador está no momento. A hipótese da previsão presume, o que é bastante razoável, que, como o flash acontece "agora mesmo", ele deve estar marcando o "agora", o momento presente; portanto, o anel ligeiramente defasado deve ser um vislumbre antecipado do futuro, "logo adiante do agora". De fato, o observador está junto com o flash, olhando mais adiante. Eagleman propõe a visão inversa. É claro, o flash parece ocorrer "bem agora", mas a única maneira de você ver com precisão o anel *depois* do agora é se você já tiver chegado lá.

É tentador, então, pensar no anel como sendo a verdadeira marca do presente imediato e pensar no flash como estar marcando o "logo antes do agora", ou talvez até mesmo "o começo do agora", um persistente fantasma do passado imediato. Mas é ainda mais estranho que isso, argumenta Eagleman. Nem o anel nem o flash marcam o presente; ambos são fantasmas do passado recente. O pensamento consciente — por exemplo, a determinação de quando é "agora mesmo" — tem um ligeiro atraso em relação a nossa experiência física. O que chamamos de realidade é como uma dessas transmissões de televisão ao vivo de espetáculos de premiação, que tem um breve delay, uma breve defasagem, um atraso introduzido para o caso de alguém falar um palavrão. "O cérebro vive só um pouquinho no passado", disse Eagleman. "Ele coleta muitas informações, espera, depois as costura juntas numa história. O 'agora' aconteceu na verdade um pouco antes."

Nós falamos sobre "tempo real", porém mal sabemos o que é isso. Programas de televisão que são alegadamente ao vivo inserem delays. Conversas telefônicas mascaram a breve defasagem no tempo que se manifesta quando os sinais das comunicações percorrem longas distâncias até mesmo na velocidade da luz. Os relógios mais precisos do mundo só conseguem concordar quanto a quando é o "agora" situando-o em alguma data acordada no mês que vem.

O mesmo ocorre com o cérebro humano. Em qualquer dado milissegundo, toda forma de informação — visual, sonora, tátil — chega em velocidades diferentes e pede para ser processada na ordem temporal correta. Bata com um dedo na mesa. Tecnicamente, como a luz é mais rápida que o som, a visão da batida deveria se registrar alguns milissegundos antes do som. Mas seu cérebro sincroniza os dois para que pareçam ser simultâneos. A experiência [da defasagem] seria ainda mais acentuada quando você vê alguém lhe falando da outra extremidade do quarto; felizmente ela não é, pois então nossos dias se desenrolariam como um filme que foi mal dublado. Mas se você vir quicando uma bola de basquete, digamos, ou cortando lenha, a mais do que cerca de trinta metros de distância, e se prestar atenção com cuidado, o som e a ação estarão ligeiramente fora de sincronia. A essa distância, a defasagem entre visão e som é ampla o bastante — cerca de oitenta milissegundos — para que o cérebro não mais trate os dois inputs como simultâneos.

Esse fenômeno, conhecido como problema da ligação temporal, é um enigma de longa data na ciência cognitiva. Como o cérebro rastreia os tempos de chegada de diferentes segmentos de dados, e como os reintegra para nos prover uma experiência unificada? Como ele sabe quais propriedades e eventos estão juntos no tempo? Descartes alegou que a informação sensorial converge na glândula pineal, que ele imaginou como uma espécie de palco ou teatro para a consciência; quando estímulos alcançam a glândula pineal, você toma consciência deles e direciona seu corpo para responder. Pouca gente ainda leva a sério a ideia de um palco central, mas seus fantasmas perduram, para o aborrecimento de filósofos como Dennett. "O próprio cérebro é a sede, o lugar onde está o observador definitivo", escreveu Dennett. "Mas é um erro acreditar que o cérebro tem alguma matriz mais profunda, algum santuário interior de chegada no qual está a condição necessária ou suficiente para a experiência consciente."

Eagleman observa que nosso cérebro é composto de muitas subregiões, cada uma com sua própria arquitetura e às vezes sua própria história; é uma colcha de retalhos, produto da evolução ao longo do tempo. A informação de um único estímulo — as listras claras e escuras vislumbradas num tigre, digamos — segue caminhos diferentes no cérebro e sofre diferentes defasagens de tempo ao longo desses caminhos. A latência neural — o tempo entre o momento em que ocorre o estímulo e aquele no qual um neurônio responde a ele — varia muito, dependendo da região do cérebro e de condições ambientais. O tipo de dados também importa: neurônios acima do córtex visual, a principal unidade do cérebro para processar dados visuais, respondem com mais rapidez e força a um lampejo brilhante do que a um lampejo mais turvo. Imagine uma onda de cavaleiros saindo de uma cidade e se espalhando, em busca de outros cavaleiros em outras cidades para entregar uma mensagem. Alguns dos cavaleiros são mais rápidos, outros mais lentos. O que começa com um único estímulo rapidamente fica espalhado no tempo através do cérebro.

"Seu cérebro está tentando montar uma história do que acabou de acontecer ali", disse Eagleman. "O problema é que estamos sob o jugo dessa máquina que faz a informação chegar em tempos diferentes."

Pode-se supor facilmente que o que quer que atinja o córtex visual primeiro será percebido primeiro. A latência neural serve às vezes de explicação para o efeito *flash-lag*: talvez o cérebro processe um flash e um objeto em movimento com velocidades diferentes, e no tempo em que o flash viaja do olho para o tálamo e para o córtex visual, o anel já se moveu para uma nova posição, assim você acaba vendo os dois em posições diferentes. Segundo essa teoria, a decorrência de tempo no cérebro reflete diretamente a decorrência de tempo no mundo. Mas, se fosse assim, imagine as estranhas visões que você veria, diz Eagleman. Eis aí uma pilha de caixas que só diferem em seu grau de claridade — escuro abaixo, claro acima.

Agora a pilha começa a se mover rapidamente para cá e para lá através da página. Se seu cérebro estivesse "online" — se percebesse a pilha rigorosamente na ordem em que ele processa cada caixa —, as caixas claras seriam registradas em sua consciência um pouco antes do momento em que as escuras são registradas (porque um estímulo claro chega ao córtex visual antes de um estímulo escuro), e assim ele parece estar um pouco à frente no espaço físico. Como resultado, você veria uma pilha de caixas encurvada, como se os objetos escuros estivessem defasados, para trás, assim:

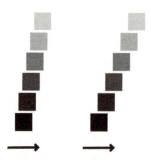

Mas na verdade você vê a pilha vertical se movendo. (Eagleman publicou um experimento que demonstra isso.) Se seu cérebro estivesse online, você veria ilusões de movimento semelhantes toda vez que tivesse uma nova vista ou imagem, ou acendesse a luz, ou simplesmente piscasse os olhos. Mas não vemos, o que sugere que os tempos dos eventos que percebemos no mundo não refletem diretamente a ordem temporal na qual esses eventos viajam por nossos neurônios. O cérebro realiza seu processamento offline, e não online.

Grande parte da pesquisa do problema da ligação temporal se focou nos meios. Como os eventos são reunidos no tempo pelo cérebro? Será que estão de alguma forma etiquetados quando entram? Existirá uma linha de tempo ou um relógio numa escala de milissegundos tiquetaqueando nos corredores do cérebro, análogo àquilo com que um editor de filmes pode contar para que os eventos sejam adequadamente sincronizados? Eagleman começa com uma pergunta mais direta: *quando* é feito esse trabalho? E para ele está claro que não se pode conseguir sincronia no decorrer do processo, estritamente na ordem em que chegam os sinais. Tem de haver um atraso, um período *buffer*, durante o qual o cérebro coleta toda informação disponível de um dado momento — que ficou espalhada no tempo por todo o cérebro — e a entrega à mente consciente. No cérebro, como no mundo exterior de relógios e de escalas de tempo universais, leva tempo compor o tempo.

Em nosso sistema visual, a extensão desse espalhamento temporal é de cerca de oitenta milissegundos, uma duração de pouco menos que um décimo de segundo. Se uma luz brilhante e outra mais escura lampejarem ao mesmo tempo, o sinal mais escuro atinge o córtex visual cerca de oitenta milissegundos depois do mais brilhante. O cérebro parece levar em consideração esse intervalo. Ao avaliar quando e onde ocorreu o evento — dois lampejos simultâneos, digamos, ou um lampejo dentro de um anel em movimento —, ele suspende a avaliação por oitenta milissegundos, para permitir que a informação mais lenta chegue. O processo de posvisão é um pouco como uma moldura, ou rede, que o cérebro estende retrospectivamente, em torno de um evento, para coletar todos os dados sensoriais que devem ter sido simultâneos naquele instante específico. Na verdade, o cérebro está procrastinando. O que chamamos de consciência — ou interpretação consciente do que está acontecendo *agora mesmo* (o que é uma definição de consciência tão boa quanto qualquer outra) — é a história que nosso cérebro procrastinador nos narra pelo menos oitenta milissegundos mais tarde.

Levei séculos para conseguir que a posvisão entrasse em minha cabeça. Por vezes e mais vezes pensei que a explicara a mim mesmo para depois parar, perplexo, por motivos que eu não conseguia identificar. Procurava Eagleman, e ele me fazia percorrer tudo de novo desde o início, lenta e animadamente. Por fim percebi a essência da coisa: se o cérebro está esperando que chegue a informação mais lenta — se a posvisão é a maneira de o cérebro obter a ordem correta dos eventos —, por que ainda a obtém erroneamente no efeito do *flash-lag*? Se o cérebro está esperando para determinar o que aconteceu *agora mesmo*, no momento do flash, por que não está vendo o flash perfeitamente dentro do anel? Por que ouve ali uma ilusão, afinal?

É onde as coisas ficam realmente estranhas, disse Eagleman. O experimento do *flash-lag* apresenta ao cérebro do observador uma pergunta que raramente se faz no decorrer da vida cotidiana: onde está o objeto que se move *agora mesmo*? Onde está o anel no momento do flash? Acontece que o cérebro opera sistemas separados para avaliar a posição de coisas estacionárias e de objetos em movimento. Quando você se esgueira através de uma multidão no aeroporto ou contempla gotas de chuva caindo, o cérebro computa com vetores de movimento — basicamente, setas matemáticas de movimento — e nunca para de perguntar onde uma determinada pessoa ou gota de chuva está num determinado momento. Quando um *outfielder* corre atrás de uma *pop fly*,* ele faz isso usando o mesmo vetor de movimento que um morcego utiliza para capturar insetos, ou um cão para agarrar um *frisbee*. Um sapo que tivesse de perguntar "onde está a mosca *agora mesmo*, e *agora*, e *agora*?" ficaria faminto, e, pouco tempo depois, seria extinto. Muitos animais, inclusive répteis, nem sequer têm um sistema para localizar posições; eles veem apenas movimento. Se você parar de se mover, eles não serão capazes de vê-lo.

"Você está sempre vivendo no passado", disse Eagleman. "A questão mais profunda é que, a maior parte daquilo que você vê, sua percepção consciente, é computada com base numa necessidade de saber. Você não vê tudo, só o que lhe é mais benéfico. É como quando você está dirigindo na estrada: seu cérebro não está perguntando continuamente 'onde está o carro vermelho agora; onde está o carro azul agora?'. Em vez disso, ele está perguntando: 'Será que posso mudar de faixa agora? Faço isso no cruzamento, antes que outro carro atravesse?'. É raro que você se importe com a posição num determinado instante de um objeto em movimento — e até que pergunte, você efetivamente não sabe. E, quando pergunta, sempre entende errado."

O efeito *flash-lag* expõe a lacuna que existe na dupla abordagem do cérebro. Nos momentos que precedem o flash, você acompanha o vetor de movimento do anel, e não pergunta em momento algum onde ele está *agora mesmo*. O flash instiga a pergunta. Ele reconfigura os vetores de movimento; o cérebro agora supõe que o movimento do anel começou com o flash, tempo zero. Antes de responder à questão apresentada pelo flash — onde está o anel *agora mesmo*, no tempo zero? —, o cérebro espera oitenta milissegundos para reunir todos os dados visuais possíveis daquele momento. Enquanto isso, o anel continua se

---

* No beisebol, *outfielder* é um jogador que fica longe do rebatedor (e é do time contrário), e que corre para pegar a bola rebatida. *Pop fly* é um percurso da bola rebatida que vai a grande altura. [N.T.]

movendo, e esse gotejo adicional de informação mascara a interpretação do cérebro de onde o movimento começou. Como resultado, a resposta a "onde está o anel agora mesmo?" é distorcida — deslocada — ligeiramente na direção do movimento do anel.

Eagleman concebeu um experimento para prová-lo. No cenário-padrão do *flash-lag*, o observador vê um único anel, ou ponto, em movimento que passa sobre um flash estacionário. Na variação de Eagleman, depois do flash, o ponto vira dois pontos que se afastam do flash em ângulos de 45 graus. Se as latências neurais fossem as responsáveis pela ilusão do *flash-lag*, você perceberia o ponto numa posição que ele efetivamente ocupava quando seu sinal atingiu o córtex visual — ao longo de uma ou outra, ou talvez nas duas trajetórias anguladas, ou talvez em ambas as hipóteses. Mas não é isso que você percebe. Invariavelmente os observadores de Eagleman percebiam o ponto a meio caminho entre as duas trajetórias, numa posição que ele nunca ocupou de verdade. É como se os dois vetores de movimento tivessem sido somados e daí se obtivesse uma média — e é isso, acha Eagleman, que em essência acontece.

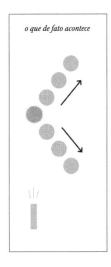
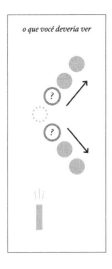
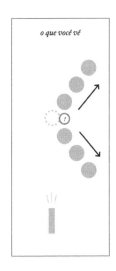

O fenômeno é chamado de viés de movimento, e é a chave para a posvisão. Admite-se como um dado que a mente consciente percebe em retrospecto: o *agora mesmo* já aconteceu. Por um breve período depois daquele instante, o cérebro continua a processar dados (por exemplo, o movimento do ponto depois do flash) quando começa a avaliar o que aconteceu naquele instante. *Onde estava o ponto no momento do flash?* A informação do movimento adicional distorce a análise final, resultando numa ilusão: um ponto que se percebe, no momento do flash, numa posição que nunca ocupou. De modo muito estranho, o modelo de Eagleman apresenta um resultado quase idêntico ao que é oferecido pela hipótese da previsão; em ambos os modelos, o ponto ilusório representa o melhor palpite que o cérebro pode ter da posição em que o ponto *provavelmente vai* aparecer. Exceto que na verdade essa avaliação é feita em retrospecto, não antecipadamente — não é uma previsão, mas uma posvisão.

Considere novamente o presente. Pergunte a si mesmo: "O que está acontecendo *agora mesmo*? Quanto mais restritamente você definir o instante presente, mais certamente sua resposta será (a) depois do fato, e (b) errada. Tão importante quanto, a resposta é incognoscível — inexistente — até o momento em que você pergunta. Na posvisão, o cérebro, retrospectivamente, estende uma janela de oitenta milissegundos em torno de um evento para coletar toda a informação sobre o que ocorreu naquele instante. Mas essa janela não fica permanentemente aberta, como um obturador de uma câmera de filmagem. O tempo na mente não é um fluir contínuo de quadros de oitenta milissegundos esperando para ser revisados. De preferência, a janela de oitenta milissegundos é desencadeada pela pergunta, que só raramente é feita em nossas atividades cotidianas. "Você não tem um quadro desses enquanto não precisar de um", disse Eagleman. "Aí você vai e recolhe um."

Durante milhares de anos, os filósofos debateram a natureza do tempo. É um rio de fluxo contínuo ou uma fieira de momentos, como se fossem pérolas? O presente é um quadro aberto que plana, estacionário, acima do fluxo, ou é apenas um numa incessante série de agoras, um único fotograma num rolo cheio deles? Qual é a hipótese correta? A do momento em movimento ou a do momento discreto? A resposta de Eagleman é: nenhum deles. Um evento ou instante não se apresenta ao cérebro a priori; não está lá esperando ser percebido. Ao contrário, ele só passa a existir depois que passou, já que o cérebro fez uma pausa para avaliá-lo e montá-lo. O "agora" só existe depois — e só porque você parou para anunciá-lo.

Certa manhã, entrei no laboratório de Eagleman para testar um experimento que ele estava aprimorando: ele o chamava de Quadrado de Nove. Ele ligou um computador que os estudantes de pós-graduação não estavam usando e me fez sentar diante dele. Na tela apareceram nove quadrados grandes, arrumados numa grade de três por três, como num esquema de jogo da velha. Um dos quadrados tinha uma cor diferente da dos outros, e, instruído por Eagleman, eu passei o mouse sobre ele e cliquei; no momento em que fiz isso, a cor se moveu para outro quadrado. Eu a segui com meu cursor, cliquei nesse quadrado, e a cor se moveu novamente. Fiz isso de novo, e a cor se moveu para ainda outro quadrado. Continuei a fazer isso durante alguns minutos, perseguindo a cor por toda a tela. Essa era apenas a fase de aquecimento, parte inicial de qualquer experimento, para ajudar o sujeito a se acostumar com o modo como funciona a configuração, disse Eagleman. Mas, em poucos momentos, ele acrescentou, e por não muito mais do que um instante, eu teria a nítida sensação de que o tempo tinha andado para trás.

Tipicamente, quando falamos sobre "percepção do tempo", estamos nos referindo à percepção de duração. Quanto tempo esse sinal de trânsito leva para abrir, e não parece que hoje ele está mais longo do que de costume? Há quanto tempo eu pus o macarrão na panela com água fervendo, e estou a ponto de arruinar o jantar? Mas o tempo tem outras facetas. Uma é a sincronia, ou simultaneidade — a percepção de que dois eventos aconteceram exatamente ao mesmo tempo. Tão importante quanto isso, e frequentemente negligenciada, é a ordem temporal, que é, com efeito, o oposto da sincronia. Pegue dois eventos — digamos, um lampejo e um bipe audível. Se não são simultâneos, devem ter ocorrido sucessivamente; como é que você percebe qual chegou primeiro? Isso é ordem temporal. Nossos dias estão cheios de incontáveis avaliações de ordens temporais, a grande maioria das quais ocorrida em milissegundos, sem um pensamento consciente. Nossa percepção de causalidade se baseia em nossa aptidão para avaliar a ordem correta dos eventos. Você aperta o botão do elevador e um instante depois a porta se abre — ou será que a porta abriu primeiro? A seleção natural provavelmente desempenhou um importante papel na formação da percepção de causalidade. Se você está caminhando numa floresta e ouve um ramo estalar, é vantajoso saber se isso coincidiu com o momento em que você pisou — caso em que provavelmente foi você quem provocou o som — ou se o ramo estalou logo antes ou logo depois, caso em que talvez quem tenha feito isso foi um tigre.

Essas avaliações são tão fundamentais que a palavra "avaliação" parece muito pomposa; é claro que o cérebro sabe o que veio primeiro e o que veio depois. Como poderia ser diferente? Mas os experimentos de Eagleman com pontos e flashes sugeriram que se o cérebro pode julgar mal eventos que são genuinamente simultâneos, talvez pudesse errar também na ordem das coisas. "Isso aí é incrivelmente maleável", diz ele. "Estamos descobrindo quão plástica é nossa percepção do tempo." Eis aí um experimento: você está diante do monitor de um computador e lhe pedem que preste atenção a um bipe. Ou logo antes ou logo depois do bipe ocorre um pequeno lampejo na tela; perguntam-lhe o que veio primeiro, o lampejo ou o bipe, e pedem que você estime quanto tempo passou entre eles. Você não terá muita dificuldade em julgar qual foi a ordem correta ou estimar o lapso de tempo, mesmo se esse lapso for de apenas vinte milissegundos, ou 1/50 de segundo. Vamos supor agora que você repita o exercício, mas dessa vez não há bipe; em vez disso, você pressiona uma tecla num teclado numérico; você está ativo, e não passivo. Novamente, ou antes ou logo depois de você pressionar a tecla, há um lampejo na tela. Se o lampejo acontece primeiro, você ainda vai conseguir estimar muito bem quanto tempo passou entre o lampejo e seu gesto de pressionar a tecla. Mas se o lampejo vier depois, sua estimativa vai desandar. Na verdade, se o lampejo ocorrer até mesmo cem milissegundos, ou um décimo de segundo, depois de você pressionar a tecla, você terá a impressão de que não houve nenhum lapso; seu gesto e o lampejo parecerão simultâneos.

Eagleman projetou esse experimento com um ex-aluno, Chess Stetson, que é agora um neurocientista em Caltech, e os dois descobriram que, seguindo-se imediatamente sua ação (o apertar da tecla), há um lapso de cerca de cem milissegundos no qual você não é capaz de detectar nenhuma sucessão de eventos; tudo parece acontecer ao mesmo tempo. O fator crítico é seu envolvimento. O cérebro é ávido por créditos; ele supõe que suas ações geram efeitos. Você age — meramente pressionando um botão — e acredita que foi você quem provocou os eventos que se seguem imediatamente. "É como se seu cérebro tivesse um desses raios que atraem e absorvem tudo depois de uma ação: 'Vou considerar que o crédito por isso deve ser atribuído a mim'", diz Eagleman. No clarão desse raio, a verdadeira sequência dos eventos — a ordem temporal — se dissolve, e um décimo de segundo é definido como absolutamente tempo algum.

Ao flexionar o tempo, o cérebro provê um estranho porém satisfatório serviço, incrementando a percepção de que somos agentes, e fazendo com que pareçamos um pouco mais poderosos do que de fato somos. Em 2002, o neurocientista Patrick Haggard e seus colegas chegaram a uma conclusão similar, com um experimento no qual se pedia a voluntários que observassem o movimento rápido do ponteiro de um relógio. Cada um a seu tempo, eles apertavam uma tecla num teclado e anotavam, olhando o relógio, quando tinham feito isso. Mas às vezes, em vez de pressionar uma tecla e verificar o tempo, os voluntários ouviam um bipe e verificavam o tempo. Eram passivos (ouvindo) e não ativos (pressionando). E às vezes as condições eram combinadas e causais: um voluntário apertava um botão, que produzia um bipe 250 milissegundos depois, e anotava ou o momento em que tinha apertado o botão ou em que tinha ouvido o bipe (é impossível dar conta dos dois). Haggard descobriu que, quando o participante causava de fato o bipe, o aperto da tecla e o bipe pareciam ocorrer muito mais próximos no tempo do que realmente acontecera: o aperto da tecla parecia acontecer um pouco mais tarde (cerca de quinze milissegundos, na média) e o bipe parecia acontecer muito mais cedo (cerca de quarenta milissegundos). Causar um evento parece puxar a causa e seu efeito, juntos, para ficarem mais próximos no tempo, fenômeno que Haggard chamou de "ligação intencional".

Como o cérebro consegue fazer esse truque? O mais provável, deduziu Eagleman, é que ele mantém expectativas separadas em relação a quando vai ocorrer o pressionar da tecla e quando vai ocorrer o bipe; ele tem linhas de tempo separadas e as recalibra, uma em relação à outra. A calibração é uma preocupação permanente de atividade diária de nosso cérebro. Da constante torrente de input sensorial, processada em ritmos diferentes ao longo de caminhos neurais diferentes, ele tem de montar um quadro coerente de eventos e ações, causas e efeitos. Trabalhando para trás a partir dos sinais, ele tem de determinar quais estímulos ocorreram primeiro e quais foram simultâneos, quais estavam conectados e quais não. Quando você pega no ar uma bola de tênis, a visão da bola se chocando com sua mão chega a seu cérebro mais rápido que a sensação tátil de sua palma, mas de algum modo você experimenta os dois fluxos de dados simultaneamente. Ou, olhando para isso pelo lado oposto, seu cérebro recebe dois pacotes de dados, um tátil e outro visual, separados por alguns milissegundos de defasagem; como ele sabe que eles pertencem ao mesmo evento?

Além disso, a velocidade dos sinais sensoriais pode variar, dependendo das condições, e assim o cérebro tem de ser capaz de mudar suas suposições quanto ao momento em que ocorreu o evento fonte. Digamos que você esteja arremessando uma bola de tênis numa área externa e depois entra numa sala meio escura. Seus neurônios processam uma luz fraca menos rapidamente do que uma luz brilhante; dentro de um recinto, o input visual de suas atividades chega mais lentamente do que quando você está do lado de fora. Suas ações motoras devem levar em conta essa mudança de tempos, senão você vai arremessar e pegar como um adolescente desajeitado. Felizmente, seu cérebro se recalibra; ele aciona os tempos "normais" e muda as outras expectativas sensoriais de acordo com isso. Ele se recalibra constantemente no decorrer de seu dia, trabalhando para oferecer uma interpretação fidedigna da realidade quando você muda de atividades, passa de um ambiente para outro, acelera e desacelera.

Quando uma ação (o pressionar de um botão) e seu efeito (um lampejo) parecem se aproximar no tempo, ou quando a defasagem desaparece totalmente, o que você está experimentando é uma recalibração, afirma Eagleman. Em geral, seu cérebro espera que suas ações motoras produzam os efeitos pretendidos imediatamente, sem defasagem. Assim, quando ele reconhece um evento que foi causado por alguma coisa que você fez — ou, mais exatamente, um evento que se segue a sua ação num intervalo de até um décimo de segundo —, ele se recalibra e dá ao evento o mesmo carimbo de tempo de sua ação: tempo zero. Causa e efeito são feitos simultaneamente. Um décimo de segundo é uma pequena quantidade de tempo, mas não é desprezível, e em outras situações com certeza é suficiente para ser registrado na consciência de alguém. Claramente, há momentos em que o cérebro conclui que consciência não é algo que seja do seu — ou do nosso — melhor interesse.

Essa ilusão é o prognóstico de outra ainda mais estranha. Se, ao se recalibrar, seu cérebro é capaz de fazer com que causa e efeito pareçam ocorrer ao mesmo tempo, talvez ele possa ser enganado para alterar ainda mais a ordem temporal e fazer o efeito vir antes da causa. Com Stetson e dois outros colegas, Eagleman projetou um experimento para testar a ideia. Mais uma vez, voluntários apertavam um botão para fazer uma luz lampejar, porém Eagleman inseriu um delay, uma defasagem de duzentos milissegundos — um quinto de um segundo — entre o pressionar da tecla e o flash. Os voluntários se adaptaram ao delay quase imediatamente e não o perceberam, contanto que a defasagem de tempo não excedesse muito 250 milissegundos; para eles, o pressionar da tecla e o flash ocorriam simultaneamente. Seu cérebro realiza passes de mágica causais o tempo todo na vida cotidiana. Sempre que você digita uma letra no teclado de um computador, por exemplo, passam cerca de 35 milissegundos até você ver aquela letra em sua tela — um delay que não é percebido por você. (Eagleman efetivamente mediu esse delay quando projetava seu experimento de inversão de causalidade para poder descartá-lo.)

Quando os voluntários se ajustaram ao delay, ele foi removido; o flash ocorria exatamente no instante em que a tecla era pressionada. Nesses momentos, acontecia algo peculiar: eles relataram que o flash tinha ocorrido *antes* de pressionarem a tecla. O cérebro deles tinha se recalibrado para colocar o flash defasado junto ao pressionar da tecla, no tempo zero. Nessa redefinição, um flash que ocorresse então antes do (esperado) flash defasado seria percebido como ocorrendo antes do tempo zero, e portanto pareceria ocorrer antes do pressionar da tecla. Causa e efeito — o tempo, ou pelo menos a ordem temporal — pareciam ter se invertido.

Eagleman tinha, desde então, refinado o experimento num formato mais rápido, a versão do Quadrado de Nove que eu estava testando. Cliquei de novo no quadrado que mudara de cor, vi a cor passar para outro quadrado, e então cliquei naquele. Eu sabia antecipadamente que havia um delay de cem milissegundos entre o clique de meu mouse e o movimento do cursor, mas não o percebi; o fato em si de meu clique — através do qual meu cérebro se declarava o autor do que quer que acontecesse em seguida — fez com que o delay subsequente ficasse transparente. Assim, não percebi quando, depois de cerca de uma dúzia de cliques e saltos, o delay foi removido. Mas percebi o resultado: para meu espanto, logo antes de eu clicar meu mouse, o quadrado colorido pulou para sua posição seguinte, exatamente o quadrado para o qual eu tinha planejado enviá-lo.

Foi perturbador, para dizer o mínimo. O computador aparentemente tinha adivinhado meu movimento seguinte e o fizera por mim. Eu fiz o teste mais algumas vezes só para ter certeza de que aquilo que eu pensava ter acontecido realmente aconteceu, e aconteceu em cada uma das vezes: quando eu me preparava para mover o cursor, o quadrado colorido se movia sozinho, exatamente para onde eu tencionava enviá-lo. Eu sabia que ia acontecer, mas assim mesmo acontecia, mais e mais uma vez. A experiência era tão nítida, o reposicionamento do quadrado colorido tão obviamente divorciado de meu iminente clique do mouse, que eu me vi tentando imobilizar meu dedo para ele não clicar o mouse, o que obviamente era de uma causalidade impossível: o quadrado já se movera, o que significava que eu já o movera, o que significava que eu estava tentando evitar algo que eu já havia feito: eu tinha apertado o botão. Até então eu tinha curtido a pesquisa de Eagleman como se curte uma série de brinquedos num parque de diversões; nesta, era como se eu tivesse subitamente caído por uma fenda em outra dimensão.

Uma vez, depois de dar uma palestra na faculdade sobre o fenômeno, Eagleman foi abordado separadamente por duas pessoas da plateia, que descreveram uma experiência curiosa. O campus tinha acabado de instalar um novo sistema telefônico, elas lhe disseram, e ele se comportava de modo estranho: você digitava um número, e o telefone começava a tocar na outra extremidade antes de você chegar ao último dígito. Como poderia ser? Eagleman suspeita que a ilusão acontecia porque a pessoa tinha trocado o uso do teclado do computador, com seus 35 milissegundos de delay, para o do telefone, que tem um delay mais breve entre cada apertar de uma tecla e seu efeito. Seu cérebro, tendo se calibrado para o delay do computador, aplica sua sensação de simultaneidade ao telefone — e fica surpreendido pela instantaneidade de suas ações.

A ilusória inversão de causalidade é desconcertante, mas é resultado de um aspecto bastante normal e altamente adaptativo de nossa experiência perceptual. A única maneira de obter a ordem temporal certa e discernir corretamente causas e efeitos quando os dados sensoriais estão jorrando em velocidades diferentes ao longo de caminhos neurais diferentes é recalibrar constantemente. E a maneira mais rápida de recalibrar os tempos dos sinais que estão entrando é interagir com o mundo. Ao causar um evento, você torna seu resultado previsível: o efeito deveria seguir-se imediatamente a sua ação. Você impôs uma definição de simultaneidade a sua experiência sensorial — uma base de referência, ou tempo zero, em relação à qual você é capaz de estimar a ordem temporal de outros dados relacionados. "Toda vez que você chuta alguma coisa ou bate nela, o cérebro supõe que o que acontece em seguida, seja o que for, é simultâneo", disse Eagleman. "Você está forçando a simultaneidade no mundo." Agir é esperar alguma coisa, e esperar é marcar o tempo.

Essa perspectiva deu origem ao que ele reconheceu ser uma de suas teorias mais inusuais. Lembre-se de que o cérebro está carregado com várias defasagens e latências: um lampejo brilhante é registrado pelos neurônios mais rapidamente que um lampejo mais fraco da mesma fonte; a luz vermelha é registrada antes da luz verde, e ambas antes da luz azul. Se você dá uma olhada numa imagem ou cena que contém comprimentos de onda do vermelho, verde e azul — uma bandeira americana estendida na grama —, sua representação no cérebro se espraia com o tempo, e a escala desse espraiamento pode variar mais, dependendo do fato de você estar na sombra ou em pleno sol. Porém, de algum modo o cérebro registra os fluxos de dados como tendo uma única e simultânea origem. Como o neurônio no fim do fluxo sabe qual input veio primeiro ou que as três cores estão juntas? Como o sistema aprende que o vermelho sempre chega antes do verde e que o verde chega antes do azul, e que a chegada de um sinal "vermelho-depois-verde-depois-azul" significa que os inputs se originaram simultaneamente de um único evento? Não fosse assim, você veria a bandeira como um fluxo de cores aparecendo: primeiro as faixas vermelhas, depois o campo azul das estrelas, depois a grama por baixo disso. Sua experiência visual seria um grande redemoinho psicodélico.

Para unificar essa experiência, o cérebro precisa de um jeito de recalibrar intermitentemente os fluxos visuais e intermitentemente reajustar o tempo para zero. Eagleman acha que podemos fazer isso piscando. Piscar tem o óbvio benefício de manter os olhos úmidos. Mas também tem o efeito de fazer piscar as luzes do cérebro, desligando e ligando de novo. No momento em que as luzes voltam pela primeira vez, seus sentidos podem experimentar um borrão vermelho-verde-azul. Mas depois de muita repetição — milhares de vezes a cada dia — o cérebro aprende que um borrão vermelho-verde-azul que se estende por algumas dezenas de milissegundos é equivalente a simultaneidade. Pensamos na piscadela como um ato passivo, mas ele também pode servir como um ato ativo, tão voluntário quanto apertar um botão, e uma forma de exercer a intenção de alguém no mundo visual. É um mecanismo de treinamento para os sentidos, um reiniciar forçado; a simultaneidade ocorre não porque você recebeu eventos como sendo simultâneos, mas porque você os fez assim com seus olhos. A piscadela diz "Eu chamo isso de 'agora'", e suas ações e percepções que se seguem logo depois se reorganizam em torno da declaração: *Isto é agora. Isto é agora. Isto é agora.*

Uma vez fui convidado para dar uma palestra na Itália, como parte de um painel de debates. Fui escalado para falar por último, e assim passei a tarde ouvindo meus colegas palestrantes, todos italianos falando italiano, língua que não falo. Suas palavras redemoinhavam em volta de mim; de tempos em tempos, quando parecia que algo engraçado ou perspicaz tinha sido dito, eu assentia com a cabeça de modo apreciativo, como se tivesse compreendido. Senti-me como Plutão, na extremidade escura do sistema solar, observando o brilho de um Sol distante e pensando como seria muito mais prazeroso viver entre os planetas interiores.

Depois do quarto ou quinto orador, notei um conjunto de fones de ouvido na mesa à minha frente. Os eventos estavam sendo traduzidos simultaneamente do italiano para o inglês, e vice-versa, cortesia de alguém numa cabine de vidro que, de súbito, percebi num canto na parte de trás da sala. A tradução ajudou um pouco; usando os fones eu podia entender que o orador atual, um filósofo acadêmico, estava de algum modo ligando Charles Darwin à física newtoniana. Ele estava divagando, ou eu não conseguia entender, ou as duas coisas, e a tradução começou a falhar. Havia longas pausas nas quais eu não ouvia a tradutora, uma jovem, esforçando-se para dar sentido àquilo. Olhei em direção à cabine e vi dois vultos lá dentro. Não demorou muito e a voz de mulher em meu fone deu lugar à de um jovem, que traduziu do italiano para o inglês com mais rapidez e articulação.

Quando finalmente chegou minha vez, duas ou três pessoas na plateia puseram seus fones de ouvido, o que me deixou com uma sensação ruim em relação a todos os outros. Desculpei-me por não falar italiano e depois comecei minha fala, mas falava devagar, com a vaga noção de que isso ajudaria o tradutor. Logo percebi meu erro: ao falar com a metade de minha velocidade normal, eu estava efetivamente me dando metade do tempo para cobrir minha fala de quarenta minutos. Tentei editar enquanto falava — pulei exemplos, ignorei textos de transição, decepei seções inteiras de pensamento. O resultado foi uma fala que para mim fazia cada vez menos sentido enquanto eu me ouvia enunciá-la. O rosto das pessoas com fones de ouvido estava tão inexpressivo quanto o das pessoas sem eles.

Em 1963, o psicólogo francês Paul Fraisse publicou *Psychologie du temps* [Psicologia do tempo], uma revisão do século anterior de pesquisa do tempo, e o primeiro livro a analisar o campo como um todo. Examinava cada faceta da percepção do tempo, da ordem temporal à aparente duração do presente subjetivo, o qual, depois de considerar os numerosos estudos, Fraisse definiu como "o tempo necessário para pronunciar uma sentença de vinte a 25 sílabas" — talvez cinco segundos no máximo. Meu próprio presente não poderia ser mais breve ou parecer mais longo. Fraisse alegava, além disso, que muitos de nossos sentimentos quanto a nossas percepções do tempo "têm sua origem na consciência da frustração causada pelo tempo. O tempo ou impõe um delay na satisfação de nossos desejos atuais ou nos obriga a prever o fim de nossa felicidade atual. O sentimento de duração surge assim de uma comparação do que é com o que será". O tédio, em particular, é "o sentimento que resulta da não coincidência de duas durações" — a duração na qual você está entalado e a duração que você preferia habitar. É outra versão da "tensão do consciente" de Agostinho, e, enquanto eu falava, estava bem consciente da tensão em meus entediados ouvintes. Eu deveria estar me sentindo como o Sol, irradiando conhecimento para a plateia. Mas eu ainda era Plutão, com os telescópios dos planetas interiores apontados para mim e me perguntando o que fazer com esse distante, estrangeiro, congelado objeto.

Naquela noite, num jantar para os palestrantes, conheci meu tradutor, que se chamava Alphonse. Era um estudante graduado em linguística, fluente em francês e português, assim como em inglês; alto e magro, cabelo escuro e óculos redondos, fez-me pensar num Harry Potter italiano.

Concordamos em que o termo "tradução simultânea" é claramente um oximoro. As regras da sintaxe e a ordem das palavras são diferentes nas várias línguas, assim não se pode traduzir rigorosamente palavra por palavra de uma língua para outra. O tradutor está sempre segurando uma coisinha que ainda não passou ao ouvinte: ele ouve o que soa como uma palavra-chave, ou uma expressão, e tem de manter isso em mente até que pouco depois a sentença do orador dá a isso um sentido e lhe permite começar a traduzir em voz alta, mesmo que o orador continue forjando novas palavras e ideias. Se o tradutor esperar demais, no entanto, ele está se arriscando a esquecer a expressão original ou perder o sentido do fluxo verbal, que continua. "Simultâneo" implica uma atividade que ocorre apenas no presente; na verdade é uma expressão contínua da memória, apresentada de forma a parecer transparente.

O desafio é mais crítico quando a tradução é entre línguas que pertencem a famílias diferentes, diz Alphonse; do alemão para o francês, digamos, é mais difícil do que do italiano para o francês, ou do alemão para o latim. Em alemão e em latim, o verbo tipicamente vai para o fim da sentença, assim o tradutor muitas vezes tem de esperar para ouvir a conclusão da sentença para que o início faça sentido o bastante para traduzir. Se está traduzindo para o francês, caso em que o ouvinte está esperando um verbo no início da sentença, o tradutor pode ou esperar esse tempo extra, ou adivinhar aonde a sentença quer chegar.

Eu disse a Alphonse que frequentemente enfrento um problema semelhante lidando apenas com o inglês. Durante muito tempo usei um gravador de fita quando fazia entrevistas, para captar cada palavra. Mas o que ganhei em exatidão, perdi em tempo: a transcrição de uma entrevista de uma hora podia levar quatro horas, que poderiam resultar em uns poucos insights ou citações. Tomar notas à mão dificilmente seria mais prático: minha letra é terrível, pior quando estou com pressa. Às vezes, quando estou ao telefone, consigo digitar no computador enquanto meu interlocutor está falando; isso pelo menos deixa as coisas mais claras. Mas digito mais lentamente do que a maioria das pessoas fala. É bem frequente eu repassar minhas anotações e deparar com um fragmento sem sentido, como este:

If something surprising to it, have a faster.
[Se algo surpreendente a ele, tem mais rápida.]

Neste caso tive sorte: eu havia corrigido a anotação pouco depois de tê-la feito, e assim me lembrei do que o orador efetivamente dissera: *"If something surprising happens, you have a faster reaction to it."* [Se algo surpreendente acontecer, você tem uma reação mais rápida a isso.] Examinando os fragmentos, consigo ver o que deu errado. Comecei sobre bases sólidas, conseguindo captar as primeiras três palavras — *If something surprising* — corretamente. Mas meu interlocutor falava depressa demais, e eu perdi o fio. Assim, decidi tentar me lembrar do elemento-chave do que estava sendo dito naquele momento (o verbo *happens*) e anotar assim que ele fizesse uma pausa. Como um malabarista, eu jogava suas palavras no futuro próximo (isto é, na memória de curto prazo) e as pegava um momento depois. Enquanto isso, anotei as palavras seguintes que ouvi (*to it*), e, enquanto ele continuava a falar — sem fazer uma pausa, infelizmente —, digitei as poucas palavras (*have a faster*) das quais ainda conseguia me lembrar de um momento anterior. Tudo isso sem um pensamento consciente, no tempo que leva falar uma sentença curta, que se repete incontáveis vezes no decurso de uma conversa com uma hora de duração. É um milagre eu ter conseguido reter qualquer informação. (Eu poderia me sair melhor se tivesse seguido a abordagem de Alphonse, anotar as expressões-chave, e não tentar me lembrar delas.)

Na narrativa de Alphonse, um tradutor se parece com uma pessoa que Agostinho poderia ter reconhecido — esticado e tenso entre o passado e o futuro, entre memória e antecipação. Alphonse estimava que um tradutor mediano é capaz de absorver uma defasagem de algo entre quinze segundos e um minuto entre o que está ouvindo e sua própria tradução "simultânea" disso que ouviu. Quanto melhor o tradutor, mais longa é a defasagem — e maior a quantidade de informação que pode manter na cabeça antes de produzir uma tradução. Um tradutor pode se preparar três ou quatro dias antes, para ter uma noção do jargão que vai encontrar. Alphonse disse que quando está se saindo bem, traduzir ao vivo é um pouco como surfar.

"Você tem de passar o mínimo de tempo possível pensando em palavras", ele disse. "Você está tentando acompanhar o fluxo, você está ouvindo um ritmo. Você não vai querer parar. Do contrário, se ficar para trás, está perdendo tempo, estará perdido."

Considere uma sentença que começa *aqui*, continua com mais algumas palavras, vagueia em umas duas orações, e depois termina *aqui*. Levei alguns segundos para compor essa sentença, e pode ter me levado vários anos para eu me convencer a pô-la no papel. Mas você a lê em talvez dois segundos — tão rápido que você quase não registra que a leu, ou que foi preciso um tempo, qualquer tempo, para ler. Em certa medida, isso é o presente.

Mas é claro que não é, em termos técnicos. Nessa extensão de tempo se desenrola uma grande quantidade de atividade cognitiva, embora o cérebro — ou a mente, nem sempre está claro qual deles — vai a grandes distâncias para disfarçá-la do *eu* consciente de alguém. Enquanto você lê, e sem que realmente perceba, seus olhos adejam pela página para antever as próximas palavras ou para rever as que passaram. Estudos mostram que cerca de 30% do tempo de sua leitura é usado para voltar a palavras que você já leu. Se eliminar essas "regressões", talvez usando um cartão para ir cobrindo as linhas precedentes do texto, você pode aumentar substancialmente a velocidade de sua leitura, se é que alguém acredita nas alegações feitas por certos cursos de leitura dinâmica.

Em seu livro *Mindworks: Time and Conscious Experience* [Trabalhos da mente: tempo e experiência consciente], o psicólogo alemão Ernst Pöppel descreve um experimento que fez consigo mesmo para revelar como, na verdade, a experiência da leitura é descontínua. Ele escolheu uma breve passagem de um ensaio de Sigmund Freud sobre a mente inconsciente:

> **SOME REMARKS ON THE CONCEPT OF THE UNCONSCIOUS IN PSYCHOANALYSIS**
>
> I should like to present in a few words and as clearly as possible the sense in which the term "unconscious" is used in psychoanalysis, and only in psychoanalysis.
> 1. ▶ A thought—or any other psychic
> 2. ▶ component—can be present now in my con-
> 3. ▶ scious, and can disappear from it in the next instant; it can, after some interval, reappear completely unaltered, and can in fact do so from

Enquanto ele lia, um dispositivo rastreava o movimento de seus olhos na página, registrando para onde estava olhando e por quanto tempo. Depois ele desenhou um gráfico rudimentar do movimento: o gráfico se move para cima quando ele está lendo e seguindo a primeira linha do texto, da esquerda para a direita, e volta para baixo quando ele chega ao fim da linha e começa a ler a segunda. Embora sua experiência de leitura seja contínua e suave, o movimento de seus olhos, claramente, não é. Seu percurso visual tem o aspecto de uma série de degraus, os olhos se detendo por dois ou três décimos de segundo para absorver significado, depois pulando em frente para o próximo ponto de absorção.

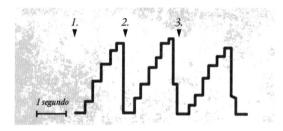

Em seguida, Pöppel leu algo um pouco mais desafiador, uma passagem com mais ou menos o mesmo tamanho, da *Crítica da razão pura*, de Immanuel Kant. A dificuldade maior desse texto fica evidente pelo código do tempo: comparada a Freud, cada linha de Kant foi lida por Pöppel no dobro do tempo, e seus olhos pausaram para absorver informação com o dobro da frequência.

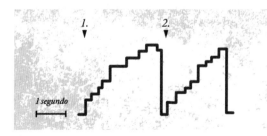

Finalmente, Pöppel se esforçou para ler chinês — uma língua, ele observou, da qual "este autor, infelizmente, é ignorante". Pode-se ver que ele gasta vários segundos tentando ler um ou dois caracteres, mas a dois terços do percurso pela primeira linha ele desiste e pula para o final:

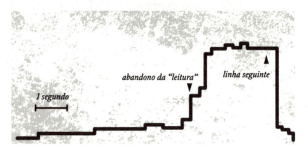

O que Pöppel quer demonstrar é que aquilo que às vezes experimentamos como "agora" está na verdade explodindo em atividades cognitivas — sílabas, sacudidelas do olho, obtenção de significado — que não podem ser acessadas totalmente por meio da introspecção. Além disso, ele observa, a ocupação dentro de cada momento é cuidadosamente orquestrada; a pronúncia de sílabas sucessivas e o movimento dos olhos de palavra escrita para palavra escrita são sincronizados, "como os vagões de um trem de acordo com um horário". Mas como?

Em 1951, o psicólogo de Harvard Karl Lashley se referiu à relação entre tempo e língua num trabalho agora clássico, "The Problem of Serial Order in Behavior" [O problema da ordem serial no comportamento]. Lashley observou que, para que as palavras transmitam significado, elas têm de ser apresentadas numa determinada ordem. A frase "Pequeno um Maria tem cordeiro" não significa nada, mas rearrumada — "Maria tem um pequeno cordeiro" — torna-se compreensível. Como observou meu tradutor italiano, as regras da sintaxe variam de língua para língua; em inglês, por exemplo, o adjetivo precede o substantivo que ele modifica (*yellow jersey*), enquanto em português ele vem depois ("malha amarela"). Essas regras são maleáveis e adquiridas socialmente, e mudam com o tempo. Não obstante, em qualquer determinada língua, a ordem das palavras é significante: ela significa.

Em geral não dedicamos à sintaxe um pensamento consciente; aparentemente ela se desenrola por si mesma, numa escala de tempo logo abaixo do nível da consciência. (Seu cérebro está tão ansioso para encontrar ordem que, quando você percorreu as palavras "Pequeno um Maria tem cordeiro" pela primeira vez, você pode ter ido através delas direto ao significado pretendido, sem atentar para o embaralhamento.) E às vezes nós erramos na ordem. Lashley notou que, quando ele digita, às vezes erra a ordem das letras, escrevendo "etses" em vez de "estes", ou "ecsritar ápida" em vez de "escrita rápida". (Aliás, quando digitei a sentença anterior, acidentalmente escrevi "ditiga" em vez de "digita", antes de corrigir. O que é notável a respeito desses erros é que eles são frequentemente erros de antecipação: uma letra ou uma palavra que deveria vir depois aparece antes — agora — como se o olho da mente (por falta de termo melhor) tivesse seguido adiante, desviando os dedos de sua tarefa atual. Como geramos a ordem temporal correta sem pensar sobre isso? Lashley considerou esse problema "tanto o mais importante, como também o mais negligenciado problema da psicologia cerebral".

Segundo Pöppel, o mecanismo de organização que Lashley tinha em mente, embora ele não tenha usado expressamente a palavra, é um relógio. "Essa construção, ou encadeamento das palavras em seus lugares adequados, ocorre — sob a orientação de um plano mental — por meio de um relógio", escreve Pöppel. "O relógio no cérebro assegura que todas as funções administrativas, todas as regiões do cérebro envolvidas em juntar o trem das palavras estão funcionando em sincronia, de modo que, em relação ao plano geral, elas sejam capazes de descarregar as tarefas designadas no tempo correto." Esse relógio cerebral é "a precondição para expressar um pensamento por meio de palavras adequadamente ordenadas". Sem ele, não seríamos capazes de nos fazer entender.

"Todos os comportamentos complexos envolvem tempo", disse-me Dean Buonomano, um neurocientista da Universidade da Califórnia, em Los Angeles, logo depois de nosso primeiro encontro. "Não podemos entender por completo como o cérebro conduz a palavra sem compreender o componente temporal."

Buonomano está entre os poucos pesquisadores que estudam o tempo fisiológico no âmbito do milissegundo; ele é coautor de trabalhos com muitos outros cientistas do campo, inclusive David Eagleman, e está persistentemente interessado em compreender como o tempo que experimentamos em nossa vida diária se relaciona com a — e surge da — atividade de nossos neurônios. A neurociência é um campo jovem, ele disse, e é especialista em resolver certos tipos de quebra-cabeças, como a maneira pela qual o cérebro interpreta informação espacial. Por exemplo, você é capaz de distinguir entre uma linha vertical e uma linha vertical próxima graças a determinados neurônios em seu córtex, descobertos na década de 1960, que respondem separadamente a orientações diferentes. Pontos no espaço mapeiam arranjos em neurônios retinais mais ou menos como notas musicais mapeiam teclas num piano. Mas pergunte aos neurocientistas como você é capaz de dizer que uma linha permaneceu na tela por mais tempo que a outra, e eles provavelmente ficarão perplexos.

"Acho que o tempo foi negligenciado porque a ciência não está madura o bastante para lidar com ele de modo sofisticado", disse Buonomano. Até mesmo a menção da palavra "tempo" pode suscitar uma série de definições e qualificações. "É o lado engraçado desse campo", disse ele. "Ninguém é capaz de descrever aquilo de que estamos falando."

Buonomano e eu nos encontramos no saguão de um café, depois caminhamos, atravessando o campus por uma alameda de palmeiras, em direção a seu gabinete. Seu fascínio com o tempo começou quando tinha oito anos e seu avô, um físico, deu-lhe um cronômetro de presente de aniversário. Ele usou o relógio obsessivamente para cronometrar seu desempenho em várias tarefas que atribuía a si mesmo, tais como completar um quebra-cabeça ou atravessar um quarteirão. Quando publicou um trabalho na revista *Neuron* apresentando sua própria pesquisa sobre como o tempo funciona no cérebro, a imagem da capa foi a fotografia de seu cronômetro.

Buonomano observou que, quando se pensa sobre o tempo na escala de milissegundos, é importante distinguir entre ordem temporal e timing. Ordem temporal é a sequência na qual os eventos ocorrem no tempo; timing é a duração, a dimensão de quanto dura um evento. Os dois fenômenos são distintos mas funcionam juntos de maneira sutil. O exemplo mais simples é o código Morse. Desenvolvido nas décadas de 1830 e 1840 para ser usado no telégrafo, o código Morse é uma linguagem composta totalmente por pulsos [de som] — pontos e traços — e pelo silêncio entre eles. O código Morse internacional moderno tem cinco elementos linguísticos: um ponto básico, ou "dit", um traço, ou "dah", com comprimento igual a três dits; uma lacuna de silêncio com um dit de extensão entre os pontos e os traços dentro de uma letra; uma lacuna de silêncio com três dits de extensão, entre letras; e um silêncio com sete dits de extensão entre palavras.

Para expressar e interpretar corretamente Morse, você tem de acertar tanto a ordem temporal quanto o timing. Quanto à ordem temporal, se se inverter a sequência de

● ● ● ● ▬   resultará em   ▬ ● ● ● ●
　(número 4)　　　　　　　　　(número 6)

e errando na duração do elemento central de

▬ ● ●   vai resultar em vez disso   ▬ ▬ ●
(a letra D)　　　　　　　　　　　　　(a letra G)

Um bom operador de código Morse é capaz de gerar e transmitir quarenta palavras por minuto; o recorde é mais de duzentas palavras por minuto. Nessas velocidades, um único dit pode durar entre trinta milissegundos, ou três centésimos de segundo, e seis milissegundos, ou seis milésimos de segundo. O *Wall Street Journal* entrevistou uma vez Chuck Adams, um astrofísico aposentado e codificador de Morse, que passava seu tempo livre traduzindo romances para o código Morse. Depois do lançamento de sua versão, com cem palavras por minuto, da *Guerra dos mundos*, de H. G. Wells, Adams recebeu um e-mail de um homem que reclamou por ele ter feito um intervalo entre as palavras um pouquinho mais longo — oito dits em vez do padrão de sete. O homem ficou contrariado com uma duração de tempo que, na velocidade de Adams, era de somente doze milésimos de segundo.

Discernir com exatidão durações tão breves — não uma apenas, mas centenas ou milhares de vezes por segundo — exige um aguçado senso de duração. Pöppel tinha razão: a linguagem exige um relógio. Mas onde reside esse relógio, e como funciona? Buonomano alertou quanto a pensar no relógio de milissegundos literalmente; os tipos de modelos comumente concebidos para descrever a mente muitas vezes não conseguem captar as complexidades do funcionamento dos neurônios. A explicação-padrão para como estimamos a duração invoca o que frequentemente é chamado de modelo de tempo marca-passo acumulador, o qual supõe que em algum lugar em seu cérebro há algo parecido com um relógio, talvez um conjunto de neurônios que oscila numa cadência contínua; eles geram pulsos, ou tiques, que de algum modo são recolhidos e armazenados. Um certo número de tiques soma, digamos, noventa segundos — e, quando essa soma se acumula muito além desse montante, você toma consciência de que a luz vermelha diante da qual está parado parece estar durando tempo demais.

Mas o reino dos neurônios não é tão arrumado assim. "É muito difícil aplicar a metáfora da vida real à vida cerebral", diz Buonomano. Ele também acredita que o relógio de milissegundos não é algo tão evidente quanto um grupo específico de células do cérebro. Muito mais provavelmente, a marcação de tempo em milissegundos é um processo distribuído numa rede de neurônios, que não está localizada particularmente num determinado lugar. "O timing é um aspecto fundamental de um processo, e não deve ser atribuído a um relógio-mestre", disse ele. "Você não precisa de um relógio-mestre; não seria um projeto robusto."

Quando um estímulo chega ao cérebro — por exemplo, quando um dit de Morse atinge o nervo auditivo ou um lampejo é registrado pelo olho —, ele desencadeia uma retransmissão de excitação elétrica entre os neurônios. Um sinal passa de um neurônio ao próximo cruzando uma pequena lacuna, ou sinapse, por meio de neuroquímicos; estes induzem a segunda célula a disparar e transmitir seu próprio sinal elétrico. Imagine um cientista jogando uma chave de porta para um colega no corredor. Mas leva um pouco de tempo, talvez de dez a vinte milissegundos, até o segundo neurônio se excitar e também se recuperar. Se chegar outro sinal dentro dessa janela de tempo, vai encontrar o neurônio num estado de excitação diferente do que o sinal anterior encontrou. Karl Lashley escreveu que essa situação poderia ser mais bem ilustrada "imaginando o cérebro como a superfície de um lago". Ocorre um estímulo, gerando um sinal que entra na rede de neurônios e produz marolas de excitação, como uma pedra caindo na água. Segue-se outro sinal e acrescenta seu próprio padrão de marolas à superfície já ondulada, e assim por diante. No cérebro ocorre algo parecido com isso, o tempo todo. Os neurônios não ficam lá ociosos, esperando que um dit de código Morse os sacuda e ponha em ação; estão constantemente ocupados — transmitindo informação, descansando um pouco, transmitindo de novo. "O input nunca está dentro de um sistema quiescente ou estático, mas sempre num sistema que já está ativamente excitado e organizado", escreveu Lashley.

Essas marolas são efêmeras, duram poucas centenas de milissegundos no máximo, diz Buonomano. Não obstante, isso significa que há um breve lapso no qual a rede retém informação sobre o que acabou de acontecer. Existem dois estados da rede ao mesmo tempo: o padrão de atividade do estímulo mais recente e o ligeiramente diferente e efêmero resíduo do anterior, o que Buonomano chama de "estado oculto". É um tipo transitório de memória, e é a essência do relógio de milissegundos. A justaposição dos dois estados — a sucessiva presença, ausência ou número dos impulsos de um subconjunto de neurônios — revela informação sobre quanto tempo passou entre os dois. O relógio não é tanto um contador quanto é um detector-padrão, que compara instantâneos das marolas sucessivas num lago e converte sua informação espacial em informação temporal: o estado A e o estado G, superpostos, sugerem que se passaram cem milissegundos; o estado D e o estado Q juntos sugerem quinhentos milissegundos, e assim por diante. Num computador, Buonomano executou simulações de redes de neurônios que incorporavam esses estados ocultos e descobriu que seu modelo funcionava — as redes são capazes de discriminar intervalos de tempo diferentes.

O modelo leva também a uma importante previsão, disse Buonomano. Se dois estímulos, como dois tons de áudio idênticos, seguem-se um ao outro em cem milissegundos — mais rápido do que a rede é capaz de reiniciar —, o segundo vai entrar numa rede que ainda está agitada com a excitação do primeiro; além disso, esse estado oculto vai alterar o modo como o novo estado acontecerá. "O output atual de um neurônio depende do que aconteceu em seu passado recente", disse ele. Em outras palavras, se estímulos idênticos se seguem, próximos um do outro, você os experimentará como tendo durações diferentes. Buonomano projetou uma série inteligente de experimentos para demonstrar isso. Numa versão, voluntários escutavam dois breves tons em rápida sucessão; depois se pedia que estimassem a duração do intervalo entre eles. O intervalo variava, e perceber a diferença entre eles era bem fácil, até Buonomano introduzir um tom "distraidor", igual em duração e frequência, logo antes do par visado. Se ele o precedia com menos de cem milissegundos, os ouvintes ficavam muito menos precisos na estimativa da duração correta do intervalo entre os dois tons.

O que efetivamente aconteceu, disse Buonomano, é que o distraidor altera a percepção da duração do primeiro tom, o que confunde a estimativa do intervalo entre os dois tons. Numa variante do experimento, os voluntários escutavam um par de tons, um mais longo que o outro, em rápida sucessão, e então se perguntava a eles qual dos dois tinha vindo primeiro. Se um tom distraidor precedesse o par em cem milissegundos, as estimativas eram muito menos exatas — o ouvinte tinha dificuldade em determinar qual tom era o mais longo e, por conseguinte, a sequência correta em que ocorriam. Na escala de milissegundos, o timing e a ordem temporal estão entrelaçados. De fato, outros pesquisadores haviam descoberto que pessoas com certas formas de dislexia tinham dificuldade para determinar a ordem correta de dois fonemas se eles se seguissem em rápida sucessão; é possível que isso resulte de uma incapacidade de estimar corretamente durações e intervalos na escala do milissegundo. Seja como for, o modelo de Buonomano sugere que, embora possa haver um relógio de microssegundos no cérebro, é um relógio que nunca produz tiques nem os conta.

Em 1892, William James, com cinquenta anos de idade e um "trabalho em laboratório do qual não gosto", escreveu ele, passou a direção de seu laboratório de psicologia em Harvard a Hugo Münsterberg, psicólogo experimental alemão do qual ficara amigo três anos antes em Paris, no I Congresso Internacional de Psicólogos. Münsterberg tinha estudado em Leipzig com Wilhelm Wundt, mentor de James, e é considerado por muitos historiadores como o primeiro a ter abraçado a aplicação da psicologia à indústria e à publicidade. Ele desenvolveu testes psicológicos para ajudar a Pennsylvannia Railroad e a Boston Elevated Railway Company a contratar os mais seguros engenheiros e condutores de bonde e, depois de algum estudo, sugeriu que um modo de aumentar a produtividade seria reorganizar a função de maneira que fosse mais difícil para os funcionários se falarem reciprocamente durante o trabalho. Foi autor de numerosos livros, inclusive *Business Psychology* [Psicologia dos negócios] e *Psychology and Industrial Efficiency* [Psicologia e eficiência industrial], assim como artigos populares como "Finding a Life Work" [Encontrando um trabalho para a vida toda], publicado em 1910 na *McClure's Magazine*, o qual propunha que experimentos psicológicos poderiam ajudar a revelar "a verdadeira vocação de um homem" e assim agir contra "a imprudente escolha de carreiras na América".

Münsterberg também é reconhecido como o primeiro crítico de cinema. Ele ficou cativado pelo cinema em seus inícios, e em ensaios como "Why We Go to the Movies" [Por que vamos ao cinema] e em seu livro de 1916 *The Photoplay: A Psychological Study* [A peça em fotografia: um estudo psicológico], alega que o filme deveria ser considerado uma obra de arte, em parte porque seus efeitos refletiam de maneira muito aproximada o funcionamento da mente humana. Münsterberg incorporou esse meio em seu próprio trabalho, desenvolvendo uma série de testes psicológicos que poderiam ser aplicados a plateias no cinema antes do filme principal, para ajudar as pessoas a "saber quais características aparelham alguém para tipos especiais de trabalho, de modo que cada indivíduo possa encontrar sua própria posição", disse ele num discurso na I Exposição Nacional de Cinema, em 1916. Um teste, destinado "ao tipo de mente executiva, que tem de ser capaz de captar o significado de uma situação assim que ela se apresenta", mostrava aos observadores uma série de letras misturadas e pedia que formassem nomes com letras arrumadas numa ordem diferente da original.

One of the Harvard professor's "ideographs" or visual psychology tests appearing in "Paramount Pictographs," a screen magazine shown at the Stanley. The letters in the jumble to the left are first thrown on the screen. Several seconds elapse. If you can unspe'l and respell them into the word Washington, you are blessed with creative ability.

Münsterberg no cinema

Um dos "ideógrafos" do professor de Harvard, ou testes visuais de psicologia que apareceram na *Paramount Pictographs*, uma revista em forma de filme apresentada no Stanley. As letras na mistura da esquerda são projetadas primeiro na tela. Vários segundos se passam. Se você for capaz de soletrá-la de novo formando a palavra Washington, você é dotado de aptidão criativa.

O advento do cinema introduziu possibilidades mais soltas para a narrativa, escreveu o historiador Stephen Kern. Enquanto a fotografia aprisionava o tempo, o filme o libertava; uma história poderia saltar para a frente, para trás ou para os lados, em qualquer velocidade. Reverta o projetor e o tempo pode reverter também. Um homem pode sair da água num salto, os pés saindo primeiro, e pousar em segurança na margem; ovos mexidos podem ser revertidos e virar gemas. Em *The Culture of Time and Space, 1880-1918* [A cultura do tempo e do espaço, 1880-1918], Kern cita Virginia Woolf: "Esse atraente negócio da narrativa do realista: continuando do almoço ao jantar, ela é falsa, irreal, meramente convencional". Para Münsterberg, a capacidade que o cinema tem de pular para a frente e para trás no tempo era uma simulação quase perfeita do funcionamento da memória humana; a tomada em close-up emulava a perspectiva íntima de um observador focado. "A câmera pode fazer o que, em nossa mente, nossa atenção está fazendo", ele escreveu. Em outro lugar, acrescentou: "A mente interior que a câmera exibe tem de estar naquelas ações da própria câmera, com as quais espaço e tempo são superados, e a atenção, a memória, a imaginação e a emoção são impressas no mundo corporal".

Nas décadas que se passaram desde então, filme e vídeo se tornaram a primordial metáfora que se evoca para explicar, em termos populares, como o cérebro percebe o tempo. O olho é nossa câmera, nossa lente; o presente é um instantâneo de uma duração breve, talvez até mesmo mensurável; e a passagem do tempo é um fluxo dessas imagens. Sua memória rotula esses fotogramas individuais à medida que são lembrados, permitindo que eventos e estímulos sejam remontados e evocados mais tarde, como num filme, em sua ordem correta. Essa visão do tempo se instalou profundamente na índole da neurociência, e grande parte da pesquisa de David Eagleman visa a dissipá-la. O tempo no cérebro, ele gostaria que soubéssemos, não é como o tempo nos filmes.

Uma tarde, em seu escritório, ele estava ansioso para me contar de um trabalho que tinha escrito fazia pouco tempo sobre uma ilusão conhecida como o efeito roda da carroça. Essa ilusão frequentemente pode ser vista em antigos westerns, quando a roda raiada de uma diligência em movimento parece estar rodando ao contrário. O efeito resulta de um desencontro entre o ritmo das rotações da roda e o ritmo de deslocamento dos fotogramas da câmera que está filmando. Se um raio de roda realiza mais de meia rotação, porém menos de uma rotação completa entre um fotograma e o seguinte, os raios vão parecer estar rodando para trás.

A ilusão pode surgir na vida real em certas condições de iluminação. Talvez, durante uma longa reunião numa sala de conferências, você tenha olhado para o ventilador de teto e ele pareceu estar girando na direção inversa. A causa imediata disso são luzes fluorescentes; cintilando num ritmo além da percepção consciente, elas criam um sutil efeito estroboscópico, fragmentando o movimento contínuo do ventilador numa sequência de imagens discretas que são rapidamente projetadas em sua retina, assim como um projetor de cinema que projeta rapidamente imagens imóveis em sequência numa tela. O desencontro entre a rotação do ventilador e o ritmo da cintilação das luzes produz a ilusão.

Em raras circunstâncias, a ilusão pode ocorrer na contínua luz solar. Em 1996, Dale Purves, um neurocientista da Universidade Duke, conseguiu recriar o fenômeno em seu laboratório. Pintou pontinhos em torno do perímetro de um pequeno tambor e dispôs observadores olhando o tambor girar com rapidez. Quando o tambor girava para a esquerda, os pontinhos se moviam para a esquerda — e então, depois de um instante, os pontinhos pareciam inverter a direção e começar a se mover para a direita. Nem todos os observadores viram isso; alguns viram depois de se passarem alguns segundos; para outros, levou minutos. E não havia uma frequência de rotações previsível na qual ocorria subitamente a inversão. No entanto, ela era vista; ela acontecia.

Por quê? Purves e seus colegas alegaram que a ilusão de seu laboratório, assim como a ilusão da roda da carroça, era uma evidência de que nosso sistema visual é temporizado como uma câmera de cinema: a ilusão vem de um desencontro entre nosso ritmo na percepção de imagens fixas e o ritmo de rotação do tambor. O fato de a ilusão acontecer sob uma iluminação constante "sugere que normalmente vemos o movimento, como nos filmes, processando uma série de episódios visuais isolados". Vários outros cientistas citaram o estudo como evidência de que processamos o mundo como uma série de momentos perceptuais discretos.

Eagleman era cético quanto a isso; se realmente percebemos em momentos discretos, analogamente aos fotogramas de um filme, então os resultados deveriam ser mais previsíveis e regulares. Por exemplo, a ilusória inversão deveria ocorrer, de modo confiável, quando se faz girar a roda numa certa frequência. Como contraevidência, ele realizou o que chama de "meu experimento de quinze dólares". Numa loja de quinquilharias ele comprou um espelho e um antigo toca-discos. Fez uma série de pontos num pequeno tambor, que colocou sobre o prato do toca-discos, para replicar o experimento original; depois pôs essa engenhoca diante do espelho. Agora suas cobaias poderiam observar simultaneamente o tambor real girando para a esquerda e seu reflexo girando para a direita. Se o cérebro percebe movimento como instantâneos discretos, como uma câmera de cinema, então os dois tambores, o real e seu reflexo, deveriam inverter a direção ao mesmo tempo.

Isso não aconteceu; viu-se os dois tambores inverter suas direções, mas não simultaneamente. Eagleman concluiu que a ilusão não envolve qualquer tipo de percepção em fotogramas nem tem a ver com como percebemos o tempo. E, sim, tem relação com a ilusão da cachoeira, ou seja, um pós-efeito da percepção de movimento, e envolve um fenômeno chamado rivalidade. Enquanto você está observando o tambor girar da direita para a esquerda, um grande grupo de neurônios que detecta movimentos para a esquerda é estimulado. Mas, devido a uma peculiaridade de como opera a detecção de movimento, um número menor de neurônios que detectam o movimento para a direita é estimulado também. O resultado é algo parecido com uma eleição. Na maior parte do tempo a maioria ganha, e você percebe corretamente o movimento do tambor. Mas em termos estatísticos a percepção da minoria tem muito poucas probabilidades de prevalecer, e isso acontece com muito pouca frequência, criando a ilusão do movimento retrógrado. "São populações de neurônios competindo", disse Eagleman. "De vez em quando o sujeitinho mais fraco consegue vencer."

A metáfora da câmera de cinema ainda persiste na neurociência em disfarces sutis. Imagine que uma série de imagens idênticas — de um sapato, digamos — lampeja rapidamente numa tela à sua frente. Embora as imagens tenham durações iguais, a primeira sempre vai parecer durar mais do que a que se segue a ela — até 50% mais, em estudos controlados. Isso é conhecido como o efeito *cameo*, ou *debut* [estreia]. (O efeito também ocorre, embora menos marcadamente, com tons auditivos, como bipes, e com pulsos táteis.) Da mesma forma, se a série de imagens idênticas é interrompida por uma nova — se, digamos, um barco aparece em algum lugar na sequência dos sapatos —, ela também parecerá durar mais, mesmo que tenha a mesma duração das outras. Os cientistas chamam isso de efeito *oddball* [estranho, bizarro].

A explicação-padrão invoca o modelo de tempo marca-passo acumulador: em algum lugar no seu cérebro, operando em pequenas escalas de tempo, existe algo parecido com um relógio; ele gera continuamente pulsos, ou tiques, que são reunidos e preservados. Agora aparece uma imagem *oddball*. Sendo uma novidade, ela chama sua atenção, o que aumenta a velocidade com que você processa dados sobre ela, e isso faz com que seu relógio interno tiquetaqueie um pouco mais rápido enquanto você a observa. Como seu cérebro recolhe comparativamente mais tiques quando se observa o "bizarro", você percebe a duração dele como mais longa. É como se você estivesse assistindo a um filme e a aparição de uma imagem *oddball* fizesse com que o avanço das imagens dos fotogramas ficasse momentaneamente lento, esticando aquele momento. Um cientista se referiu à experiência do *oddball* como uma "expansão subjetiva do tempo".

Isso não soou bem para Eagleman. Imagine que você esteja assistindo a uma cena de perseguição num filme e o carro da polícia voa para fora de uma rampa. Se você retardasse essa sequência, tanto o áudio como o vídeo seriam afetados, e assim você ouviria a sirene num tom mais baixo. Na vida real, no entanto, distorções de duração não parecem envolver mais do que uma modalidade sensorial ao mesmo tempo. "Tempo não é uma só coisa", disse-me Eagleman: o tempo no cérebro não é um fenômeno unificado. Então, qual é o responsável pelo efeito *oddball*? Provavelmente não é a atenção, ele acha. A atenção é lenta por uma razão. Quando de repente você "presta atenção" a alguma coisa, leva no mínimo 120 milissegundos — mais de um décimo de segundo — para que seus recursos de atenção se fixem no alvo. Mas você experimentará o efeito *oddball* mesmo quando as imagens se apresentam num ritmo muito mais rápido. Além disso, se é a atenção que faz o tempo dilatar, então imagens que atraem ainda mais atenção deveriam fazer com que o efeito *oddball* fosse ainda mais pronunciado. Mas quando Eagleman realizou o experimento com "*oddballs* assustadores" — figuras de aranhas, tubarões, cobras e outros itens de uma base de dados de imagens internacional classificadas por sua ênfase emocional —, eles não retardaram a percepção do tempo mais do que o fizeram os *oddballs* regulares.

Talvez a explicação-padrão tenha invertido tudo, ele pensou. Não é que o *debut* e as imagens *oddball* pareçam durar um pouco mais do que o normal: suas durações *são* normais. E, sim, as durações das imagens subsequentes, que agora são familiares para o cérebro, são um pouco menores do que o normal, e assim o *debut* e as imagens *oddball* parecem durar mais, em comparação. O efeito *oddball* não é uma dilatação no tempo: os itens familiares se contraem. Estudos da fisiologia do cérebro sugerem que algo parecido com isso está em funcionamento. Usando eletroencefalogramas, tomografias computadorizadas e métodos semelhantes de monitoramento das atividades de neurônios, os cientistas descobriram que, quando as cobaias veem (ou ouvem, ou sentem) uma sequência de estímulos repetidos ou familiares, o ritmo dos disparos dos neurônios relevantes diminui à medida que a sequência progride, embora o observador não experimente conscientemente mudança alguma. É como se, com cada visão sucessiva de uma imagem idêntica, os neurônios se tornassem mais eficientes ao processar isso. O fenômeno, conhecido como repetição supressão, pode ser um modo de o cérebro conservar energia; também pode ser uma maneira de permitir que o observador reaja com maior rapidez a eventos repetidos ou familiares. Os neurônios basicamente relaxam, uma economia de esforço da qual a mente consciente na maioria das vezes não tem conhecimento.

Isso poderia explicar os efeitos do *debut* e de *oddball*. Na explicação-padrão, a imagem *oddball* atrai mais atenção, a qual exige energia adicional, que parece dilatar a duração do *oddball*. Mas, se a repetição supressão é responsável, então acontece o contrário: a duração das imagens sucessivas se contrai, em comparação a do *oddball* parece se expandir, e a atenção acompanha. A atenção não distorce o tempo; o tempo se distorce para atrair sua atenção. É mais um golpe para o ego; pensamos na atenção como a expressão de nosso *eu* consciente — "Agora vou olhar para isso" —, mas ela é outra resposta provocada, como o riso da plateia nessas *sitcoms* alegadamente apresentadas ao vivo para uma plateia num estúdio.

Comumente se supõe que ilusões temporais surgem porque em algum nível o cérebro está mantendo etiquetas de qual é a duração real. Em algum lugar ali, assim parece, há um relógio que rastreia o ritmo do tempo "real" e nos avisa quando nossa experiência se desvia dele. No entanto, muitos cientistas começam a se perguntar se é realmente assim. "O cérebro não tem um código para o tempo físico, somente para o tempo subjetivo", disse-me um proeminente psicólogo. Essa noção retrocede até William James, que afirmou que não podemos reportar a duração real, apenas nossa percepção da duração.

A explicação revista do efeito *oddball* parece reforçar esse argumento. A imagem do *oddball* não parece durar mais do que o normal, ela apenas parece durar mais do que a imagem seguinte; sua avaliação de uma duração não é feita isoladamente, apenas em comparação com a duração de outro estímulo.

"Talvez não haja um senso por meio do qual possamos entender a duração em sua forma pura", disse Eagleman. Nosso relógio de duração, como qualquer relógio, só é significante em relação a outro relógio. "Você nunca é capaz de saber a diferença entre uma dilatação temporal e uma contração temporal. A única coisa que você pode perguntar é uma questão relativa: qual pareceu ser a mais longa? Nunca sabemos qual é a 'normal'."

Ele tinha começado um experimento de ressonância magnética funcional (RMf) para explorar a ideia, e eu me voluntariei para fazê-lo. A RMf é uma tecnologia que monitora o fluxo de sangue oxigenado através do cérebro do paciente. O voluntário para a pesquisa fica deitado e imóvel enquanto realiza uma tarefa mental, e a RMf revela, grosso modo, quais regiões cerebrais estão envolvidas. Nesse experimento, os voluntários receberiam uma versão básica do teste do *oddball*. Eles iriam me mostrar uma série de cinco palavras, letras ou símbolos, tais como "1... 2... 3... 4... janeiro", e me perguntariam se tinha aparecido um *oddball*, enquanto a RMf detectaria se meus neurônios tinham ficado mais ou menos ativos durante o *oddball*. Eu provavelmente experimentaria uma distorção de duração durante a RMf, disse Eagleman, mas não me perguntariam sobre isso. Minha resposta neural era o que interessava, não minha resposta consciente.

O laboratório da RMf ficava no fim do corredor. Uma atendente estava junto a um console com um computador; e bem atrás dela havia uma janela comprida que dava para o quarto com a máquina. Pediram-me que esvaziasse os bolsos de qualquer coisa que fosse de metal; entreguei minha caneta, alguns trocados e o relógio de meu sogro. O experimento ia levar 45 minutos ou algo assim, durante os quais eu ficaria deitado e imóvel num espaço exíguo. Ocorreu-me que, em acréscimo a qualquer energia mental que o experimento requeria, eu teria de tentar o máximo possível me lembrar do que estava prestes a acontecer, do contrário não seria capaz de fazer um registro por escrito daquilo. Mencionei para a atendente que nunca tinha estado antes numa RMf.

"Você é claustrofóbico?", ela perguntou.

"Não sei", disse eu. "Vamos descobrir…"

A máquina tinha uma abertura redonda, da qual se estendia uma longa bandeja de metal. Eu me deitei nela, a atendente me deu um par de fones e um controle remoto para minha mão direita e pôs uma armação semicircular, como a máscara de um catcher de beisebol, em meu rosto. Cobriu-me com um lençol para me manter aquecido e depois saiu da sala e apertou um botão, e eu entrei no tubo, a cabeça na frente.

O tubo era pouco mais largo que meu corpo. A toda volta e através de mim eu sentia um pulso continuado dos ímãs que movimentavam a máquina. Ocorreu-me o pensamento, e persistiu, que eu estava numa espécie de útero. Dentro de minha máscara de catcher, a cerca de dez centímetros de meus olhos, havia um pequeno espelho; estava angulado de tal forma que, sem me mexer, eu podia espiar, como se fosse um periscópio, para além de minha cabeça até a outra extremidade, onde vi uma tela de computador, branca e preta — uma luz no fim do túnel. Aquilo era desorientador, e estranhas percepções esvoaçavam por minha mente. Eu estava apoiado em minha cabeça, pernas para o ar, com uma visão distante do solo. Eu estava espiando por uma portinhola. Eu era o homúnculo de alguém, espiando pela íris. O único som era uma vibração ou cintilação eletrônica, como o som de um antigo projetor de cinema, e por um momento me perguntei se não estava assistindo a um filme mudo, ou talvez um filme caseiro de meu próprio passado.

Então algo deu errado. O software que acionava o experimento parou de funcionar; em vez de uma tela branca eu agora estava olhando para um fundo azul carregado de códigos de programação. A voz calma de um estudante de pós-graduação chegou através de meus fones, assegurando-me que aquilo só levaria um instante. Um cursor pulou pela tela, escrevendo uma linguagem incompreensível de letras e símbolos. De repente, tive a sensação muito real, ao mesmo tempo cativante e assustadora, de que eu estava espiando a programação do substrato de minha própria mente. Eu era HAL, no filme *2001: Uma odisseia no espaço*, vendo um humano tentar me consertar. Ou não havia nada de errado comigo, e não existia nenhum estudante de pós-graduação; eu estava meramente refletindo em minha situação e, por causa de uma pane fortuita, tinha erguido a cortina da máquina de reflexão.

A tela ficou novamente branca, e o experimento finalmente começou. Uma a uma apareceram palavras ou imagens: "cama… sofá… mesa… cadeira… segunda-feira". Depois "fevereiro… março… abril… maio… junho", e assim por diante. Depois de cada série, aparecia na tela uma pergunta: "Havia ali um *oddball*?". Minha tarefa era apertar um botão em meu controle remoto — esquerdo para sim, direito para não — para indicar se tinha ou não visto algo que violava a categoria mais ampla. O procedimento era repetido, mais e mais uma vez. As cinco palavras ou imagens apareciam em rápida sucessão, seguidas por uma pausa mais longa antes de aparecer a pergunta, durante a qual a tela ficava branca. Eu havia sido instruído a não apertar o botão sim-não antes de aparecer a pergunta. Enquanto esperava, eu me via caindo no vazio. Ele se envolvia em minha memória, afrouxava minha ligação com o passado, de modo que, quando a pergunta aparecia, eu tinha de me esforçar para lembrar as palavras e imagens que tinha visto apenas alguns momentos antes. *Oddball* — o que significa mesmo *oddball*?

Estou quase adormecendo. Assim que a série termina e vem aquela pausa branca, eu ponho meu dedo no botão correto, para o caso de não me lembrar o que fazer quando chegar o momento de escolher sim ou não. Quando cada imagem aparece, ela se agiganta e parece sempre presente, depois desaparece. Eu diria que estou perdido no agora, mas um fio de pensamentos escorre do — ou vai em direção a um — vago futuro: estou com um pouco de fome; os fones estão começando a machucar minha cabeça; meus pés estão ficando dormentes; quantas perguntas mais vai haver? Adormeço. Acordo. Será isso uma pós-vida? Posso estar fazendo alguma coisa nascer, ou alguma coisa pode estar me fazendo nascer: uma ideia, um código, uma palavra.

Finalmente sou retirado do tubo de metal, e constato que eu sou eu de novo, totalmente vestido, num laboratório em Houston. A atendente do laboratório remove o lençol e a armação de meu rosto. Quando estou saindo, ela me entrega um CD que contém umas cem estranhas imagens em preto e branco do interior de minha cabeça: este é seu cérebro durante esse tempo. Em alguns meses, depois que Eagleman fizer algumas dezenas de voluntários passarem pela RMf e analisar os dados, os resultados vão significar alguma coisa. Por agora, sou um dado num conjunto de dados sendo reunidos.

"Parabéns", diz a atendente, toda alegre. "Você agora é parte da família!"

E se o tempo é pouco mais do que uma outra cor?

Eagleman chegou a pensar que a percepção do tempo, ao menos na escala de milissegundos, é uma questão de eficiência de codificação. Sua avaliação da duração de um estímulo é função direta da quantidade de energia que seus neurônios despendem para processá-lo; quanto mais energia é usada para seu cérebro representar alguma coisa, mais longa parece ser a duração do evento.

Oddballs constituem uma linha de evidência. Quando você vê uma série de imagens idênticas, a amplitude da resposta de seus neurônios diminui; eles despendem menos energia para reproduzir a mesma imagem mais e mais uma vez. Essas imagens são registradas como tendo uma duração menor — mas você não tem consciência disso até surgir a imagem *oddball*, que parece durar mais, em comparação. Em busca de mais evidência, Eagleman reuniu todo artigo de revista sobre o assunto que conseguiu encontrar — cerca de setenta estudos diferentes que envolviam durações de um segundo ou menos. Todos pareciam reforçar sua hipótese. Suponha que um ponto aparece brevemente na tela de um computador e lhe pedem que avalie sua duração: quanto mais brilhante o ponto, mais ele parece ter durado. Da mesma forma, um ponto maior parece durar mais do que um menor; um ponto em movimento parece durar mais do que um estacionário; um que se move rapidamente parece durar mais do que um mais lento; um que cintila rapidamente parece durar mais do que um que cintila mais devagar. Em geral, quanto mais intensa a estimulação, mais longa parece ser a duração. Da mesma forma, números mais elevados parecem ter duração maior do que números mais baixos; se lhe mostrarem um numeral como "8" ou "9" durante cerca de meio segundo, ele vai parecer durar mais do que um número menor, como "2" ou "3", que visualmente têm o mesmo tamanho e são mostrados com uma duração idêntica. Estudos de imagens do cérebro mostram resultados paralelos: um objeto maior desencadeia uma resposta neural no observador maior do que um objeto menor; algo mais brilhante desencadeia uma resposta neural maior; objetos que se movem ou cintilam mais rapidamente ou aumentam de tamanho desencadeiam todos uma resposta neural maior. Tempo — duração — parece ser o modo de o cérebro expressar quanta energia está despendendo na tarefa.

Nesse aspecto, a duração pode ser muito parecida com a cor, disse Eagleman. As cores não existem fisicamente no mundo; em vez disso, nosso sistema visual detecta certos comprimentos de onda ou radiação eletromagnética — um espectro estreito deles, aliás — e os interpreta como vermelho, laranja, amarelo, e assim por diante. "Vermelhice" não está associada a uma maçã vermelha, e sim assoma no cérebro como uma tradução da energia irradiada de um objeto. Talvez a duração seja, de modo análogo, desenhada pela mente. "Em laboratório, podemos fazer com que algo pareça durar mais ou menos, porque não há uma sensação na qual o tempo é uma 'coisa verdadeira' que seu cérebro registra passivamente", disse ele. A noção de que o tempo talvez não seja mais real do que uma cor "soa completamente maluca", ele reconheceu. "É óbvio que, se alguém ouvisse isso, diria: 'Bem, e quanto à trajetória de meu senso do *eu*? E quanto à narrativa de minha vida?'"

Uma tarde entrei na picape de Eagleman e fomos para Dallas, para o Zero Gravity Thrill Amusement Park [Parque de Diversões e Aventura Gravidade Zero], uma viagem de quatro horas. Não passou muito tempo e deixávamos para trás os subúrbios de Houston e entrávamos nas planícies do Texas; áridas, marrons, vazias de tudo, a não ser paradas de ônibus e restaurantes de fast-food. Em certo momento passamos por uma grande placa de madeira onde se lia: "Perdido: o mapa é o meu livro". Ou seria "o livro é o meu mapa"? Passamos por ela a mais de 120 por hora.

O experimento de queda livre se tornou uma espécie de marca registrada de Eagleman. A ideia é simples e direta: o voluntário é colocado numa situação — nesse caso, uma queda livre controlada — assustadora o bastante para fazer o tempo parecer passar mais devagar, e Eagleman tenta medir o que "passar mais devagar" realmente significa. É uma recapitulação de seu acidente na infância, mas também tem a ver com a metáfora do filme: quando o tempo passa mais lentamente, quão ampla é essa percepção? A essa altura eu tinha lido e ouvido muitos relatos pessoais em que o tempo parava. Até mesmo minha mãe me contou uma história: estava um dia dirigindo na estrada quando uma geladeira caiu de um caminhão bem na frente dela e ela desviou, aparentemente em câmera lenta, contornando-a. Mas nada disso jamais acontecera comigo. Por 32,99 dólares mais impostos, a queda livre no Zero Gravity parecia ser uma maneira segura e fácil de ter acesso a essa experiência alegadamente profunda e psicodélica, então me dispus a fazê-la.

A chave desse experimento era um dispositivo parecido com um relógio de pulso que Eagleman havia projetado; ele o chamou de um "cronômetro perceptual". Tinha um grande mostrador digital, mas, em vez de mostrar o tempo, ele mostrava um número e sua imagem em negativo, numa sucessão rápida, assim:

Quando o ritmo dessas alternações é relativamente lento, a pessoa pode perceber qual é o número, mas, se o ritmo acelerar além de certo limite, as imagens perceptualmente se sobrepõem e se anulam umas às outras, assim a pessoa só vê uma tela branca. O limite é diferente para cada participante; antes da queda livre, Eagleman determina qual será para cada indivíduo e regula o ritmo das alternações para ser alguns milissegundos mais rápido. Eu ia usar o dispositivo e olhar para ele enquanto caía. Se o tempo realmente parecesse passar com mais lentidão, eu deveria ser capaz de perceber mais por unidade de tempo, e dizer corretamente qual era o dígito no mostrador.

O parque de diversões ficava a alguns quilômetros de Dallas, depois de uma série de postos de combustível e ao longo de uma estrada suja ladeada por jovens árvores que começavam a deitar folhas. Quando nos aproximamos pude ver, acima da copa das árvores, a metade superior de uma esguia estrutura de metal; parecia-se vagamente com a Torre Eiffel, mas era muito menor e pintada de azul. Eagleman viu que eu estava tomando notas e ofereceu uma narrativa em viva voz: "Eles seguem por uma estrada estreita e suja, uma torre à distância...".

Eu tinha imaginado um grande parque de diversões cheio de gente, na escala de um Six Flags. Mas lá só havia uma pequena construção branca onde os bilhetes eram vendidos, e atrás dela cinco brinquedos do tipo aventura. O maior deles era a torre azul que eu tinha visto à distância — a atração "Nothin' but Net 100-foot Free Fall" [Nada a não ser uma rede e uma queda livre de trinta metros]. Tínhamos vindo numa tarde de sexta-feira e só havia mais duas pessoas lá — dois jovens, gêmeos idênticos, com amplos sorrisos e cabelo cortado curto. Um deles ia se casar no dia seguinte.

Quando Eagleman e seus colegas começaram a pensar pela primeira vez em como projetar esse experimento, eles foram a Astroland e passaram por todas as montanhas-russas, mas nenhuma pareceu ser assustadora o bastante para induzir uma distorção na duração do tempo. Olhando de relance, esta não me pareceu tampouco muito assustadora, mas as outras atrações sim. O "Lançador do Texas" era uma atiradeira gigante: uma esfera de metal que acomodava dois passageiros sentados, pendurada entre dois mastros com quinze metros de altura por grossas cordas tipo elástico; a esfera era esticada junto ao solo e depois atirada no ar, onde ficava balançando e girando. O "Arranha-Céu" parecia um moinho de vento com duas pás, com uma altura de cinquenta metros; havia uma cápsula para um só passageiro na extremidade de cada lâmina, e a coisa toda girava numa velocidade desagradável. "Nothin' but Net" parecia ser tranquilo, em comparação: uma pequena plataforma quadrada no topo, a sessenta metros de altura, e duas redes, uma debaixo da outra, a quinze metros do solo, esticadas entre as quatro pernas da torre.

"Vou lhe dizer uma coisa, é totalmente seguro", disse Eagleman. De algum modo, até então a questão da segurança não me ocorrera a sério. "Eu vi todas as estatísticas dessas coisas. Nunca houve um acidente."

Nós nos sentamos a uma mesa de piquenique e olhamos os gêmeos irem para a torre. Eles estavam de pé na plataforma, usando arneses, armações feitas de correias, junto com o operador, um homem musculoso usando uma camiseta. A plataforma tinha uma abertura quadrada no meio; o operador prendeu o cabo num dos gêmeos, na parte da frente, em seguida o posicionou cuidadosamente de costas para o solo por cima da abertura e depois através dela, de modo que ele ficou pendurado debaixo da plataforma. Então o gêmeo caiu, mergulhando como uma pedra dentro da rede, que inflou com o impacto. Poucos minutos depois o outro gêmeo caiu. Eagleman sugeriu que eu adivinhasse quanto tempo tinham durado as quedas, e escreveu os números: 2,8 segundos e 2,4 segundos. Quando os irmãos terminaram, eles passaram por nós com os olhos bem abertos. "A queda é mais longa do que você pensa", disse um deles.

Era minha vez. As redes tinham sido arriadas até o solo para os gêmeos saírem. Depois a plataforma desceu, como um elevador, e eu subi nela. O operador me ajudou a entrar nas correias, que eram surpreendentemente pesadas; o peso era calculado em detalhes para garantir que eu não rolasse enquanto caía, ele disse, e pousasse na rede de costas, semirreclinado. Ele prendeu minha correia num trilho para evitar que eu caísse acidentalmente antes de a rede estar posicionada. Então a plataforma estremeceu e começou a subir. Quando estávamos perto do topo, os cabos que erguiam a plataforma começaram a estalar de modo enervante, e nós oscilamos levemente na brisa. Lembrei-me de repente que tenho um medo terrível de altura; eu olhava em volta e para cima, qualquer lugar menos para baixo, pela abertura no meio da plataforma. A oitocentos metros de distância eu conseguia ver buldôzeres e outras máquinas de terraplenagem levantando nuvens de poeira cinzenta numa pedreira. Em outra direção, além da estrada, um circuito de karts estava em construção, e, além dele, a autoestrada.

A plataforma parou. O operador me desprendeu do trilho e depois prendeu um cabo que estava acima de minha cabeça na parte da frente do arnês. Seus movimentos eram rápidos e cirúrgicos, como os de um carrasco numa forca. Ele propôs que eu largasse o trilho, e eu notei que minhas mãos estavam agarradas nele; levei alguns momentos para soltá-las. Ele me instruiu a ficar de pé de costas para a abertura e depois deitar de costas através dela e deixar meu peso esticar o cabo. Eu poderia ser um menino em seu balanço feito com um pneu, exceto pelo fato de estar a sessenta metros de altura, tremendo na brisa.

Com grande cuidado ele me pôs atravessado na abertura e depois lentamente me fez passar por ela. Fez alguns ajustes finais. Eu estava pendurado e olhando para cima — para minha corda umbilical; para minhas mãos, que a agarravam; para o céu. Talvez porque não pudesse mais ver o solo, meu terror foi se dissipando. O puxão da gravidade era poderoso, quase magnético, e estranhamente reconfortante.

Eu teria de largar o cabo, disse o operador. Contra todos os meus instintos, eu o fiz. Fechei minha mão esquerda em punho e a segurei firmemente com a direita; desse modo, o dispositivo de Eagleman, que estava preso em meu antebraço esquerdo, estaria perfeitamente à vista quando eu estivesse caindo. Fixei meu olhar em seu pequeno visor, onde, alegadamente, algum número zumbia para mim — positivo, negativo, positivo, negativo, rápido demais para eu poder dizer qual era —, e esperei voltar para a terra.

E então estou caindo.

Lembro-me do estalido metálico quando o fecho de meu arnês foi solto do cabo. Mas esse som veio depois. Primeiro, e imediatamente, eu estava sendo puxado, quase arrancado para baixo, como se estivesse preso a uma âncora ou um lastro que foi atirado por sobre a amurada de um barco e então percebi que o peso sou eu: eu sou a âncora que está afundando.

Só depois, pós-fato, o clique do fecho do arnês se registra em meu ouvido. Estou solto. Uma sensação de aperto no estômago, induzida pela aceleração para baixo. Ela se intensifica e me deixa tonto; fico com medo de que nunca vá parar e sim crescer e me esmagar por dentro. "Vejo que o tempo é uma espécie de esforço ou tensão", escreveu Agostinho. "E eu ficaria muito surpreso se não for a tensão da própria consciência." Eu não tenho pensamentos; sou todo tensão, puro peso.

Minha própria definição do presente não é científica; só o tempo suficiente para perceber que você está pensando sobre o presente, em cujo tempo você é levado ao momento seguinte. Quando estou caindo, a sensação se acumula — o clique da liberação do arnês, meu corpo pesado como chumbo — e sinto que minha consciência vai juntando as peças, coalescendo em torno de uma palavra ou termo que capture a situação. Um pensamento está surgindo, ele quase existe, é... *Quanto tempo isso vai durar?* E com a peremptoriedade do cimento, tudo acaba. Eu atinjo a rede, mergulho fundo nela, e sou baixado até o solo.

Não me senti bem na viagem de volta para Houston. Meu pescoço doía do pouso na rede, que não foi tão suave quanto eu tinha imaginado, e eu estava com dor de cabeça. Estava com sede. Para ser franco, eu me sentia esvaziado. Uma vez, anos atrás, fui fazer um salto de paraquedas. Lembro vividamente o sentimento de puro terror quando nosso avião, muito pequeno, foi subindo até 4 mil metros, um barco a motor no céu; a fé necessária para se deixar rolar pela porta no ar vazio; e depois a inação da queda, pois na velocidade terminal você não sente que está caindo. Achei a experiência de Dallas semelhante: uma oportunidade pouco mais do que efêmera para internalizar meu entorno, para ver o céu recuar. Agora já passou, e restou tão pouco para lembrar.

Eagleman tinha me instruído a manter o olhar no cronômetro enquanto caía e tentar distinguir o número em seu mostrador. Agora ele me perguntou sobre isso.

"Ei, então, você viu o número?"

Eu não tinha visto. O clarão do sol ofuscara minha visão do mostrador, ou talvez eu estivesse com o braço num ângulo errado. Eagleman já havia feito o experimento com 23 voluntários — uma amostragem muito pequena, ele admitiu prontamente. Em média, eles relataram que suas quedas tiveram uma duração 36% maior do que a das quedas que tinham presenciado. Mas nenhum deles fora capaz de ler o número no dispositivo em seu pulso.

"As pessoas não são capazes de ver em câmera lenta o que você seria capaz de fazer se a percepção visual fosse como a de uma câmera de vídeo", disse ele. "Se você retardasse o tempo em 36% — se estivesse reduzindo em 36 a velocidade de filmagem de uma câmera —, facilmente seria capaz de ler esse número do mostrador na velocidade em que o apresentamos. Você pode distorcer a duração, mas não é o 'tempo' que fica mais lento."

Por que, então, minha própria queda pareceu durar mais do que aquela à qual eu tinha assistido? Supus que a adrenalina estivesse envolvida, mas a adrenalina funciona com relativa lentidão, observou Eagleman: primeiro o sistema endócrino é notificado, o que o faz liberar hormônios que excitam as glândulas suprarrenais para que liberem seus hormônios. Neurônios dos olhos e dos ouvidos se conectam diretamente com a amígdala do cerebelo, que pode então enviar mensagens para o resto de seu cérebro e de seu corpo. A amígdala é um megafone, amplificando e retransmitindo os sinais que chegam, para despertar atenção imediata; ela pode responder em um décimo de segundo, mais rápida do que regiões superiores do cérebro, como o córtex visual. Se você vir uma cobra ou mesmo uma forma que se parece com uma, a amígdala faz soar o alarme, possibilitando que você pule antes de se dar conta do que viu. E como a amígdala está conectada a todas as partes do cérebro, isso pode atuar também como um sistema de memória secundário, transmitindo memórias de uma forma particularmente rica.

Um corpo em queda livre "está num modo de pânico total, indo contra todo instinto darwiniano que você possui", disse Eagleman. "Sua amígdala está gritando." Suas sensações desse evento, conquanto fugazes, passam pela amígdala, onde ganham textura adicional ao ser pressionadas para dentro da memória; é um pouco como gravar um vídeo em alta resolução em vez da resolução-padrão. Em retrospecto, quando você está no solo refletindo sobre a queda, essa riqueza adicional que é a memória cria a impressão de que a queda durou mais do que realmente durou. Se essa distorção de duração é útil — se de fato você pode reagir mais rápido ou mais sensatamente —, é muito difícil dizer. "Há muitas coisas que o experimento não pode afirmar ou descartar", disse Eagleman. "Mas o que pode descartar, pelo menos, é que o mundo inteiro fica mais lento, como numa câmera de cinema. Até agora não temos evidência de que isso possa acontecer."

No começo

Adam tem dez meses de idade, um bebê robusto com grandes olhos castanhos. Está sentado confortavelmente numa cadeira alta, num quarto pequeno, escurecido, quase à prova de som, num laboratório de psicologia, e está olhando alternadamente para dois monitores de computador dispostos lado a lado sobre uma mesa diante dele. Em cada tela está passando um vídeo. As duas mostram o rosto de uma mulher que olha diretamente para Adam e fala devagar. É a mesma mulher nos dois vídeos, com a mesma expressão sorridente, os olhos brilhantes, mas não há áudio, só o movimento dos lábios.

De vez em quando, por segurança, Adam olha para sua mãe, sentada tranquilamente ali perto. Entre os dois monitores há uma pequena câmera, apontada para Adam, que transmite ao vivo um vídeo de seu rosto para um monitor no lado de fora do quarto, onde dois assistentes e eu observamos os olhos de Adam circulando e sua expressão mudar, ora envolvido, ora desconfiado, ora entediado, e de novo curioso num intervalo de poucos segundos. Atrás de nosso monitor há uma janela que permite ver numa só direção, com visão direta de Adam em sua cadeira. O cenário é bem como o de uma dessas casas malucas em parque de diversões: estamos observando Adam pela janela enquanto ele observa os dois rostos em seus monitores, e ao mesmo tempo vemos seu rosto aparecer em nosso monitor. De vez em quando Adam olha diretamente para a câmera, e eu tenho uma breve, estranha impressão de que ele está nos observando, ou sabe que o estamos observando. Seu olhar logo se volta de novo para os dois rostos à sua frente; ele espia, aponta, ergue as sobrancelhas. Na escassa luz, em seu arnês com cinco pontos, Adam se parece um pouco com um piloto ou astronauta olhando para o espaço à sua frente.

O laboratório é de David Lewkowicz, um psicólogo desenvolvimental da Northeastern University. Nos últimos trinta anos, Lewkowicz tem procurado entender como a mente incipiente se ordena e dá um sentido à informação sensorial que flui desde o momento do nascimento e até mesmo antes. Como o cérebro rastreia os tempos de chegada de diferentes pedaços de dados, e como os integra para nos oferecer uma experiência unificada? Como ele sabe quais propriedades e eventos estão juntos no tempo? O poder e a sutileza dessa aptidão são evidentes nos dois vídeos diante de Adam. Para um observador adulto, é óbvio que a mulher está dizendo coisas diferentes em cada vídeo, mesmo não havendo áudio; o movimento dos lábios nas duas telas não é o mesmo. Depois de alguns momentos aparece o som, e a voz da mulher se torna audível. "Levante-se", ela está dizendo numa voz cantarolada. "Levante-se agora mesmo. Hoje teremos aveia no desjejum! Depois teremos tempo para ficar de bobeira pela casa..." O monólogo se encaixa com o rosto à esquerda; eu parei o áudio e o vídeo de modo tão intuitivo — o som e o movimento dos lábios entram em instantânea sincronia — que minha atenção se volta imediatamente para o rosto que fala; a outra face poderia nem estar lá. Às vezes, em vez desse, outro monólogo fica audível — "Você vai me ajudar a arrumar a casa hoje?" — e eu imediatamente o conecto com a tela à direita. Algumas experiências utilizam o rosto alegre e sorridente de uma mulher diferente, e sua voz fala em espanhol. A aptidão de um adulto para detectar sincronia é tão poderosa que, mesmo sem compreender a língua, sei a qual dos dois pares de lábios em movimento pertencem as palavras.

Será que um bebê possui a mesma aptidão? Parecia improvável. Um recém-nascido não escuta bem, não é capaz de se focar visualmente em nada que esteja muito além de uns trinta centímetros, e sua experiência no mundo é limitada. "O bebê, acossado por olhos, ouvidos, nariz, pele e entranhas, ao mesmo tempo sente tudo isso como uma grande, crescente e zumbidora confusão", propôs William James em 1890. Pode ser. Mas Lewkowicz descobriu que os bebês começam a perceber uma ordem naquele remoinho surpreendentemente cedo. Ele realizou o experimento do rosto que fala em centenas de bebês e infantes. Eles observam os dois rostos lado a lado, os lábios se movendo em silêncio, durante um minuto. Depois vem o áudio, e os pesquisadores olham a tela para ver se os olhos dos bebês se demoram numa das faces que falam mais do que na outra. Com notável consistência, crianças de até quatro meses demonstram preferência pelo rosto que efetivamente coincide com a voz — apesar do fato de que a criança nunca tinha visto o rosto antes, não compreendia as palavras e pode nem estar familiarizada com a cadência da língua.

Em vez disso, argumenta Lewkowicz, o bebê faz corretamente a correspondência pelos meios mais simples, associando os começos e as paradas do fluxo de áudio com os começos e paradas do fluxo visual. Os infantes percebem a sincronização, reconhecem quando as coisas acontecem juntas no tempo. A ideia de *cedo* virá logo; a de *posteriormente*, mais tarde. Mas primeiro, e desde uma tenra idade, os humanos distinguem o agora do não agora, e essa distinção é suficientemente poderosa para dar partida em nosso desenvolvimento sensorial. "Você legalmente é cego", diz Lewkowicz. "Sua audição quase não funciona. Ou tudo é uma grande, crescente e zumbidora confusão, ou você dispõe de algum mecanismo básico, primitivo, que faz você se erguer e funcionar. E esse mecanismo é a sincronia."

Em 1928, importantes físicos, filósofos e cientistas naturais se reuniram em Davos, nos Alpes Suíços, para uma conferência e troca de ideias. Até então, essa estância alpina era conhecida principalmente como um sanatório, um refúgio com ar claro e limpo para mentes em recuperação e corpos alquebrados. Hans Castorp, o protagonista do romance de 1924 de Thomas Mann, *A montanha mágica*, vai a Davos para visitar um primo tuberculoso; ele desliza no ritmo langoroso das montanhas, olha seu relógio de bolso e considera a natureza subjetiva do tempo como Mann a destilara de Heidegger, Einstein e outros pensadores contemporâneos. Castorp se pergunta por que mineiros, presos numa caverna, saem de lá dez dias depois pensando que só tinham se passado três. Por que "interesse e novidade dissipam ou reduzem o conteúdo do tempo, enquanto a monotonia e o vazio dificultam sua passagem"? O que achamos de um homem que se permite o hábito de dizer "ontem" em vez de "um ano atrás"? E também, pergunta ele, "será que as conservas hermeticamente seladas na prateleira estão fora do tempo?".

Em 1928, com a tuberculose e o negócio do sanatório em declínio, Davos começou a se reformular como um spa intelectual. Einstein foi convidado a presidir a primeira conferência em Davos. Gandhi deu uma palestra lá, assim como Freud. Outro palestrante foi o psicólogo Jean Piaget, que com 31 anos de idade já era conhecido por seus estudos sobre como a criança vem a compreender o mundo. Quando criança, Piaget se interessara ativamente pelo mundo natural; sua primeira observação científica, com onze anos, foi o aspecto de um pardal albino — ou, como ele cautelosamente descreveu, "um pardal que apresenta todos os sinais visíveis de um albino". Começou sua carreira como zoólogo, estudando moluscos, mas logo se preocupou com a questão de como se desenvolve com o tempo o pensamento de uma criança. Propôs que nascemos no mundo com nossos cinco sentidos desconectados um do outro; apenas mediante experiência — tocando, mordendo, brincando, e desse modo interagindo com coisas — é que esses sentidos começam a se sobrepor e se comunicar entre si. Aos poucos aprendemos qual input se associa a qual, e desenvolvemos uma rica compreensão de "o que é" qualquer objeto específico: uma colher tem esta e esta aparência; ela transmite esta sensação ao se tocá-la; ela emite certo som quando se bate com ela na mesa. Muitos dos exemplos que Piaget apresentou derivavam de estudos detalhados de seus próprios filhos. Ele realizou com as crianças experimentos simples, tomou notas criteriosas, e sabia quase numa base diária quais percepções estavam se manifestando. Atualmente suas ideias-chave são tidas como óbvias: que as crianças percebem o mundo diferentemente dos adultos, e que sua percepção coalesce à medida que seus sentidos amadurecem e se integram, um processo que leva anos.

Depois da palestra de Piaget, Einstein se aproximou dele com uma série de perguntas. Como, perguntava o físico, as crianças vêm a compreender duração e velocidade? A velocidade é definida tipicamente como uma função de distância em relação a tempo — metros por segundo, quilômetros por hora. É assim que a criança primeiro a concebe? Ou sua noção de velocidade é mais primitiva e intuitiva? Uma criança capta ao mesmo tempo as noções de velocidade e de tempo, ou uma antes da outra? A criança entende o tempo como "um relacionamento, ou uma intuição simples e direta"? Piaget começou a investigar, e seus estudos se tornaram a base de seu livro de 1969 *A noção de tempo na criança*. Num experimento que envolveu crianças de quatro a seis anos de idade, ele pôs diante de seu sujeito de pesquisa dois túneis, um dos quais era claramente muito mais longo que o outro. Depois, com hastes de metal, Piaget empurrou uma boneca através de cada túnel, de modo que ambas as bonecas chegavam à extremidade de seu respectivo túnel ao mesmo tempo. Como descreveu Piaget: "Perguntamos à criança: um dos túneis é mais longo do que o outro?".

"Sim, este aqui."

"As duas bonecas atravessam os túneis com a mesma velocidade, ou uma é mais rápida que a outra?"

"A mesma velocidade."

"Por quê?"

"Porque chegaram ao mesmo tempo."

Piaget realizou muitas iterações do experimento. Usou caramujos movidos a corda e trens de brinquedo e até correu em volta do recinto com a criança. O cientista e seu sujeito começavam ao mesmo tempo e paravam ao mesmo tempo, mas Piaget corria um pouco rápido e deixava a criança um pouco para trás. "Começamos juntos? *Sim.* Paramos juntos? *Ah, não.* Quem parou primeiro? *Fui eu.* Algum de nós parou antes do outro? *Sim, eu.* Quando você parou, eu ainda estava correndo? *Não.* E quando eu parei você ainda estava correndo? *Não.* Então nós paramos ao mesmo tempo? *Não.* Nós corremos durante o mesmo tempo? *Não.* Quem correu mais tempo? *Foi você.*" Esse diálogo era típico, descobriu Piaget. Uma criança pequena é capaz de perceber simultaneidade — duas pessoas começando a correr e parando ao mesmo tempo —, mas, se Piaget e seu objeto percorreram diferentes distâncias, a criança confundia distância física com duração. Tempo e espaço, velocidade e distância, tudo era uma coisa só.

O trabalho de Piaget deixou claro que aquilo a que os adultos às vezes se referem como nosso "sentido do tempo" na verdade tem muitas facetas, que não surgem de uma só vez. "A noção do tempo, como a do espaço, é construída pouco a pouco e envolve a elaboração de um sistema de relações", ele concluiu. Nas décadas que transcorreram desde então, psicólogos desenvolvimentais desenredaram o tempo em vários filamentos, inclusive a percepção que se tem de duração, ritmo, ordem, tempo verbal e unidirecionalidade do tempo. Num experimento, William Friedman, um psicólogo do Oberlin College que escreveu quase tanto quanto Piaget sobre a percepção de tempo das crianças, mostrava a bebês de oito meses um videoclipe de um biscoito que cai no chão e se parte. As crianças achavam o vídeo muito mais atraente quando Friedman o passava em reverso, o que sugere que elas tinham alguma noção da direção do tempo: sabiam reconhecer uma visão estranha quando a viam.

Quando uma criança tem três ou quatro anos, começa a se instalar nela um senso de cronologia. Katherine Nelson, uma psicóloga da City University de Nova York, descobriu que os jovens sujeitos de seu experimento eram capazes de responder a perguntas vagas — "O que acontece quando...?" — com uma precisão surpreendente. A maioria compreende que fazer um biscoito envolve pôr a massa no forno, tirar de lá e comer o resultado, nessa ordem. Mostre a uma criança pequena a figura de uma maçã, e depois a de uma faca, e ela vai tirar corretamente a figura de uma maçã cortada como a imagem seguinte da sequência.

Mais ou menos aos quatro anos, uma criança tem uma percepção relativa da duração de eventos comuns: assistir a um desenho demora mais do que tomar um copo de leite, e dormir à noite demora mais ainda. Se ela escuta um som durante cerca de quinze segundos, é capaz de reproduzir corretamente sua duração. Porém o passado e o futuro são mais confusos. Uma criança geralmente fala no tempo verbal correto aos três anos, mas talvez não perceba a diferença entre "antes" e "depois" até os quatro anos. Pergunte a uma criança com quatro anos em que hora do dia ela esteve na escola sete semanas atrás, e a maioria vai dizer "de manhã", mas não vai lembrar se era verão ou inverno. Pergunte a uma criança de cinco anos em janeiro o que acontece primeiro, o Natal ou seu aniversário em julho, e ela provavelmente dirá que é o Natal. Nessa idade, descobriu Friedman, os eventos do passado residem na mente como em ilhas de tempo — nitidamente estão lá, mas ainda não relacionadas entre si ou como parte de um arquipélago maior. A paisagem de eventos futuros é ainda mais incipiente, conquanto não imprevisível. Aos cinco anos, descobriu Friedman, as crianças compreendem que os animais crescem, e não encolhem, e que uma rajada de vento vai lançar uma pilha de colheres de plástico girando no ar, mas não irá empilhá-las de novo.

Esses níveis de conhecimento temporal são na maior parte aprendidos, dizem os psicólogos — absorvidos enquanto crescemos em nossa vida social. Se mostramos a uma criança de seis anos um conjunto de cartões que retratam vários eventos de um dia típico na escola, ela é capaz de pô-los na ordem cronológica correta ou até mesmo na ordem inversa. Aos sete, é capaz de realizar corretamente uma tarefa semelhante que envolve estações do ano e feriados no espaço de um ano, mas apenas na ordem direta. A organização do tempo em ordem inversa — "Se estivermos em agosto e você está voltando atrás no tempo, o que vem primeiro, o Dia dos Namorados ou a Páscoa?" — não ocorre facilmente enquanto ela não é pelo menos uma adolescente. Essa disparidade reflete sua experiência acumulada, acredita Friedman. Aos cinco anos, uma criança já repetiu os eventos de um dia típico — acordar, desjejum, almoço, lanche, jantar, história, cama — centenas de vezes, enquanto seus encontros com meses e com feriados (isto é, dias que são distintos um do outro o bastante para merecer nomes individuais) ainda são relativamente poucos. Leva tempo para perceber o tempo.

E o modo como aprendemos sobre o tempo afeta o nível de facilidade com que lidamos com ele. Um motivo de as crianças jovens terem dificuldade para pensar em meses e dias da semana em ordem inversa, descobriu Friedman, é que o aprendizado inicial é frequentemente baseado em listas. Aprendemos os dias da semana e os meses como séries — "segunda-feira, terça-feira, quarta-feira, quinta-feira" —, de forma muito parecida a como aprendemos as letras do alfabeto. Responder a uma pergunta como "O que vem primeiro, fevereiro ou agosto?" é apenas repassar a lista internamente. (Estudos demonstraram que crianças pequenas muitas vezes movem os lábios quando estão resolvendo problemas assim.) Mas só aprendemos essas listas em sequência; pode levar anos, até nossa adolescência, para liberar os itens desse esquema o bastante para aprender como se relacionam em ordem inversa. A cultura e a língua desempenham sua parte também. Um estudo com crianças americanas e chinesas da segunda e da quarta séries descobriu que as crianças chinesas tiveram muito mais facilidade em responder a perguntas como "Qual é o mês que vem três meses antes de novembro?". Isso porque em mandarim os dias da semana e os meses têm nomes numéricos; novembro é o "mês onze". Uma pergunta sobre ordem no tempo requer que as crianças americanas manipulem palavras numa lista memorizada; para estudantes chineses, é um problema de matemática, e é resolvido rapidamente.

Lewkowicz descobriu Piaget no último ano do ensino médio. Em 1964, quando tinha treze anos, sua família emigrou da Polônia para a Itália e de lá para os Estados Unidos. Quando pousaram em Baltimore, ele não falava inglês. Lembra-se de seus primeiros anos nos Estados Unidos como socialmente desnorteantes, mas muito menos adversos do que os que passara em seu entorno na Polônia, onde judeus não eram bem-vindos. Em seu último ano no ensino médio ele estava trabalhando como salva-vidas; achava entediante, mas gostava de observar o ambiente a alguma distância. Ele leu Piaget, que abriu seus olhos para o estudo da psicologia e do comportamento de crianças — para a compreensão, diz Lewkowicz, "do lugar de onde tudo vem".

Lewkowicz é magro e saudável, seu cabelo começa a ficar prateado; só ocasionalmente sua voz deixa perceber um sotaque europeu oriental. Mais de uma vez durante minha visita a seu laboratório ele exclamou, sincero: "Gosto do que faço!". Em certo momento nos juntamos a dois estudantes de pós-graduação que estavam revendo o vídeo de um experimento que tinham realizado mais cedo naquele dia. O rosto de um bebê de oito meses assomava no monitor, os olhos bem abertos. "Nossos dados estão bem aí", disse Lewkowicz entusiasmado. "Os olhos são nossa janela para tudo. Tudo o que fazemos é avaliar para onde estão olhando." Bebês podem não falar, mas expressam uma métrica quantificável em seu olhar. Nos experimentos de Lewkowicz, que seguem um protocolo comum, ele mostra ao bebê algo num monitor de computador vezes seguidas, até a criança perder o interesse e desviar o olhar. O pesquisador, olhando remotamente para os olhos do bebê, clica e mantém clicado o mouse do computador quando o bebê olha para a tela, e solta quando seu olhar se desvia; a duração do clique dá uma medida da atenção. Quando a duração da atenção da criança cai abaixo de um certo limite depois de três tentativas, o computador automaticamente mostra à criança um novo estímulo na tela.

"O bebê está no comando", disse Lewkowicz. "Ele chega a nos dizer o que quer ver. E nos dá uma dica do que está acontecendo no cérebro. Bebês tendem a procurar coisas novas; estão sempre buscando uma nova informação, procurando novidades. O que fazemos é entediá-lo até não poder mais. Nós lhes mostramos o mesmo evento mais e mais uma vez, e depois mudamos algum aspecto para ver se eles detectam a mudança; se detectarem, isso sugere que aprenderam como é o evento original. Nós apenas mantemos nosso dedo apertando o botão para medir durante quanto tempo o bebê está olhando. É fácil de fazer, e muito poderoso."

Entre os pesquisadores que estudam a percepção do tempo, crianças são ainda uma espécie de fronteira; Friedman descreveu a primeira infância como "uma espécie de terra árida para quem estuda o desenvolvimento cognitivo". Porém o advento de computadores e equipamentos que rastreiam o olhar tornou mais fácil examinar essas primeiras semanas e meses de vida e começar a compreender o que os humanos sabem sobre o tempo quando entram nesse mundo brilhante. Por exemplo, demonstrou-se que crianças com um mês de idade são capazes de distinguir entre fonemas como *pat* e *bat*, cuja diferença na duração da pronúncia é de apenas dois centésimos de segundo. Outro estudo descobriu que crianças com dois meses são sensíveis à ordem das palavras numa sentença; se uma faixa sonora com uma sentença como "Os gatos sabem pular cercas" fosse tocada repetidamente para a criança, e a sentença de repente fosse mudada para "Os gatos pular sabem cercas", a atenção do bebê ficava espicaçada. Em certo momento, Lewkowicz me mostrou um experimento que envolvia diferentes formas — triângulo, círculo, quadrado — caindo uma por uma do topo para o fundo de uma tela de computador, cada uma aterrissando com um ruído diferente, um *bonk*, um *bip* ou um *bing*. Ele mostrava aos objetos de seu experimento, todos entre quatro e oito meses de idade, uma mesma determinada sequência até eles se acostumarem com ela e perderem o interesse; mostrava então outra sequência — as mesmas formas e os mesmos sons, mas caindo numa ordem diferente — para ver se eles percebiam. Quase sempre eles percebiam, o que para Lewkowicz revelava uma consciência razoavelmente sensível de ordem temporal.

"De fato não existe uma grande literatura sobre isso", disse Lewkowicz. "Houve essa explosão na pesquisa do início do desenvolvimento cognitivo em todo tipo de aspectos, mas o tempo não foi um deles. No entanto, é um aspecto básico deste mundo." Ele acrescentou: "Os bebês vivem num mundo temporal muito diferente do nosso, eu acho. Gostaria de entrar na cabeça deles e sair novamente".

Quando era um estudante universitário, Lewkowicz fez parte de uma equipe que estudava o comportamento sexual dos polvos, e ajudou a construir o primeiro laboratório-aquário que conseguiu manter os animais vivos em recinto fechado. Como estudante de pós-graduação, trabalhou num centro de tratamento intensivo neonatal, estudando se a iluminação da unidade durante 24 horas e o barulho constante poderiam afetar o desenvolvimento dos recém-nascidos. Ele se perguntava, entre outras coisas, por que 90% dos infantes num berçário ficam deitados com a cabeça voltada para a direita. (Isso ainda é uma questão em aberto; alguns pesquisadores acham que pode estar relacionado com — ou até contribuir para — a prevalência da destreza, o uso preferencial da mão direita, em nossa espécie.) E, baseando-se em Piaget, ele começou a examinar como a mente humana, mesmo muito cedo em seu desenvolvimento, começa a integrar a informação sensorial que inunda seu sistema.

Nos primeiros dois ou três anos de vida, infantes humanos são animais subcorticais. O córtex cerebral — as várias e ricas camadas externas de neurônios que ajudam o cérebro a organizar percepções e fornecem um fundamento para o pensamento abstrato e a linguagem — ainda não está online nem começou a influenciar ou a inibir as muitas funções básicas do sistema nervoso. Assim que o córtex entra em ação, uma criança começa a sorrir; é como se finalmente tivesse despertado para o mundo. "Até então", disse Lewkowicz, "você tem a sensação de que elas não estão plugadas." Um desses primeiros experimentos demonstrou que, nessas semanas iniciais, uma criança organiza seu mundo sensorial com base não no tipo de informação que flui para dentro dela, mas simplesmente em sua quantidade. Os adultos têm essa capacidade; se você mostrar a um adulto pequenos fragmentos de luz de intensidade variada e depois fazer com que ouça sons em vários volumes, ele poderá combinar luz e som segundo suas amplitudes: esta luz é tão brilhante quanto este som é alto. Lewkowicz descobriu que crianças com três semanas são capazes de fazer conexões semelhantes.

"Ao nascer, bebês podem conectar informação auditiva com informação visual, num nível muito rudimentar, em termos de intensidade, da quantidade de energia", disse Lewkowicz. "O que isso sugere é que bebês têm uma base para construir seu mundo, digamos assim; eles usam mecanismos simples para dar início a isso e para imaginar o que vem junto."

Em algum momento de sua pesquisa, Lewkowicz começou a pensar sobre rostos. Um bebê pequeno não enxerga claramente além de uns trinta e poucos centímetros, mas o único objeto estranho com que ele se depara regularmente é o rosto de quem cuida dele. Esse rosto é um estímulo complexo, com lábios que se movem e expressões que mudam, e que produzem um padrão de sons em constante mudança. Lewkowicz revisitou a pergunta de Piaget sobre integração intersensorial: um bebê é capaz de perceber um rosto que fala como um objeto coerente? Quando e como começa a surgir a percepção, e que atributos a tornaram possível? Lewkowicz logo se deu conta de que muito do que um rosto falante transmite a um bebê — um organismo sem noção de conteúdo vocabular ou linguístico — envolve tempo e timing. Quando um rosto abre a boca, ele faz um som que tem certa duração; fala depressa ou devagar; fala ou canta com ritmo, o que para bebês é uma ferramenta poderosa para organizar informação num significado. Um bebê pode aprender o ritmo de "Cai cai, balão" muito antes de compreender que "cai" é uma palavra em separado, e muito menos ainda o que ela significa. (Na pré-escola, meus filhos estavam ansiosos para saber como se escreve a letra "LM-NOP".) Mais tarde, o infante percebe que o movimento dos lábios está sincronizado com os sons. Uma sentença falada contém muitas dimensões de tempo, e um recém-nascido que começa a aprender sobre elas tem um solícito instrutor ao olhar para um rosto.

Certa manhã, em seu escritório, Lewkowicz estava reclamando de seu provedor de sinal a cabo. Ele tinha tentado assistir a um documentário na noite anterior mas os *streams* de áudio e de vídeo estavam tão fora de sincronia que ele finalmente desligou a televisão, frustrado. "O áudio já tinha passado quando a pessoa começava a falar", disse ele, exasperado. Acontece ocasionalmente em todo canal desse serviço de TV a cabo, e a cada assinante local que Lewkowicz conhece. O problema retrata também, sucintamente, o tema de sua pesquisa.

A percepção do tempo tem muitas facetas, mas talvez a mais crucial seja a sincronia — nossa capacidade de perceber se fluxos sensoriais separados, como o som de uma voz e a visão dos movimentos dos lábios de alguém, estão ocorrendo ao mesmo tempo ou não, e se fazem parte do mesmo evento. Somos altamente sintonizados com isso; estudos descobriram que quando você assiste a um trecho de filme no qual alguém fala com você, você notará se os fluxos de áudio e vídeo saem de sincronia em oitenta milissegundos, menos de um décimo de segundo. E se a trilha de áudio se atrasar em relação ao vídeo em quatrocentos milissegundos — menos de meio segundo —, você terá muito mais dificuldade em compreender o que está sendo dito.

A unidade perceptual nos atende bem, e a mente trabalha duro para consegui-la, mesmo às expensas de uma precisão absoluta. Estudos na década de 1970 revelaram que se você vê um estímulo visual — a boca em movimento de um boneco, digamos — numa parte do recinto e ao mesmo tempo ouve um som que se origina em outro lugar, o som vai parecer estar mais perto do input visual do que realmente está. É o efeito do ventriloquismo, a escorregadia força da integração intersensorial em ação. Nem é necessário haver uma voz; alguns sons simples e um boneco de meia, separados por alguma distância, induzirão a percepção de unidade.

Uma ilusão relacionada a isso é o efeito McGurk: a tendência a misturar sílabas audíveis e visíveis se elas forem percebidas simultaneamente. Por exemplo, se você vir uma pessoa num vídeo dizer "ga" enquanto a trilha de áudio faz a dublagem com a sílaba "ba", é quase certo que você ouça algo que não é uma nem outra: a sílaba "da". O efeito McGurk também pode ser induzido pelo tato. Num estudo canadense, os participantes ouviam uma voz produzir quatro sons: as sílabas aspiradas "pa" e "ta", que são produzidas com um inaudível sopro de ar, e "ba" e "da", que não são aspiradas. Quando os cientistas produziam um pequeno sopro de ar na mão ou no pescoço do participante, ele ouvia "pa" em vez de "ba", e "ta" em vez de "da". O efeito é tão consistente que os pesquisadores agora se perguntam se aparelhos auditivos podem ser munidos de sensores de fluxo de ar, de modo que um ouvinte deficiente auditivo possa, efetivamente, ouvir com a pele.

O cérebro trabalha duro para associar os dados que entram a uma representação coerente do mundo. Como adulto, você pode reconhecer se a voz e o par de lábios em sua televisão estiverem fora de sincronia porque você tem uma vasta experiência com vozes e lábios em movimento; você sabe que eles tendem a funcionar coordenados, e compreende as palavras e as ideias que emanam deles. Mas os bebês não têm essa experiência, observou Lewkowicz, nem suposições. Observar um bebê que observa um rosto que fala é chegar a uma compreensão muito diferente do presente. Lewkowicz construiu um protocolo de estudo em torno disso, que ele chama de experimento do rosto que fala.

Em seu escritório ele me mostrou, no monitor de seu computador, um vídeo breve com o rosto de uma mulher. No início do videoclipe, a boca da mulher está fechada; depois, lenta e claramente ela pronuncia a sílaba "ba" e fecha a boca. Lewkowicz mostrou o vídeo a uma série de bebês com idades que iam de quatro a dez meses. Cada um deles assistia ao vídeo várias vezes até sua atenção se desviar dele, e nesse momento o vídeo mudava. Então a jovem mulher pronunciava a mesma sílaba, mas dessa vez o áudio e o vídeo estavam fora de sincronia; primeiro veio o som do "ba", e depois de 366 milissegundos — um terço de segundo — seus lábios começaram a se mover. Para um adulto, a assincronia é flagrante, mas os bebês não a registram. Nem notam nada de errado quando os dois fluxos estão fora de sincronia em meio segundo.

"Eles não percebem", disse Lewkowicz. "Só percebem este aqui." Ele me mostrou o vídeo de novo, mas dessa vez o áudio estava dois terços de segundo — 666 milissegundos — fora de sincronia. "O som termina antes de a boca sequer se abrir!"

O intervalo — a breve extensão de tempo dentro da qual fluxos separados de dados sensoriais são rotulados como pertencentes ao mesmo evento — é conhecido como janela temporal de contiguidade intersensorial. Em muitos aspectos é uma definição que funciona bem para "agora", embora o tamanho dessa janela varie, dependendo do estímulo e de quem está olhando para um rosto que fala. Porém, descobriu Lewkowicz, se olharem para um evento mais pontual, como uma bola quicando na tela, eles perceberão se o som estiver apenas um terço de segundo fora de sincronia; o "agora" deles será menor, embora ainda demonstravelmente mais longo do que o de um adulto, ao menos quando ele integra mais de um fluxo sensorial.

"O mundo do bebê é um lugar mais lento, eu acho", disse Lewkowicz. Ele não tem certeza quanto ao motivo. Pode ser que os neurônios no jovem cérebro transmitam sinais mais lentamente. O sistema neural inicial carece de mielina, um material gorduroso que reveste e isola neurônios e acelera a condução; a mielina se deposita gradualmente no decorrer da infância, e o processo pode levar vinte anos. "O cérebro do bebê é um órgão lento, quanto a isso não há dúvida", disse Lewkowicz. "Mas do ponto de vista da percepção é difícil pensar isso. O que significa dizer que o mundo do bebê é mais lento? Da perspectiva do bebê é apenas seu mundo. A questão é: que consequências tem na percepção do bebê sobre esse mundo?"

É uma maravilha que os bebês percebam sincronia, de modo geral. Como adultos, reconhecemos que uma boca e uma voz estão fora de sincronia porque sabemos alguma coisa sobre palavras e lábios e os sons associados a eles. Um bebê não sabe nada disso. Na verdade, quando ele olha para um rosto que fala, raramente olha para a boca, ao menos durante seus primeiros seis meses; em vez disso, descobriu Lewkowicz, ele dirige quase toda a sua atenção aos olhos. Só quando chega aos oito meses de idade, se tanto, ele começa a acompanhar consistentemente o movimento dos lábios.

Como, então, um bebê sabe se duas sensações estão em sincronia ou não? Lewkowicz voltou a sua pesquisa de doutorado, a qual demonstrava que recém-nascidos são efetivamente capazes de associar dois estímulos de diferentes modalidades sensoriais — uma imagem e um som — com base em sua intensidade. Lewkowicz suspeitava que bebês são capazes de registrar sincronia de modo semelhante. Ele projetou uma variação do experimento do rosto que fala e, com colegas da Universidade de Pádua, na Itália, a realizou com bebês de quatro meses. Os bebês assistiam a dois vídeos silenciosos, um junto ao outro. Um mostrava o rosto de um macaco fazendo, silenciosamente, um "o" com a boca, como se estivesse arrulhando baixinho; no outro, o mesmo macaco projetava a mandíbula num grunhido inaudível. Quando se tocava alto uma das duas gravações dos sons emitidos, os bebês consistentemente prestavam mais atenção ao vídeo que correspondia àquele som — isto é, ao macaco cujo movimento dos lábios começava e parava simultaneamente com a trilha de áudio. Os pesquisadores realizaram então uma versão ainda mais básica do experimento; dessa vez os bebês ouviam não a voz do macaco, mas um simples tom que correspondia à duração de um dos dois movimentos de lábios do macaco. Novamente as crianças, algumas com não mais que um dia de idade, eram atraídas para o vídeo que correspondia à duração do áudio.

Para Lewkowicz, isso demonstrava claramente que a percepção de sincronia de um recém-nascido não tem nada a ver com o conteúdo do que está sendo sincronizado. O que poderia parecer uma superinteligência do bebê — a capacidade de parear rostos e vozes de macacos — é pouco mais que um circuito mecânico. O bebê combina o começo e o fim do áudio com o começo e o fim do vídeo; seu sistema neural está simplesmente registrando o início e a parada de fluxos de energia, como quando se nota que uma luz e um barulho foram desencadeados e interrompidos ao mesmo tempo. Se as duas atividades coincidem, elas estão definindo o mesmo evento. É um pouco como montar um quebra-cabeça usando apenas as peças que formam as bordas. Os infantes usam sincronia para definir as margens dos eventos, ignorando as peças do interior — a informação de alto nível que pode interessar a um adulo, como palavras e fonemas, ou uma compreensão básica do que os lábios estão fazendo, que os sistemas nervoso e sensorial de um infante ainda são imaturos demais para processar.

"É como se eles não se importassem com o que está dentro do estímulo", disse Lewkowicz. "Apenas lhes dê coisas que começam e acabam ao mesmo tempo, e elas coalescem."

Voltando à sala à prova de som, Adam, o bebê de dez meses, estava fornecendo um insight semelhante. Nos dois monitores à sua frente ele observava dois conjuntos de lábios articulando em silêncio monólogos diferentes; quando a trilha de áudio de um deles era tocada, ele olhava para os lábios que estavam sincronizados com ela, com assombrosa consistência. Sua escolha era precisa mesmo quando a voz e o monólogo que a boca articulava em silêncio eram em espanhol, língua que não era falada em sua casa. Com um algoritmo básico para a sincronia — coisas que começam e param juntas pertencem ao mesmo evento —, ele era capaz de associar uma voz a um rosto sem ter a menor ideia do que a voz estava dizendo.

Lewkowicz acredita ter descoberto na sincronia um mecanismo essencial com o qual um bebê começa a organizar seu mundo sensorial. Quando o bebê nasce, seu sistema nervoso é imaturo e inexperiente; não é capaz de extrair informações de alto nível. O que é capaz de fazer é detectar quando modalidades sensoriais diferentes ligam e desligam. Entramos no mundo não sabendo nada sobre macacos, mas com uma grande noção do que está acontecendo — e o que para de acontecer — exatamente agora. "Se você começa com isso", disse Lewkowicz, "já está começando a vida com uma poderosa ferramenta: as coisas andam juntas até prova em contrário. É uma boa maneira de desenvolver por si mesmo um mundo coerente, multissensorial." Ele riu e acrescentou: "Eles fazem um trabalho muito ruim. Mas é melhor do que a 'grande, crescente e zumbidora confusão' de James".

Poder-se-ia pensar que um infante fica cada vez mais sintonizado em sincronia à medida que cresce, mas não é bem o caso. Lewkowicz descobriu que com oito ou dez meses de idade os bebês em seu laboratório não distinguiam mais o rosto de um macaco que "arrulhava" do de um macaco que "grunhia"; seus esforços para fazer a voz de um macaco corresponder a seu rosto não resultavam em nada melhor do que palpites aleatórios. Mas ainda eram capazes de associar com precisão uma voz humana ao correspondente conjunto de lábios humanos. À medida que nosso sistema sensorial se desenvolve, ele parece se transformar de um funil num filtro, ficando mais seletivo em sua escolha do que processar, fenômeno chamado estreitamento perceptual.

"No início do desenvolvimento, bebês estão sintonizados com o mundo de modo muito mais amplo", disse Lewkowicz. "Você é dotado desse dispositivo simples que diz: 'Se coisas acontecem juntas no tempo, eu as junto'. Você é capaz de começar a associar informações auditivas, táteis e visuais, mas como isso se baseia em energia, e nada mais, você cometerá erros. Vai associar rostos de macaco com vocalizações de macaco, porque tudo o que consegue detectar é uma boca que fica maior ou menor, e o início e o fim da voz, assim vai associar um ao outro — não importa se forem de espécies que não combinam." Não demora muito e o bebê adquire um conhecimento prático de determinados rostos e vozes, e, criticamente, de quais rostos observar e quais ignorar. A experiência desempenha um papel maior. Raro é o infante que depara com rostos de macaco numa base diária, e assim, quando os neurônios ficam sintonizados com o input que realmente interessa, a capacidade de captar as sutilezas desses rostos para de se desenvolver.

Por razões semelhantes, à medida que um infante cresce, sua sensibilidade a línguas estrangeiras também diminui. Lewkowicz fazia bebês de lares onde se falava inglês ou espanhol olharem para dois monitores adjacentes: em um, os lábios de uma mulher pronunciavam lenta e silenciosamente a sílaba "ba"; no outro, pronunciavam em silêncio a sílaba "va". Depois, os dois rostos eram substituídos por uma bola que girava, e uma das duas sílabas era tocada alto várias vezes, lentamente. Quando o som parava, ambos os rostos reapareciam, e os pesquisadores observavam para qual deles o bebê dirigia sua atenção. Independentemente de sua língua nativa, bebês com seis meses de idade se focavam consistentemente nos lábios cujo movimento correspondia à sílaba tocada. Mas aos onze meses, bebês de casas onde se falava espanhol deixaram de ser precisos nessa associação; não faziam mais do que adivinhar. Isso porque, em espanhol, as sílabas "va" e "ba" soam idênticas; a palavra "vaca" se pronuncia "baca". Uma criança criada em espanhol para de registrar a distinção entre as duas sílabas, enquanto bebês bilíngues continuam a distinguir entre as duas.

Quando ficamos mais fluentes em nosso ambiente nativo, tornamo-nos menos sensíveis aos estrangeiros. Estudos demonstraram que um bebê caucasiano muito jovem é capaz de distinguir muito bem entre rostos caucasianos e asiáticos, mas, quando tem um ano, fica menos capaz de reconhecer rostos de indivíduos não caucasianos. Uma criança criada na Bulgária, onde as métricas musicais são mais complexas do que na música ocidental, pode discernir essas sutilezas rítmicas quando chega à idade adulta, mas, se as ouvir primeiro depois de ter um ano de idade, ficará surda a elas para sempre.

Programas de software complexos são, em geral, construídos sobre outros mais simples, chamados *kernels*, "núcleos" ou "cernes", que atuam muito como um processo algorítmico básico. A capacidade de perceber sincronia audiovisual é algo como um *kernel*, facultando à rede neural de um recém-nascido começar a organizar o redemoinho dos dados sensoriais sem atentar para seu conteúdo. Não se requer nenhum conhecimento ou experiência, apenas a capacidade de avaliar quantidades relativas de estimulação. Com esse fundamento, a criança pode começar a processar significado — lidar com informações conflitantes e discernir quais inputs sensoriais têm prioridade.

Lewkowicz reluta em chamar essa aptidão de inata. Uma proeminente escola de psicologia desenvolvimental afirma que os humanos nascem compreendendo conceitos essenciais como causalidade, gravidade e relações espaciais; essas aptidões teriam chegado a nós por seleção natural, e se supõe que tenham sua base em algum lugar de nossos genes. Mas Lewkowicz e muitos de seus colegas acham esse argumento vago e simplista. Invocar a genética aqui é acabar com a conversa, quando poderiam ser feitas perguntas muito mais interessantes em relação à pesquisa. "É uma caixa mágica", disse Lewkowicz. "É vitalismo, mais uma vez."

Ele prefere pensar no ser humano como um organismo perpetuamente em desenvolvimento. Somos seres no tempo. Um infante nasce com muitos comportamentos básicos — a capacidade de sugar, por exemplo — que ele logo abandona por outros, mais avançados. São adaptações ontogenéticas que servem a um propósito inicial e depois desaparecem. O radar do bebê para a sincronia pode pertencer a essa categoria; ele dá partida ao sistema sensorial do recém-nascido, mas é logo suplantado por uma ordem mais elevada de processamento, derivada da experiência no mundo que desperta.

Na mesma medida, não há nada fisiologicamente mágico no que tange ao nascimento. Um recém-nascido é apenas a encarnação mais recente de um organismo que existia dias e semanas antes, ligeiramente menos desenvolvido, na escuridão do útero. Estudos demonstraram que um bebê nascido há uma hora prefere claramente o som da voz de sua mãe ao de um estranho; poder-se-ia concluir que essa preferência tem uma conexão física genética, inata, e imaginar uma razão evolucionária para isso. (Por exemplo, talvez a seleção natural favoreça que o infante seja capaz de reconhecer sua mãe imediatamente.) Mas na verdade essa conexão linguística é forjada no útero e adquirida mediante experiência. Vários pesquisadores demonstraram que a audição humana se torna funcional no último trimestre da gestação; um feto aprende muito sobre o reino exterior dos sons que se filtram até ele. Um estudo clássico descobriu que o ritmo do coração de um feto fica mais rápido quando ele ouve uma fita de áudio de sua mãe lendo um poema, e fica mais lento quando ouve uma mulher estranha lendo o mesmo poema. Um recém-nascido francês pode distinguir claramente entre a mesma história quando lida em francês, holandês ou alemão, sem compreender uma só palavra. Outro estudo descobriu que, com dois dias de idade, os choros de bebês franceses e alemães seguem melodias distintas que refletem as línguas nativas de suas mães; estavam imitando os sons que tinham ouvido no útero.

Os homens não são únicos quanto a esse aspecto. Carneiros, ratos, certas aves e outros animais são capazes de ouvir no útero ou no ovo. Uma mãe de *malurus splendens*, um pássaro da Austrália, começa a falar com seus ovos poucos dias antes de os filhotes saírem. Está ensinando a seus pintinhos ainda não nascidos um pio exclusivo para pedir, que varia de ninho em ninho; depois de sair do ovo, os pintinhos que forem capazes de imitá-lo terão mais probabilidade de ser alimentados. É uma senha, que permite à mãe distinguir seus próprios pintinhos dos daqueles cucos parasitas que invadem seus ninhos.

Para Lewkowicz, o que parece ser inato ao nascer é só mais um mistério a ser desvendado. "Quando você vê o surgimento de qualquer tipo de aptidão cognitiva ou perceptual, para mim a questão não é se ela está ou não presente, e sim 'Como chegou lá? Quando ela surge?'. Se você me perguntar se bebês podem ter o senso do tempo — sim, eles podem, mas depende de como você define tempo. Eles são sensíveis a uma informação baseada e estruturada no tempo? Sim. A questão é: quando isso realmente começou?"

Se parece peculiar construir uma linha de pesquisa em torno de um rosto que fala, considere novamente que, nos primeiros poucos meses de vida, o mundo perceptual de um bebê consistirá quase por completo em rostos que falam. Durante o último trimestre, o mundo sensorial de um feto é limitado a toque e som. Com o nascimento vêm a luz e o movimento, novas dimensões a integrar. Grande parte do que existe neste mundo novo são as palavras faladas dos pais. As palavras em si mesmas não significam nada, mas, pronunciadas em voz alta, oferecem dicas de como visões e sons se encaixam uns nos outros; ao ouvir uma língua, o recém-nascido domina sincronia e aprende a ir além dela. Numerosos estudos demonstraram que bebês respondem mais fortemente a um estímulo visual se ele for acompanhado de um estímulo audível, e vice-versa; a redundância alimenta seu destaque, e o destaque alimenta a compreensão.

Imagine que você está numa festa barulhenta, disse Lewkowicz. Alguém fala alguma coisa que você não capta bem, mas se olhar para seus lábios terá mais possibilidade de entender o que foi dito. Para um bebê, um rosto que fala é todo redundância. Falamos com ele lentamente, cadenciando, segmentando o que queremos enfatizar: "Aqui... está... sua... mama... deira...". Os lábios correspondem à voz; até mesmo o pomo de adão sobe e desce no ritmo. "Usando ritmo e prosódia e todas essas deixas, estamos permitindo que o bebê aprenda que tudo isso vem junto, e que aprenda a palavra", concluiu Lewkowicz. "Bingo, você tem um sistema perfeitamente projetado para ensinar os infantes a falar."

Mais do que isso, temos um sistema preparado para ensinar aos infantes um aspecto essencial da vida. A percepção do tempo é muitas coisas — percepção da ordem, do tempo verbal, da duração, da novidade, da sincronia. Mas o tempo em geral é uma só coisa: uma conversa entre relógios, sejam relógios de pulso, células, proteínas ou gente. De que outra maneira um bebê poderia aprender sobre sincronia a não ser a vendo na fala? Para novos humanos, pelo menos, o tempo começa com uma palavra.

Por que o tempo voa

Ou o poço era muito profundo ou ela estava caindo muito devagar, porque teve bastante tempo enquanto caía para olhar em torno de si e se perguntar o que ia acontecer em seguida.

Lewis Carroll, *Alice no país das maravilhas*

Este ano, como todo ano, está voando. Ainda é apenas julho, ou abril, ou talvez nem mesmo fevereiro, mas a mente já corre na frente para considerar setembro, quando a escola ou o trabalho recomeçam para valer,* como se as intervenientes semanas do verão já tivessem acontecido; ou talvez junho, com a primavera indo embora num átimo. Daí é um curto pulo mental para o próximo janeiro, onde, com uma matemática rápida, você pode contar todos os janeiros anteriores nos quais refletiu sobre o ano que já estava correndo — cinco, dez, tantos que você perdeu os detalhes e agora os amontoa numa ampla categoria: "quando eu tinha vinte anos", "os anos em que morávamos em Nova York", "antes de nossos filhos terem nascido". Depois, parece que sua juventude também voou — ou, se ainda não voou, você facilmente é capaz de imaginar um ponto futuro no tempo no qual vai sentir que ela voou há muito tempo.

Como o tempo voa...: todos nós fazemos essa observação, e assim tem sido durante séculos. "*Fugit irreparabile tempus*", escreveu o poeta romano Virgílio: o tempo voa, irreversivelmente. "O tempo voa, e a nenhum homem se submeterá", observou Chaucer no fim do século XIV, nos *Contos da Cantuária*. De vários comentadores americanos nos séculos XVIII e XIX, ouviu-se que "o tempo voa rapidamente com asas ansiosas", "o tempo rola com asas céleres", "o tempo voa porque tem asas de águia",

---

* Nos Estados Unidos, o ano letivo começa em agosto ou setembro. [N. E.]

e "o tempo voa, a eternidade acena". Tempo e maré* não esperavam por ninguém ainda antes de a língua inglesa nascer. Pouco depois de eu e Susan nos casarmos, meu sogro costumava dizer, estalando os dedos e com um tom de voz agridoce: "Os primeiros vinte anos passam assim!". Uma dúzia de anos depois, creio que sei o que ele quis dizer. Um dia, Joshua exclamou com um grande suspiro: "Lembram-se dos bons e velhos tempos?", e ele não tinha nem cinco anos. (Para ele, os bons e velhos tempos tinham a ver com um *cupcake* de chocolate que ele se lembrava de ter comido alguns meses antes.) Ultimamente eu me surpreendo com a frequência com que sou tocado por essa fugacidade. Até parece que houve um tempo, não há muito tempo, em que eu raramente observava "Como o tempo voa!". Mas quando torno a refletir sobre aquele período em minha vida e comparo com o atual, constato, chocado, que os anos efetivamente passaram, e digo isso de novo. Para onde o tempo foi?

É claro que não são só os anos que voam. Dias, horas, minutos e segundos, todos voam também, mas não necessariamente nas mesmas asas. O cérebro processa uma passagem do tempo que dura entre minutos e horas de modo diferente do que trata um intervalo que dura entre alguns segundos e talvez um minuto ou dois. Quando você relembra o que fez, para estimar quanto tempo levou sua ida ao supermercado, ou se pergunta se o programa de TV com uma hora que acabou de assistir pareceu passar mais lento ou mais rápido que o usual, você está invocando um processo mental diferente do que quando o sinal de trânsito parece estar demorando demais para abrir, ou quando um pesquisador lhe pede que olhe para uma imagem na tela do computador e estime durante quantos segundos ela permaneceu lá. Anos já são uma coisa completamente diferente, sobre a qual vou falar num instante.

* Aqui há um jogo de palavras, *time and tide*. [N.T.]

O porquê exato de o tempo voar "depende de qual é o tipo de tempo a que você está se referindo", disse-me John Wearden, psicólogo da Universidade Keele, em Staffordshire, Inglaterra. Wearden passou os últimos trinta anos tentando definir e deslindar a relação humana com o tempo; em 2016 ele publicou *The Psychology of Time Peception* [A psicologia da percepção do tempo], uma acessível visão geral e histórica desse campo. Uma noite eu telefonei para ele, em sua casa, quando estava prestes a ver um jogo do campeonato de futebol. Desculpei-me pela interrupção. "Sem problema", respondeu. "Meu tempo não é tão precioso assim, para ser honesto. Gostaria de fingir que estou terrivelmente ocupado, mas só estou esperando o jogo começar."

Wearden me lembrou que não percebemos o tempo diretamente, como fazemos com a luz e o som. Percebemos a luz por meio de células especiais na retina que, quando atingidas por fótons, desencadeiam sinais neurais que rapidamente chegam ao cérebro. As ondas de som são detectadas por finos fios de cabelo na orelha; suas vibrações se traduzem em sinais elétricos que o cérebro capta como áudio. Mas não temos receptores especiais para o tempo. "A questão de um órgão especial para o tempo assombrou a psicologia durante muitos anos", disse Wearden.

O tempo chega até nós de maneira indireta, quase sempre por meio daquilo que ele contém. Em 1973, o psicólogo J. J. Gibson escreveu que "eventos são perceptíveis, mas o tempo não é", uma declaração que se tornou fundamental para muitos pesquisadores do tempo. O que ele quis dizer, grosso modo, é que o tempo não é uma coisa, mas uma passagem pelas coisas — não é um substantivo, e sim um verbo. Posso descrever minha viagem à Disneyworld — tem o Mickey, tem a Montanha Espacial, tem as nuvens bem abaixo de minha janela no avião — e posso estar consciente da viagem até mesmo quando a estou fazendo.

Mas não posso viver a experiência ou relatar uma "viagem" destituída de coisas que se veem, de atividades ou de pensamentos. O que seria "ler" sem palavras e sua passagem por elas? O tempo é meramente nossa palavra para a movimentação dos eventos e as sensações que isso nos transmite.

A formulação de Gibson não está muito longe da de Agostinho. "Não me interrompa clamando que o tempo não tem existência objetiva", escreveu Agostinho. "O que estou medindo é a impressão que os fenômenos que passam deixam em você, que persistem quando já passaram: é isso que meço como sendo a realidade presente, não as coisas que passaram de modo que se pudesse formar a impressão. A impressão em si mesma é o que eu meço quando meço intervalos de tempo." Nós não experimentamos "tempo", só a passagem do tempo.

Reconhecer e marcar a passagem do tempo é reconhecer mudança — em seu entorno, sua situação ou até mesmo, como observou William James, na paisagem interior de seus pensamentos. *As coisas não são como eram antes*. Dentro do senso do *agora* se infiltra um reconhecimento do *depois*. E fazer essa comparação requer memória. O tempo só pode *voar* — ou se arrastar, ou saltar — se você se lembrar de sua velocidade anterior: "Este filme parece ser muito mais longo do que outros a que assisti", ou "O jantar passou voando; lembro-me de ter olhado o relógio duas horas atrás, mas não o olhei desde então". Se o tempo for alguma coisa, ele é o rastro de suas memórias de outras coisas.

"Todo mundo teve a experiência de estar absorvido num livro", disse Wearden, "e depois olhar para o relógio na parede dizendo 'Já são dez horas?'. Eu costumava pensar que se podia medir o senso de tempo durante o intervalo. Mas é claro que não se pode, porque você não o sentiu passar; é pura inferência. É isso que faz tudo ser complicado. Falamos sobre a sensação de o tempo passar, mas muitas vezes essa avaliação temporal é baseada numa inferência, não numa experiência direta."

De fato, com muita frequência observamos: "Como foi que o tempo passou tão depressa?", o que, na verdade, representa alguma versão de "Não me lembro do que houve com o tempo" ou "Perdi a noção do tempo". Essa experiência me ocorre mais frequentemente quando percorro dirigindo uma longa distância numa estrada familiar, sobretudo à noite. Estou ocupado com meus pensamentos, posso estar cantando junto com o rádio, mas também sou um motorista cuidadoso: olho para a estrada, observo os marcos de quilometragem que aparecem, um por um, na luz de meus faróis e retrocedem fluindo em meu retrovisor. E ainda assim, quando chego à minha saída da estrada, fico surpreso de ter chegado e sou incapaz de relatar todas as voltas e retornos que me trouxeram até aqui. É inquietante: eu não estava prestando atenção, afinal? É claro que devo ter prestado, ou não estaria vivo. Então como cheguei até aqui? O que houve com o tempo decorrido?

Na verdade, quando dizemos "Perdi a noção do tempo", o que estamos geralmente dizendo é que não estávamos acompanhando o tempo, para começar. Wearden conduziu um estudo que confirma isso. Ele deu a duzentos estudantes universitários um questionário no qual pedia que descrevessem uma ocasião em que o tempo pareceu passar mais depressa ou devagar do que o normal. Pediu-lhes também que descrevessem em detalhe o que estavam fazendo nessa ocasião; que lembrassem se tinham notado naquele momento que o tempo estava passando mais depressa ou devagar; e que dissessem que drogas tinham tomado, se é que tinham. Os estudantes responderam com declarações do tipo:

> O tempo voa quando estou na rua com amigos ou bebendo ou cheirando um pó. Dançando, conversando. Quando vou ver, são três horas da manhã.

> O consumo de álcool parece fazer o tempo acelerar — possivelmente devido ao fato de que ao mesmo tempo estou socializando e portanto me divertindo.

De modo geral, descobriu Wearden, os estudantes relataram que a experiência de o tempo passar mais rápido que o normal era mais comum do que a experiência de o tempo passar devagar. Uma distorção, de um ou outro tipo, parecia ser em dois terços mais provável de ocorrer se a pessoa estivesse de algum modo embriagada ou sob efeito de droga; álcool e cocaína parecem contribuir da mesma forma para fazer o tempo acelerar ou retardar. O tempo consistentemente se acelerava quando as pessoas estavam ocupadas, felizes, concentradas ou socializando (frequentemente sob efeito de álcool) e se retardava no trabalho ou quando se estava entediado, cansado ou triste. De modo impressionante, muitos diziam que não tinham tido a sensação do tempo voar até serem cutucados por algum marcador externo do tempo real — o nascer do sol, um olhar no relógio, o aviso de que o bar ia fechar. Antes disso, eles não tinham senso do tempo em geral. Como disse um dos entrevistados: "Eu geralmente tomo consciência do tempo quando o bar/pub em que estou começa a fechar, ou alguém a meu lado me diz que horas são".

O motivo pelo qual o tempo voa, ao menos na escala de minutos para horas, é tão claro que chega a ser quase circular: ele voa porque você não está olhando toda hora para o relógio. Depois você percebe que, digamos, duas horas se passaram desde que você pensou no tempo pela última vez; você tem consciência de que duas horas é um tempo bem longo, mas, como você não tabula nem lembra cada minuto dele, você infere, em virtude do grande número de eventos que ocorrem, que o tempo passou muito rápido. Como disse um dos objetos do experimento de Wearden, "depois de cheirar cocaína com dois amigos e estar na casa dela após uma noitada que acabou às três da manhã, de repente eram sete horas, e assim o tempo passou mais depressa do que pensei que tinha passado".

Não é diferente daquilo que experimentamos ao acordar de manhã, ou, da mesma maneira, quando sonhamos acordados. "Alguma ideia ocasional enche todo o campo de nossa consciência", escreveu Paul Fraisse em *Psychologie du temps*, "e quando um relógio dá as horas à distância nos surpreendemos ao constatar que é tão tarde da noite ou da manhã". Fraisse acrescentou que isso explica também por que muita gente descobre que tarefas monótonas na verdade passam rapidamente: quando você está entediado fica pensando no tempo, talvez até mesmo olhando o relógio, mas quando está sonhando acordado você não faz isso. Um estudo de 1952 de Morris Viteles, um psicólogo industrial da Universidade da Pensilvânia, descobriu que apenas 25% dos trabalhadores que se engajam em tarefas monótonas as percebem realmente dessa maneira. (Entre suas muitas realizações, Viteles desenvolveu o Teste Viteles para Seleção de Maquinistas, para ajudar a Milwaukee Electric Railway a contratar os melhores condutores de bonde; escreveu *The Science of Work* [A ciência do trabalho] e *Motivation and Morale in Industry* [Motivação e moral na indústria], e uma vez deu uma palestra intitulada "Máquinas e monotonia".)

Wearden notou também que o fato de um segmento de tempo voar depende de *quando* você pensa sobre isso — retrospectivamente ou quando está ocorrendo uma experiência. O tempo pode se arrastar no pretérito ou no presente; um engarrafamento de trânsito ou um jantar festivo podem durar uma eternidade quando você está neles, e provavelmente vai se lembrar deles dessa maneira. Mas o tempo raramente parece voar no momento, disse Wearden. Isso, virtualmente, por definição: o tempo voa porque você não está no momento acompanhando-o. Qual foi o último filme em que você ficou pensando:

"Uau, este filme está realmente voando!". Ou você está entediado e olhando o relógio, ou está interessado no filme e sem ter consciência do tempo. Em reuniões e conferências, Wearden gosta de perguntar a camaradas psicólogos se algum deles experimentou o tempo passar rapidamente ou se conhecem alguém que experimentou. A resposta é sempre não.

"É consenso entre psicólogos, depois de algumas cervejas, que a experiência do tempo rápido é tão rara que é como se não existisse", disse Wearden. "Você não pode aplicar um avanço rápido no tempo enquanto ainda está nele." O tempo não voa quando você está se divertindo; descobre-se que ele voou depois que a diversão acaba.

"Ligue o timer, pai!"

Joshua tinha entrado na cozinha enquanto eu estava fazendo o café da manhã. Ele e Leo têm dois anos de idade e, empoderados com a língua, eles não param de reclamar um do outro: ele está com aquela Coisa, por que eu não posso, não é justo. Cada um deles quer afirmar seu nascente *eu*, mas apenas a equidade perfeita pode fazer com que o universo seja justo. Eu e Susan instituímos uma política de revezamento de turnos, mas logo aprendemos uma lição básica em percepção temporal: para o garoto que está sem a Coisa, o turno do outro é sempre mais longo. A duração é muito maior aos olhos do espectador, não do possuidor.

Assim, introduzi um relógio, um desses timers em forma de ovo que você arma torcendo e depois espera enquanto ele tiquetaqueia os segundos até um sininho tocar. Os meninos gostam disso; não se trata de um juiz arbitrário, irritável e com a barba meio feita, que pode se preocupar em ler as notícias. Sua objetividade parece quase mágica, e eles regularmente me chamam para usá-lo e resolver suas disputas. Mas até mesmo essa estratégia está começando a não bastar para eles. Joshua costuma agora agarrar o timer e torcê-lo para fazê-lo tocar mais e mais uma vez, como se isso fosse fazer terminar o turno do irmão e obrigá-lo a entregar a Coisa. Se o tempo se curva, com certeza poderá se curvar à sua vontade.

Em geral eu ajusto o relógio para dois minutos, mas um dia Susan o regulou para quatro minutos, para nos dar tempo de conversar um pouquinho. Na metade do tempo — perto da marca dos dois minutos — vem Joshua, perturbado: por que o timer ainda não tocou? Evidentemente, com um treinamento regular para um turno de dois minutos, ele aprendeu a avaliar o intervalo; eu consegui introduzir nele a noção do tempo. "É como se tivessem aprendido tempo da maneira que aprendem uma língua", diz Susan. Ela está certa, de um modo que nós, pais, ainda teremos de apreciar por completo. Mas é mais complicado também. Nossos filhos claramente já possuem uma espécie de timer — uma versão nascente do relógio que me deixa impaciente num sinal de trânsito ou na plataforma de um trem, certo de que meu turno já deveria ter chegado. Eu posso introduzir o tempo em meus filhos, mas somente até onde eles já disponham de alguns meios para captá-lo.

Em 1932, Hudson Hoagland foi a uma drogaria. Hoagland era um respeitado fisiologista na área de Boston, particularmente interessado em como os hormônios afetam o cérebro; no decorrer de sua carreira ele ensinou na Tufts Medical School, na Universidade de Boston e em Harvard, e ajudou a dar início a uma fundação que desenvolveu a pílula anticoncepcional. Em certo momento, na década de 1920, ele investigou uma médium da alta sociedade chamada Margery, que posteriormente foi desmascarada por Houdini. Naquele momento, no entanto, Hoagland estava comprando aspirina; sua mulher estava em casa com gripe e uma febre de quarenta graus, e o enviara à farmácia.

Sua ida à farmácia durou vinte minutos, mas quando voltou sua mulher insistiu que ele tinha demorado muito mais. Hoagland ficou intrigado. Pediu a ela que contasse sessenta segundos, enquanto ele a controlava com um cronômetro; ela era musicista, com um treinado senso de quanto deveria durar um segundo, mas contou até sessenta em apenas 38 segundos. Ele repetiu o experimento duas dúzias de vezes nos dias seguintes e descobriu que, quando ela se recuperou e sua temperatura caiu e voltou ao normal, sua contagem ficou mais lenta e voltou ao normal também. "Ela inconscientemente contava mais rápido quando a temperatura era mais alta do que quando era mais baixa", observou Hoagland num artigo de revista alguns anos mais tarde. Quando ele repetiu o experimento com cobaias que estavam com febre ou cuja temperatura corporal fora elevada artificialmente, os resultados foram semelhantes. Era como se eles tivessem um relógio interno, e aquecê-los os fazia tiquetaquear mais depressa; não sentiam que o tempo passava voando, mas inevitavelmente se surpreendiam no fim do experimento ao saber que, segundo o relógio na parede, havia passado menos tempo do que pensavam. "Com febre, se tudo corresse igualmente, poderíamos chegar mais cedo a nossos compromissos", escreveu Hoagland.

As descobertas de Hoagland levaram outros pesquisadores a embarcar no que John Wearden descreveu, num trabalho de revisão, como "uma das mais bizarras manipulações experimentais da psicologia séria". Voluntários foram dispostos em recintos aquecidos e receberam agasalhos de moletom para vestir ou capacetes especiais que aqueciam sua cabeça, depois foram orientados a tamborilar a intervalos de trinta segundos, ou a regular o ritmo de um metrônomo — para, digamos, quatro tiques por segundo —, ou que dissessem quando tinham se passado quatro, ou nove, ou treze minutos. Num experimento, passavam por testes de avaliação de tempo enquanto pedalavam em bicicletas de exercício num tanque de água. Num artigo de 1966, Hoagland reviu suas descobertas originais e alguns dos estudos subsequentes e ofereceu uma explicação fisiológica. "A percepção humana do tempo depende basicamente da velocidade do metabolismo de oxidação de algumas das células do cérebro", escreveu.

A explicação de Hoagland não se susteve (nem mesmo está claro que ele soubesse exatamente o que queria dizer com isso), mas o interesse pelo assunto em geral só fez se intensificar desde então. Das muitas facetas do tempo, de longe a mais estudada é nossa percepção de duração: a capacidade de alguém estimar quão longamente dura um intervalo de tempo — em geral um intervalo curto, que vai de talvez alguns segundos a uns poucos minutos. Essa é a extensão de uma experiência que vai de um momento até outro momento; nela, nós planejamos, avaliamos e tomamos decisões; sonhamos acordados e ficamos impacientes ou entediados. Se você fica inquieto parado num sinal de trânsito ou aborrecido por ter certeza de que seu irmão está com a Coisa por um pouco mais de tempo do que seria justo, você está navegando por essa extensão de tempo. Muitas de nossas interações sociais se desenrolam nessas minúsculas janelas e dependem de um aguçado senso de intervalo temporal. Um sorriso autêntico geralmente começa e termina mais rápido do que um sorriso forçado; a diferença temporal é sutil mas perceptível o bastante para que um observador possa distinguir a coisa real da falsa.

Durante bem mais de um século, pesquisadores reconheceram que damos forma ao tempo enquanto nos movemos dentro dele; o tempo parece se acelerar ou retardar dependendo de se você está feliz, triste, com raiva ou ansioso, cheio de medo ou de antecipação, tocando ou ouvindo música; um estudo em 1925 descobriu que um discurso parece passar mais rápido para quem o faz do que para quem o escuta. Quando pesquisadores discutem a "percepção do tempo", geralmente o tempo em questão é só um punhado de segundos ou minutos.

Aliás, a capacidade de uma criança pequena de saber quando se passaram dois minutos a alinha com grande parte do resto do reino animal. Na década de 1930, o fisiologista russo Ivan

Pavlov revelou que os cães são os mestres dos intervalos breves. Pavlov é lembrado principalmente por ter provado que, se um cão ouvir uma campainha enquanto está comendo, pode ser treinado a salivar só de ouvir o som da campainha, reação chamada reflexo condicionado. Pavlov demonstrou que um cão pode ser condicionado tão prontamente com um intervalo de tempo quanto com uma campainha. Se o cão receber comida a cada trinta minutos, depois ele começará a salivar ao fim de cada intervalo de trinta minutos, mesmo se não receber comida. O cão internalizou a duração do tempo, de algum modo conta os minutos, e antecipa a recompensa que virá no fim. Cães têm expectativas semelhantes às humanas, que podem ser quantificadas e condicionadas.

Ratos de laboratório exibem aptidões similares. Vamos supor que você treine um rato da seguinte maneira: uma lâmpada se acende para marcar o início do intervalo e, se o rato esperar, digamos, dez minutos para pressionar uma alavanca, ele recebe comida como recompensa. Repita isso algumas vezes. Em seguida, acenda a lâmpada mas não dê comida ao rato, não importa quanto ele pressione a alavanca. A reação do rato continuará a ser consistente: ele começa pressionando a alavanca um pouco antes da marca dos dez minutos, pressiona com mais frequência aos dez minutos, e pouco tempo depois desiste. Como um cão, o rato enquadra sua expectativa em torno daquele intervalo; também sabe parar de reagir depois do fim do intervalo se sua expectativa não for recompensada. E esse seu comportamento expectante pode ser regulado para diferentes intervalos de tempo; em geral, se um rato é condicionado a um intervalo de cinco minutos, dez minutos ou trinta minutos, ele começa e para de pressionar a alavanca num momento que tem uma diferença de 10% em relação ao intervalo todo. Se o intervalo é de trinta segundos, o rato começa a pressionar três segundos antes de o intervalo começar e para três segundos após ele terminar; com um intervalo de sessenta segundos, começa a pressionar seis segundos mais cedo. Em 1977, John Gibbon, um físico e matemático da Universidade Columbia, codificou essa relação num influente trabalho que apresentou o que ele chamou de Teoria de Expectativa Escalar. A teoria, às vezes referida como SET (*Scalar Expectancy Theory*), era essencialmente um grupo de equações demonstrando que a expectativa de um animal — o ritmo de sua resposta — aumenta quando se aproxima o fim do intervalo condicionado, e é proporcional à duração total do intervalo. Atualmente, qualquer esforço para explicar como animais podem avaliar o tempo de intervalos tem de levar em conta essa invariância de escala.

Um rato pode realizar outras estranhas proezas de avaliação de tempo. Colocado num labirinto que tem dois caminhos para chegar a um pedaço de queijo, o animal rapidamente aprende não só a tomar o caminho mais curto, como também o mais rápido. Se duas rotas têm a mesma distância, cada uma com área onde há um bloqueio temporário — uma espera de seis minutos numa delas, contra uma espera de um minuto na outra —, o rato logo aprende a optar pelo caminho que leva ao queijo no menor tempo. O animal é capaz de discriminar entre intervalos de tempo e de intuir quanto tempo está desperdiçando.

Patos, pombos, coelhos e até mesmo peixes são capazes de realizar alguma versão desse mesmo procedimento. (Gibbon trabalhou com estorninhos.) Em 2006, biólogos da Universidade de Edimburgo demonstraram que beija-flores mostram, na natureza, aptidões para medir o tempo. Os pesquisadores instalaram oito dispositivos para alimentar pássaros em forma de flor, cheios de água com açúcar; quatro eram reabastecidos a cada dez minutos e os outros quatro, a cada vinte minutos. Os beija-flores — três machos que tinham demarcado território em volta das flores falsas — aprenderam rapidamente os tempos do reabastecimento e os antecipavam. Iam para os alimentadores de dez minutos bem mais cedo do que para os de vinte minutos, evitavam estes ativamente até o período de vinte minutos estar quase acabando, e começaram a ir para todos os alimentadores logo antes do momento em que deveriam ser reabastecidos. Demonstraram também uma estranha aptidão para se lembrar onde estavam as flores e quais delas tinham procurado mais recentemente; perdiam pouco tempo com flores vazias. Para buscar alimento com eficiência em flores silvestres verdadeiras, o pássaro tem de memorizar a localização de uma variedade de flores, aprender o ritmo de suas recargas (que, é claro, variam ao longo do dia), calcular o melhor percurso passando por elas e visar chegar a cada flor antes — mas não muito antes — de um competidor. Mesmo num campo em que as flores são abundantes, o tempo é essencial, e os beija-flores trabalham para aproveitá-lo ao máximo.

É claro que otimizar o tempo é algo que os humanos fazem o tempo todo, ao longo de segundos e minutos, às vezes conscientemente, às vezes não. Se eu correr, será que vou pegar o trem que está prestes a sair da plataforma? Esta fila do caixa está demorando demais, eu deveria passar para outra? Tomar tais decisões só é possível se eu tiver alguma forma de medir esses breves intervalos e compará-los entre si. Parece ser um comportamento sofisticado, mas ele é, claramente, fundamental para o reino animal, e o fato de que pode ser adotado por criaturas com cérebro não maior do que ervilhas sugere fortemente que existe ali algum tipo de dispositivo de medir o tempo, que é tão básico quanto antigo.

Durante grande parte do século XX, o estudo do tempo e da percepção do tempo foi mais ou menos dividido entre duas escolas, cada uma desconhecendo a relevância da outra, se não sua própria existência. Uma, centrada sobretudo na Europa, estava preocupada primariamente com a experiência existencial do tempo e em traduzir filosofia para psicologia. Os experimentalistas alemães do século XIX, preocupados com a psicofísica, tratavam o tempo como uma coisa real; Ernst Mach se perguntava se os humanos tinham receptores especiais, talvez nas orelhas, sintonizados nele. Em 1891, num influente ensaio intitulado "On the Origin of the Idea of Time" [Sobre a origem da noção do tempo], o filósofo francês Jean-Marie Guyau descartou uma visão objetiva do tempo e propôs uma ideia muito moderna, e também muito agostiniana: que o tempo só existe na mente. "Tempo não é uma condição, e sim um simples produto da consciência", ele escreveu. "Não é uma forma que impomos aos eventos a priori. O tempo, como eu o vejo, não é nada além de um tipo de tendência sistemática, uma organização de representações mentais. E a memória nada mais é do que a arte de evocar e organizar essas representações." O tempo, em resumo, é nosso sistema para manter nossas memórias ordenadas.

Pesquisadores subsequentes perderam interesse no alegado *Zeitsein*, ou "senso do tempo", e em vez disso começaram a investigar e documentar as muitas maneiras pelas quais a percepção do tempo poderia sofrer desvios. Drogas como o pentobarbital e o óxido nitroso fazem com que as pessoas subestimem um intervalo de tempo, enquanto a cafeína e as anfetaminas fazem com que o sobrestimem; um som agudo parece durar mais do que um som grave que tem duração igual. Tempo "preenchido" parece mais curto do que tempo "vazio": 26 segundos passados resolvendo anagramas ou escrevendo o alfabeto em ordem inversa parecem passar mais rápido do que 26 segundos passados descansando e não fazendo nada. Piaget foi o primeiro de muitos cientistas a estudar como crianças percebem o tempo — e a demonstrar que a percepção temporal é algo que nossa espécie adquire com o tempo.

Em 1963, o psicólogo francês Paul Fraisse resumiu o século anterior, ou a maior parte da pesquisa temporal, inclusive sua própria investigação, em *Psychologie du temps*. Em sua varredura enciclopédica, o livro codificava o que até então tinha sido um campo de estudo disparatado; foi tão influente em seu reino quanto *Os princípios de psicologia* de James. "Teve uma imensa influência nos tópicos que estudantes de pós-graduação escolhiam para suas dissertações de doutorado", disse-me o neurocientista da cognição Warren Meck, da Universidade Duke. "Isso foi nos bons e velhos tempos, quando escrever um livro queria dizer alguma coisa, ao menos nas ciências."

Enquanto isso, nos Estados Unidos, um grupo separado de cientistas, inclusive um jovem Warren Meck, abordava a questão do tempo de outra direção, primeiro sem saber que estavam fazendo isso. Meck é agora considerado o ancião estadista da pesquisa sobre avaliação do tempo intervalar, e nos anos recentes tentou mobilizar esse campo em torno de um conjunto nuclear de ideias. "Estou tentando arrebanhar os gatos", ele me disse.

Meck cresceu numa fazenda no leste da Pensilvânia e gosta de dizer que ainda é um fazendeiro, na medida em que passou muito de sua carreira no laboratório criando, controlando e fazendo experimentos em ratos e camundongos. Passou os primeiros dois anos de faculdade na Penn State, que ficava no outro lado da estrada em frente ao ginásio no qual estudara, e depois se transferiu para a Universidade da Califórnia, em San Diego, onde trabalhou como assistente de pesquisa de condicionamento operante, estudando pombos. Na época, década de 1970, o estudo de animais e de condicionamento ainda era dominado pelo behaviorismo, uma escola de pensamento fundada nos Estados Unidos por B. F. Skinner, que buscava compreender como os animais aprendiam, controlando de perto o que eles faziam no laboratório. Cognição e psicologia social eram de pouco interesse para esses cientistas, que relutavam em considerar suas cobaias animais como muito mais do que máquinas ambulantes. Pavlov havia demonstrado que uma aptidão animal para aprender diferentes intervalos de tempo era central no processo de condicionamento, mas os behavioristas geralmente viam o tempo intervalar como um meio de atingir um fim, não um fim que por si mesmo valia a pena estudar.

Meck se lembra do laboratório da UCSD como algo parecido com uma cabine de telefonista, com linhas de retransmissão que se cruzavam em todas as direções. Na maioria desses laboratórios, a tecnologia era rudimentar a ponto de todos os compartimentos terem de ser controlados em estreita coordenação uns com os outros. O condicionamento envolvia principalmente treinar pombos a optar entre várias demoras para chegar à merenda: a ave poderia ganhar cereal se, depois de ter visto determinada cor no botão de resposta, ela esperasse vinte segundos antes de bicar o botão. "Intervalos fixos, intervalos variados — pensávamos que os animais se comportavam como se fossem pequenos relógios", disse Meck. Seus colegas queriam saber que tipo de coisas poderia fazer com que os animais aprendessem, "mas eu sempre estive interessado no que, no cérebro, permitia que eles o fizessem. Não é uma pergunta que um skinneriano gostaria de fazer".

Meck foi para a Universidade Brown, onde estudou com Russell Church, um conhecido psicólogo experimental e colaborador frequente de John Gibbon, o criador da SET, a Teoria de Expectativa Escalar. Àquela altura, Gibbon tinha voltado toda a sua atenção para o timing, a percepção e avaliação do tempo, perguntando-se em voz alta que processos cognitivos capacitavam seus animais a discriminar um breve intervalo de tempo do seguinte. Em 1984, os três pesquisadores publicaram um trabalho seminal, "Scalar Timing in Memory" [Timing escalar na memória], que expandiu o trabalho de Gibbon de 1977 e estabeleceu um modelo de processamento de informação para explicar o comportamento de timing dos animais.

O que eles propuseram foi a ideia de um relógio básico, análogo a uma ampulheta ou clepsidra, que faz duas coisas: emite pulsos num ritmo constante, com uma espécie de marca-passo, e armazena o número de tiques, ou pulsos, durante um evento cuja duração está sendo medida, para referência posterior. Ele tiquetaqueia e conta os tiques; é um relógio com memória. Em algumas versões o relógio tem uma terceira função, um interruptor que determina se é para acumular os pulsos ou não. Quando começa o intervalo a ser estudado, o interruptor se fecha, permitindo que os pulsos se acumulem; quando o interruptor abre, os pulsos param de se acumular. Os pesquisadores se referiram a seu modelo como teoria de timing escalar, mas comumente é mais conhecido como modelo marca-passo acumulador, ou, às vezes, modelo de processamento de informação. Algo semelhante fora proposto uma década antes por um psicólogo de Oxford chamado Michael Treisman, que aplicou a ideia a estudos de comportamento humano, mas quase nunca ele é citado; a nova versão foi a primeira aplicação no campo do aprendizado animal, e "pegou" imediatamente.

Quando conversávamos, Meck fazia questão de enfatizar que o trabalho original de Gibbon sobre a teoria da expectativa escalar, em 1977, não fazia menção a relógios, cronômetros ou marca-passos, embora muitos cientistas contemporâneos achem que sim. "Era principalmente um conjunto de equações matemáticas fechadas", que previam o timing no pressionar de botões e nas bicadas de roedores e de pombos, disse Meck. O trabalho subsequente, que Meck descreveu como "uma versão em desenho animado da SET", introduziu termos de leigos como um "artifício intencional" para ajudar a tornar a teoria "mais acessível em termos gerais a um segmento mais amplo de cientistas, isto é, os menos inclinados para a matemática".

Internamente, os coautores se referiam à teoria do timing escalar como "o modelo SET para palermas". A mentalidade behaviorista ainda era tão forte que quando Meck e seus colegas puseram inicialmente a palavra "relógio" em seu trabalho, os editores da revista insistiram para que a retirassem.

"Esse trabalho foi um tanto arriscado para nós", disse Meck. "'Relógio' é um constructo cognitivo que um skinneriano que se respeite jamais usaria; se você não é capaz de vê-lo, não é capaz de descrevê-lo. Treisman não irritou ninguém ao usar a palavra 'relógio', enquanto nós irritamos muita gente no campo da pesquisa animal."

O modelo marca-passo acumulador rapidamente ficou popular entre pesquisadores de animais — pelo menos os que estudavam timing — porque oferecia um mecanismo conceitual, se é que não fisiológico, para explicar algumas das relações temporais que tinham observado. Por exemplo, estudos que envolviam ratos submetidos a várias drogas sugeriam que estimulantes — cocaína, cafeína — faziam com que os ratos sobrestimassem breves intervalos de tempo. Isso faz sentido se imaginarmos que essas drogas fazem o marca-passo tiquetaquear mais rápido: mais tiques se acumulam no compartimento da memória do que normalmente se acumulariam no mesmo intervalo, e assim, quando o sistema retrocede para "contar" quanto tempo se acumulou, ele sobrestima a duração. Drogas como haloperidol e pimozide, que reduzem a efetividade da dopamina no cérebro e que nos humanos são usadas como antipsicóticos, têm o efeito oposto, retardando o ritmo dos tiques e fazendo com que os ratos subestimem os intervalos de tempo.

Resultados semelhantes são vistos em cobaias humanas que receberam essas drogas, ou similares: estimulantes aceleram o relógio, fazendo com que as pessoas sobrestimem os intervalos de tempo, enquanto depressivos as fazem subestimá-los.

E há crescente evidência de que transtornos médicos são também capazes de desarmar o relógio marca-passo. Pacientes com a doença de Parkinson sofrem de baixos níveis de dopamina no cérebro, e em testes cognitivos eles consistentemente subestimam breves intervalos de tempo, o que sugere que a redução de dopamina retarda o relógio interno.

O modelo marca-passo acumulador ajudou também a explicar o curioso fato de que, em experimentos, o fato de um intervalo de tempo parecer mais longo ou mais curto do que o normal depende de *como* se pede que a cobaia responda. Por exemplo, suponha que lhe peçam que avalie a duração de um tom de áudio; você pode dar sua estimativa verbalmente ("Acho que o tom durou cinco segundos") ou reproduzindo o tom, talvez tamborilando, contando alto ou apertando um botão com uma duração que você considere equivalente à do tom. E suponha que antes de ouvir o tom de áudio você tenha ingerido uma pequena dose de um estimulante, como cafeína. Se você estimar a duração verbalmente, é provável que diga que o tom durou mais do que realmente durou — mas, se você apertar um botão por um tempo que você considere equivalente, sua resposta será mais curta do que a duração efetiva do evento. Nosso relógio interno é tão complexo que, se acelerado farmacologicamente, você é capaz de avaliar a mais ou a menos o mesmo intervalo, dependendo de como você fornece a sua resposta.

O modelo do marca-passo acumulador pode explicar o paradoxo. Digamos que o tom de áudio que você ouviu tenha efetivamente uma duração de quinze segundos. Acelerado por cafeína, seu relógio interno tiquetaqueia mais rápido do que é usual, e assim durante esse intervalo se acumulam mais tiques que o normal — talvez seu relógio tiquetaqueie sessenta vezes naqueles quinze segundos, em vez das costumeiras cinquenta. (Estou tirando esses números da cartola.) Quando os tiques terminam, pedem a você que estime, verbalmente, o intervalo.

Seu cérebro conta os tiques, e como mais tiques equivalem a mais tempo, e como sessenta é maior do que cinquenta, você dirá que os bipes tiveram uma duração um pouco maior do que realmente tiveram. Agora, em vez disso, suponha que lhe peçam que estime a duração dos bipes apertando um botão durante um tempo equivalente. Seu relógio está tiquetaqueando mais rápido por causa da cafeína, por isso você chegará aos cinquenta tiques (que é como seu cérebro mede quinze segundos) mais rápido do que o normal, e vai parar de apertar o botão antes de os quinze segundos terem realmente passado. Seu palpite verbal vai sobrestimar a duração, mas para um observador suas ações parecerão mostrar que você está subestimando.

O modelo do marca-passo acumulador logo se espalhou para além dos laboratórios de pesquisa animal até os laboratórios de cientistas que estudavam a percepção do tempo em pessoas. "Tradicionalmente, os que pesquisam humanos não dão muita atenção ao trabalho de pesquisadores de animais, e vice-versa", disse Meck. "Pesquisadores de animais tendem a ser reducionistas e maníacos por controle. Mas com a pesquisa de timing era diferente; John Gibbon fez pesquisadores de humanos e de animais se juntarem pela primeira vez. Quando introduzimos o modelo de processamento de informação do SET numa conferência, os pesquisadores de humanos o adoraram."

John Wearden, na Inglaterra, estava entre eles. Quando o trabalho de 1984 foi publicado, ele viu uma oportunidade para mudar seu grupo de estudo, passando do estudo de ratos para o de pessoas, e atualmente está entre os mais ávidos proponentes do modelo do marca-passo acumulador. Num de seus experimentos mais instigantes, Wearden mostrava aos participantes um estímulo visual ou os fazia ouvir um tom de áudio com durações variadas. No entanto, um pouco antes ele tocava uma sequência de cliques de áudio com cinco segundos de duração, numa frequência de cinco ou 25 cliques por segundo, com o palpite de que isso faria o relógio de avaliação do tempo de intervalo acelerar. E acelerou: depois, quando se pedia aos participantes que estimassem a duração do estímulo, os que tinham ouvido os cliques primeiro sobrestimavam consistentemente a duração do estímulo.

Wearden se perguntou então: se é possível fazer seu relógio tiquetaquear mais rápido de modo a dilatar a duração do tempo, você pode fazer mais coisas nesse tempo adicional? O tempo meramente *parece* se estender ou, de algum modo substantivo, realmente se estende? "Suponha que, lendo o mais rápido que você consegue, você é capaz de ler sessenta linhas de texto em sessenta segundos", disse Wearden. "Então, ao dar a você algumas cintilações ou uma sequência de cliques, eu fiz os sessenta segundos parecerem durar mais do que realmente duram. Agora você pode ler mais de sessenta linhas num minuto?"

Sim, você pode, constata-se. Num experimento, Wearden fazia com que os participantes olhassem para um monitor de computador no qual quatro caixas estavam dispostas numa fileira. Uma cruz aparecia numa das caixas e o participante tinha de apertar uma de quatro teclas, que correspondiam à posição correta da caixa. Wearden descobriu que os tempos das respostas aumentavam visivelmente se eles ouviam uma série de cliques — com cinco segundos de duração, com uma frequência de cinco ou 25 cliques por segundo — no início do experimento. Num experimento semelhante, os participantes viam não uma cruz, mas um problema de soma aritmética junto com quatro respostas possíveis; de novo, eles escolhiam a resposta correta mais rapidamente quando ouviam primeiro uma sequência de cliques.

Além de reagirem mais depressa, as pessoas também são capazes de aprender mais nesse tempo, ele descobriu. Em outro experimento, mostrava brevemente aos participantes um punhado de letras dispostas em três fileiras, em no máximo meio segundo, e depois lhes pedia que se lembrassem de quantas letras pudessem. De novo, o ato de ouvir os cliques antes aumentava, ligeira mas significativamente, o número de letras que conseguiam lembrar de modo correto. (Isso aumentava também a taxa de alarme falso: lembrar letras que não estavam lá.) A aceleração de seus relógios — aumentando o ritmo dos cliques — parecia dar aos participantes mais tempo para lembrar e processar informação.

Já se observou há muito tempo que a estimativa que alguém faz de duração de tempo pode variar amplamente dependendo das circunstâncias: o estado emocional, o que está acontecendo em volta e os eventos específicos que se está observando e avaliando quanto à sua duração. "Nossa percepção do tempo se harmoniza com diferentes disposições mentais", escreveu William James. Na década passada, os cientistas tinham descoberto maneiras ainda mais interessantes de retardar ou acelerar o relógio do intervalo do tempo com base na atitude mental da pessoa, do conteúdo do que estavam experimentando ou as duas coisas. Se você observar brevemente a imagem de um rosto num monitor de computador, sua estimativa da duração dependerá se o rosto é de um idoso ou de um jovem, se é mais ou menos atraente, se tem a sua mesma idade e etnia. Fotos de gatinhos e de chocolate duram mais na tela do que imagens também breves de assustadoras aranhas e morcelas. Não faz muito tempo, deparei com um trabalho intitulado "O tempo voa quando lemos palavras que são tabu", no qual os pesquisadores testavam as propriedades de distorção do tempo de várias palavras de conteúdo sexual e de mau gosto. Em nome do decoro acadêmico, no entanto, as palavras tabu não foram incluídas no trabalho publicado; uma nota no fim dizia que eu teria de pedi-las diretamente ao autor. Eu o fiz, e, quando a lista chegou, constatei que *fuck* [foda] e *asshole* [babaca], quando vistas no monitor de um computador, pareciam não durar tanto quanto palavras como *bicycle* e *zebra*, mesmo tendo a mesma duração na tela.

Um aspecto do modelo de marca-passo acumulador do qual Wearden mais gosta é que ele espelha uma experiência comum: à medida que um evento ou uma duração se estende, a percepção do tempo vai se formando dentro de você. Dá para imaginar o relógio interno como uma espécie de relógio digital, com números que aumentam mais ou menos em proporção com a passagem do tempo lá fora. Uma duração maior do tempo do relógio equivale a mais cliques internos; mais cliques internos se traduzem como uma passagem mais longa do tempo do relógio.

Pode-se praticar aritmética com os intervalos de tempo. Num experimento, Wearden treinou os participantes a reconhecer um intervalo com dez segundos de duração, fazendo soar um bipe para marcar o começo do intervalo e outro para marcar seu fim. Fez isso algumas vezes para acostumar o participante a um intervalo-padrão. Depois apresentou um novo intervalo, com duração entre um e dez segundos, novamente limitado por bipes, e pediu ao participante que estimasse que fração do intervalo-padrão ele representava. Tinha metade de sua duração? Um terço? Um décimo? (Para impedir que os participantes contassem internamente para medir a duração — trapaceando —, Wearden os encarregava de pequenas tarefas na tela do computador enquanto ouviam os bipes que marcavam o intervalo.)

"Quando você pede às pessoas que façam isso, elas ficam pálidas, pensam que é impossível", disse Wearden. Mas suas estimativas acabam sendo surpreendentemente precisas: quanto menor a fração que ouvem, menor é a estimativa de sua duração. "Suas estimativas são quase completamente lineares. Quando se está objetivamente na metade do intervalo, se está na metade subjetivamente também — o que implica algum tipo de processo de acumulação linear." E havia pouca discrepância entre um e outro participante; um décimo ou um terço de intervalo para um deles era para o outro também. Wearden descobriu que as pessoas são boas em somar intervalos. Ele fazia com que os participantes ouvissem dois ou três com durações diferentes e lhes pedia que os combinassem em sua mente numa só duração mais longa e que tentassem equiparar a soma a uma de durações mais longas que tocava para eles. "Eles conseguiam fazer isso muito bem", disse. "Agora, que diabo, como é que você é capaz de fazer isso se não tem uma métrica sistemática do tempo?"

Há pouco tempo, numa manhã de sábado, Susan e eu demos um pulo até a cidade para visitar o Metropolitan Museum of Art, aonde não íamos juntos desde que os meninos nasceram. As multidões ainda não haviam chegado, e durante mais ou menos uma hora circulamos por lá e absorvemos o cavernoso silêncio da arte. Afastamo-nos um do outro por um momento, separados porém juntos; enquanto Susan vagava entre os Manet e Van Gogh, eu me esgueirei para uma pequena galeria lateral, não muito maior do que um vagão de metrô, que continha uma série de expositores de vidro com pequenas esculturas de bronze de Degas. Havia alguns bustos, vários cavalos a passo, e um bronze pequeno, com a figura de uma mulher se espreguiçando, erguendo-se e curvando o braço esquerdo para cima, como que acordando de uma longa soneca.

No fim da galeria, num longo expositor, havia duas dúzias de bailarinas em várias posições de movimento ou repouso. Uma examinava a planta de seu pé direito; outra estava calçando a meia; uma terceira estava de pé com sua perna direita à frente e as mãos atrás da cabeça. Uma em *arabesque decant* — inclinada para a frente sobre uma perna, braços estendidos para os lados, como uma criança imitando um avião. Uma num *arabesque devant* — de pé sobre a perna esquerda, a perna direita erguida apontando para a frente, o braço esquerdo encurvado acima da cabeça. Seus movimentos estavam congelados, mas, mesmo assim, fluidos; senti como se eu tivesse entrado num ensaio e as dançarinas feito uma pausa longa o bastante para que eu apreciasse a mecânica de sua graça. A certa altura um grupo de homens passou por lá, e entendi que eram também bailarinos. Seu instrutor disse: "Rápido, qual delas você é agora?", e cada um deles escolheu um bronze para imitar — o que estava mais perto de mim pôs a perna direita à frente, as mãos nos quadris, cotovelos virados para trás. "Gostei de você ter escolhido esta, John", disse o instrutor.

O tempo voa quando você está se divertindo. Pode se retardar em momentos de pressão, durante uma colisão de carros ou ao cair de um telhado, ou se distorcer sob a influência de tóxicos, ficando mais rápido ou mais lento dependendo do agente. Há uma miríade de maneiras menos conhecidas de também dobrar o tempo, e os cientistas estão descobrindo mais o tempo todo. Por exemplo, considere estas duas esculturas de Degas a seguir.

Pertencem à série de bailarinas que eu vi no Met, que demonstram posições de dança em sua execução; a bailarina à esquerda está em repouso e a da direita está executando um primeiro *arabesque penché*. As esculturas e suas imagens não

estão se movendo, mas as bailarinas nelas representadas parecem estar — e isso, aparentemente, é o bastante para alterar sua percepção do tempo.

Num estudo publicado em 2011, Sylvie Droit-Volet, uma neuropsicóloga da Université Blaise Pascal, em Clermont-Ferrand, França, e três coautores mostraram imagens de duas bailarinas a um grupo de voluntários. O experimento era o que se conhece como "tarefa de bissecção temporal". Primeiro, na tela de um computador, mostra-se a cada voluntário uma imagem neutra durante 0,4 segundo ou 1,6 segundo; mediante repetidas mostras, os voluntários são treinados a reconhecer esses dois intervalos de tempo, adquirindo a percepção de como é cada um. Depois, a imagem de uma ou da outra bailarina aparece na tela com uma duração que fica entre aqueles dois intervalos; após cada exibição, o voluntário pressiona uma tecla para indicar se a duração dessa vez se parecia mais com o intervalo curto ou com o longo. Os resultados foram consistentes: a bailarina em *arabesque*, a mais dinâmica das duas figuras, parecia durar mais na tela do que realmente durava.

Isso faz um certo sentido. Estudos relacionados revelaram que existe uma conexão entre percepção do tempo e movimento. Um círculo ou um triângulo que se move rapidamente atravessando o monitor de seu computador parecerá durar mais na tela do que dura um objeto estacionário; quanto mais rápido se move, maior a distorção. Porém as esculturas de Degas não estão se movendo — apenas sugerem movimento. Em geral, as distorções de duração surgem devido à maneira como você percebe certas propriedades físicas do estímulo. Se você observa uma lâmpada que cintila a cada décimo de segundo e ao mesmo tempo ouve uma série de bipes a um ritmo um pouco mais lento — a cada 1/15 de segundo, digamos —, vai lhe parecer que a lâmpada cintila mais lentamente do que na realidade, ao mesmo tempo que o bipe. Isso acontece em razão de como nossos neurônios são conectados; muitas ilusões temporais são na verdade ilusões audiovisuais. Mas com Degas não há uma propriedade de alteração do tempo — nenhuma movimentação — a ser percebida. Essa propriedade é totalmente fabricada pelo, e no, observador — reativada em sua memória, talvez até mesmo reacionada. Que simplesmente ver um Degas possa distorcer o tempo dessa maneira sugere muita coisa quanto a como e por que nossos relógios internos funcionam como funcionam.

Um dos veios mais ricos na pesquisa da percepção temporal é o do efeito da emoção e da cognição, e Droit-Volet realizou vários e convincentes estudos que exploram esse relacionamento. Numa recente série de experimentos, ela mostrou aos participantes uma série de imagens de rostos, na qual cada rosto tinha uma expressão neutra ou demonstrava uma emoção básica, como felicidade ou raiva. Cada imagem durava na tela entre meio segundo e um segundo e meio, e se perguntava ao observador se a imagem tinha durado um tempo "curto" ou "longo". De modo consistente, os observadores relatavam que os rostos felizes tinham permanecido mais tempo do que os neutros, e os rostos zangados e assustados pareciam ter permanecido ainda mais. (Para crianças de três anos, os rostos zangados pareciam durar ainda mais, descobriu Droit-Volet.)

O ingrediente-chave parecia ser uma reação psicológica chamada *arousal*, ou ativação, que, no caso, não é o que você poderia pensar. Em psicologia experimental, *arousal* se refere ao grau em que o corpo está se preparando para agir de determinada maneira. É medido pela frequência cardíaca e a condutividade elétrica da pele; às vezes, pede-se aos participantes da pesquisa que classifiquem sua própria ativação em comparação com a das imagens dos rostos ou de bonecos. *Arousal* pode ser tida como a expressão fisiológica das emoções de alguém, ou, talvez, como uma precursora da ação física; na prática pode haver uma pequena diferença. Por critérios-padrão, a raiva é a emoção mais ativante, tanto para o observador quanto para quem está com raiva, seguida do medo, depois a felicidade, depois a tristeza. Tem-se que o *arousal* acelera o marca-passo, fazendo com que mais tiques do que o usual se acumulem num determinado intervalo, e, com isso, que imagens mais carregadas de emoção pareçam durar mais do que outras de igual duração. No estudo de Droit-Volet, rostos tristes pareciam durar mais do que rostos neutros, mas não tanto quanto rostos felizes.

Fisiologistas e psicólogos consideram o *arousal* um estado físico de preparação — sem se mover, mas pronto para se mover. Quando vemos movimento, mesmo movimento implícito numa imagem estática, o pensamento continua, executamos esse movimento internamente. Em certo sentido, o *arousal* é uma medida de sua aptidão para se ver no lugar de outra pessoa. Estudos dizem que se você observar uma ação — a mão de alguém pegando uma bola, digamos —, os músculos de sua mão ficam preparados para a ação. Os músculos não se movem mas sua condutividade elétrica sobe como se estivessem se preparando para fazer isso, e sua frequência cardíaca também aumenta um pouco. Em termos fisiológicos, você está ativado. O mesmo vai ocorrer se você observar uma mão pousada perto de um objeto — supostamente preparada para pegá-lo — ou até mesmo uma fotografia de uma mão segurando o objeto.

Uma grande quantidade de pesquisas sugere que esse tipo de coisa acontece o tempo todo em nossa vida cotidiana. Imitamos as expressões faciais e os gestos dos outros, muitas vezes sem saber; vários estudos descobriram que participantes de testes adotam uma expressão facial mesmo quando, devido a truques de laboratório, não têm consciência de que estão vendo um rosto. Dois amigos conversando vão correlacionar seus movimentos muito mais do que dois estranhos o fariam — e uma terceira parte, um observador, poderia dizer qual dos pares em conversa é formado por amigos só de olhar as conversas num vídeo. Marnix Naber, um psicólogo da Universidade de Utrecht, realizou um estudo no qual pares de participantes competiam um contra o outro numa variante de fliperama chamado Whac-A-Mole. À medida que o jogo transcorria, os jogadores cada vez mais (e de maneira inconsciente) sincronizavam seus movimentos, mesmo quando isso baixava suas pontuações. Esse tipo de imitação parece ser uma parte integrante do processo de socialização, e uma sensibilidade ao timing, a duração de um gesto, é essencial; o significado de um aceno, um sorriso ou um olhar pode mudar dramaticamente, dependendo se eles são breves ou demorados, rápidos ou lentos, regulares ou esporádicos.

A imitação social também induz um *arousal* fisiológico e parece abrir um caminho que nos ajuda a perceber emoções nos outros. Estudos descobriram que se você assumir a expressão de quem está esperando um choque, o choque efetivo, quando vier, será sentido como mais doloroso. Exagerar a expressão facial quando se assiste a cenas de filme agradáveis ou desagradáveis aumenta sua frequência cardíaca e a condutividade da pele, os sinais típicos do *arousal* fisiológico. Estudos feitos com ressonância magnética funcional descobriram que as mesmas áreas do cérebro são ativadas se uma pessoa experimenta uma determinada emoção, como a raiva, ou observa uma expressão facial que a representa. O *arousal* sinaliza a existência de uma ponte para a vida interior dos outros. Se você vê um amigo com raiva, não infere apenas como ele está se sentindo: você literalmente sente o que ele está sentindo. O estado de espírito e de movimento de seu amigo se torna seu também.

Bem como sua percepção do tempo, constata-se. Nos últimos anos, Droit-Volet e outros pesquisadores têm demonstrado que, quando incorporamos ação ou emoção de outra pessoa, estamos incorporando as distorções temporais que a acompanham.

Num experimento, Droit-Volet fez com que os participantes vissem uma série de rostos — alguns idosos, outros jovens — brevemente numa tela de computador, sem obedecer a uma ordem ou um padrão específicos. Descobriu que eles consistentemente subestimavam a duração dos rostos mais velhos, mas não a dos mais jovens. Em outras palavras, quando viam um rosto mais velho, seus relógios internos funcionavam mais lentamente, como que para "incorporar os movimentos lentos de pessoas idosas", escreve Droit-Volet. Um relógio mais lento produz menos tiques num determinado intervalo de tempo; menos tiques se acumulam, e assim o intervalo é avaliado como sendo mais breve do que realmente é. Observar ou lembrar uma pessoa idosa induz o observador a reencenar, ou simular, suas posturas corporais, ou seja, sua movimentação lenta. "Por meio dessa incorporação", escreve Droit-Volet, "nosso relógio interno se adapta à velocidade com que os idosos se movimentam, e faz com que a duração do estímulo pareça ser mais curta."

Ou lembre o experimento anterior de Droit-Volet, no qual os participantes relataram que rostos zangados e rostos felizes pareciam ficar mais tempo na tela do que os neutros. Ela atribuiu esse efeito ao *arousal*, porém começou a suspeitar que a incorporação poderia desempenhar um papel também. Talvez os participantes estivessem imitando os rostos quando os viam, e a ação de imitar estava causando a distorção do tempo. Assim, ela realizou o experimento mais uma vez, com uma diferença crítica: pediu-se a um grupo de participantes que olhassem os rostos segurando uma caneta entre os lábios, para suprimir suas expressões faciais. Os que olhavam sem a caneta sobrestimaram significativamente a duração dos rostos zangados e moderadamente a dos felizes — mas os outros, com lábios e rostos constrangidos, virtualmente não detectaram nenhuma diferença temporal entre os rostos que expressavam emoção e os neutros. O tempo tinha sido corrigido por nada menos do que uma caneta.

Tudo isso leva a uma conclusão estranha e instigante: a percepção do tempo é contagiosa. Quando conversamos um com o outro e observamos um ao outro, estamos entrando e saindo da experiência do outro, inclusive suas percepções (ou o que imaginamos sejam as percepções do outro, com base em nossa própria experiência) de duração. Não só essa percepção é flexível, como estamos continuamente compartilhando entre nós suas pequenas flexões, como se fosse dinheiro ou um agregador social. "A eficácia da interação social é determinada por nossa capacidade de sincronizar nossa atividade com a dos indivíduos com os quais estamos lidando", escreve Droit-Volet. "Em outras palavras, os indivíduos adotam os ritmos de outras pessoas e incorporam o tempo de outras pessoas."

Nossas distorções temporais compartilhadas podem ser consideradas como manifestações de empatia; afinal, incorporar o tempo de outra pessoa é se pôr dentro de sua pele. Nós imitamos os gestos e as emoções um do outro — mas é mais provável que façamos isso, segundo estudos realizados, com pessoas com as quais nos identificamos ou cuja companhia gostaríamos de compartilhar. Em seu estudo de rostos, Droit-Volet descobriu que isso era verdade: na percepção dos observadores, os rostos idosos duravam menos na tela do que os jovens, mas apenas quando o observador e o observado eram do mesmo gênero. Se um homem via o rosto de uma mulher idosa, ou uma mulher o de um homem idoso, não havia distorção temporal. Estudos com faces marcadamente étnicas apresentavam um efeito semelhante: participantes sobrestimavam a duração de rostos zangados em comparação com os neutros, mas o efeito é mais provável e pronunciado quando observador e observado são da mesma etnia. Droit-Volet descobriu que os observadores que mais tendiam a sobrestimar a duração de rostos zangados eram os que tiveram notas mais altas num teste de empatia.

Saímos de nós mesmos e entramos dentro uns dos outros o tempo todo, mas fazemos essas trocas com objetos inanimados também — rostos e mãos, figuras de rostos e mãos, e outros objetos figurativos, como as esculturas de balé de Degas. Droit-Volet e seus coautores do trabalho sobre Degas alegam que o motivo pelo qual a escultura mais dinâmica parece durar mais na tela — o motivo de ser fisiologicamente ativante, antes de tudo — é que "ela envolvia a simulação incorporada de um movimento mais esforçado e ativante". Supostamente era o que Degas tinha em mente o tempo todo: um convite para participar, um estímulo para que o mais "pé de chumbo" dos observadores entrasse na roda. Vejo uma escultura de uma bailarina inclinada para a frente apoiada numa perna só, e de um modo discreto, externamente imperceptível, mas essencial, estou bem ali com ela, executando meu próprio e interno *arabesque*. Incorporo a graciosidade do bronze e, no momento em que o vejo, o tempo se dobra à minha volta.

Rostos que expressam emoção, corpos em movimento, esculturas atléticas — tudo isso é capaz de induzir distorções temporais, e de um modo que pode ser explicado com o modelo do marca-passo acumulador. Mas também é intrigante. Claramente, a vida está determinando que possuímos algum tipo de mecanismo interno para registrar o tempo e monitorar durações breves — mas esse que carregamos conosco pode ser posto fora do rumo pela menor brisa emocional. Qual é a vantagem de ter um relógio tão falível?

"O que me ocorre quanto ao tempo subjetivo é como somos ruins em comparação com um cronômetro", disse-me Dan Lloyd, filósofo no Trinity College e coeditor de *Subjective Time: The Philosophy, Psychology, and Neuroscience of Temporality* [Tempo subjetivo: a filosofia, a psicologia e a neurociência da temporalidade]. "Somos inconsistentes em todos os aspectos e sujeitos a toda sorte de manipulações. Para mim é um mistério que funcionemos tão bem quanto funcionamos."

Talvez haja outra maneira de pensar sobre isso, sugere Droit-Volet. Não é que nosso relógio não funcione bem; pelo contrário, ele é soberbo ao se adaptar ao sempre mutante ambiente social e emocional no qual navegamos todos os dias. O tempo que percebo em cenários sociais não é só meu, nem existe apenas um molde para ele, e isso é parte do que dá a nossas interações sociais suas nuanças; "dessa forma, não existe um único tempo homogêneo, e sim múltiplas experiências de tempo", escreve Droit-Volet num trabalho. "Nossas distorções temporais refletem diretamente o modo com que nosso cérebro e nosso corpo se adaptam a esses tempos múltiplos." Ela cita o filósofo Henri Bergson: "*On doit mettre de côte le temps unique, seuls comptent les temps multiples, ceux de l'expérience*". Temos de pôr de lado a ideia de um único tempo, tudo que conta são os tempos múltiplos que constituem a experiência.

Nossas mais tênues trocas sociais — nossos olhares, sorrisos e carrancas — ganham potência com nossa aptidão para sincronizá-los entre nós, observa Droit-Volet. Flexibilizamos o tempo para termos tempo, um com o outro, e muitas distorções temporais que experimentamos são indicadores de empatia; quanto mais capaz eu for de me ver em seu corpo e em seu estado de espírito, e você nos meus, melhor poderemos reconhecer uma ameaça, um aliado, um amigo ou alguém em necessidade. Mas empatia é um atributo bastante sofisticado, uma marca de maturidade emocional; exige aprendizado e tempo. À medida que uma criança cresce e desenvolve empatia, ela adquire uma melhor noção de como navegar no mundo social. Dito de outra maneira, pode ser que um aspecto crítico de se tornar adulto é aprender como flexibilizar o tempo para se adequar aos outros. Podemos nascer solitários, mas a infância termina com uma sincronia de relógios, quando nos abandonamos totalmente ao contágio do tempo.

Às vezes, quando Matthew Matell dá uma palestra sobre sua pesquisa, ele começa exibindo à audiência um slide com uma sentença impressa, que ele lê em voz alta:

> A avaliação do tempo de um intervalo está tão arraigada em nossa percepção da passagem de um momento para outro que pode ser difícil imaginar como seria nossa experiência consciente sem a expectativa temporal.

No entanto, a meio caminho, depois de dizer "pode ser difícil", ele para abruptamente e deixa passar vários segundos, o que fica cada vez mais estranho. A plateia se remexe, incomodada — *O que está acontecendo? Ele tem medo de palco?* —, até ele finalmente retomar a leitura. "Fiz isso quando estava pleiteando minha posição aqui, em Villanova", disse-me Matell. "Depois disso, meu patrono veio me dizer que pensou que eu tivesse ficado completamente paralisado, e isso o deixara muito ansioso."

Mas a reação da plateia provou o que estava afirmando: estamos tão firmemente sintonizados com a passagem do tempo de um momento para outro que quase não pensamos nisso até que nossas expectativas sejam frustradas. "Vocês não estavam avaliando meu intervalo de tempo", ele disse. "Mas, quando ele é interrompido, vocês subitamente tomam consciência de que estavam avaliando o tempo todo." Antes disso, orientadores acadêmicos tentaram afastá-lo do estudo do tempo: por que dar atenção a um tema tão esotérico? "Mas isso não é enxergar as árvores em vez da floresta", ele me disse. "A avaliação do tempo está tão embutida em tudo o que fazemos que é impossível imaginar uma experiência sem ela."

Matell é um neurocientista comportamental da Universidade Villanova, nos arredores de Filadélfia. Frequentemente, quando ele conta a alguém, pela primeira vez, que sua pesquisa explora como percebemos o tempo, a pessoa lhe faz as perguntas costumeiras: por que eu acordo todo dia à mesma hora mesmo sem usar o despertador? Por que estou sempre tão cansado no meio da tarde? Essas perguntas cabem a um biólogo circadiano. Matell estuda a avaliação do tempo de intervalo, o mecanismo que governa a aptidão do cérebro de planejar, avaliar e tomar decisões quanto a períodos que duram entre mais ou menos um segundo e vários minutos.

Mas qual é a natureza desse mecanismo? Será que o cérebro tem um medidor de tempo de intervalo central, análogo ao relógio-mestre circadiano no núcleo supraquiasmático? Haverá uma rede distribuída de relógios que atua segundo a tarefa que se apresenta? Durante trinta anos o modelo marca-passo acumulador serviu como uma plataforma confiável para experimentos em percepção do tempo; está claro que nossas avaliações da duração de algo podem ser manipuladas tão fácil e previsivelmente quanto nossas avaliações de luminosidade ou sonoridade. Mas o modelo é e sempre foi um dispositivo heurístico, o tipo de relógio que se desenha num guardanapo; onde, em nossa coleção de 1,3 quilograma de neurônios, ele efetivamente se encontra? "Ele existe conceitualmente", disse-me Wearden a certa altura. "Existe matematicamente, como um contexto para pesquisas de estimulação e pesquisas de explicação. Mas, se existe ou não um mecanismo físico que realiza esse tipo de coisa, ainda está por ser constatado."

Para alguns psicólogos a resposta não interessa muito. No prefácio de *The Psychology of Time Perception*, Wearden escreve que "nenhum dos tópicos tratados neste livro estaria significativamente esclarecido de alguma forma pela neurociência da avaliação do tempo em seu estado atual, ao menos em minha opinião". Neurocientistas pedem licença para discordar. É sabido que pessoas que sofrem de certos distúrbios do mundo real, inclusive doença de Parkinson, de Huntington, esquizofrenia e mesmo autismo, têm dificuldade em tarefas que exigem avaliação do tempo. A avaliação do tempo de intervalo tem claramente uma base biológica, e uma melhor compreensão dela poderia lançar uma luz sobre essas deficiências, ou pelo menos lançar mais luz sobre o funcionamento do cérebro humano. Algo nos faz tiquetaquear — o que é? É isso que Matell, entre outros, quer descobrir.

Achei o escritório de Matell no canto superior de um prédio antigo no campus de Villanova, depois de subir quatro lances de degraus de mármore, desgastados e arredondados pelo uso. As aulas tinham acabado de ser interrompidas por causa do verão, e os corredores forrados de linóleo estavam desertos. O silêncio fazia tudo parecer maior do que o normal, e comecei a pensar que eu estava de volta à minha escola de ensino fundamental, ou percorrendo o caminho de algum outro recesso da memória. Após uma curva à esquerda, o corredor ficou mais estreito, e, depois de algumas portas, parecia chegar ao fim. Perguntei em volta, e soube que o que parecia ser uma porta de saída se abria para uma espécie de beco sem saída com um labirinto de escritórios e laboratórios.

Matell apareceu, vestindo uma camiseta, shorts e tênis para caminhada, e me cumprimentou com muita energia. Estava a caminho de uma parte do laboratório que ele chamava de sala do rato, e calçava um par de luvas elásticas azuis; os muitos anos que passou manuseando ratos tinham lhe causado uma alergia de pele, e os estudantes de pós-graduação que geralmente trabalhavam com os ratos estavam fora naquele dia. Matell falava rápida mas calorosamente, e seus olhos se abriam muito quando falava. A certa altura, ele disse: "Ciência tem a ver com inventar histórias e verificar se elas têm algo de verdadeiro".

Em seu primeiro século, ou algo assim, o estudo da percepção do tempo documentou sobretudo as manifestações cognitivas: como uma cobaia, humana ou não humana, responde depois de ter sido submetida a um estímulo (um lampejo brilhante, rostos zangados, esculturas de Degas), e em que condições essa resposta pode ser alterada (cocaína, queda de uma altura de trinta metros, pedalar uma bicicleta num tanque com água). Mas cada vez mais os pesquisadores se perguntam onde e como o cérebro produz essas respostas. Drogas com direcionamento de precisão micrométrica podem desligar ou amplificar aglomerados de neurônios, para avaliar qual é seu papel na percepção do tempo. Aparelhos que obtêm imagens do cérebro revelam quais grupos de neurônios são ativados quando a pessoa se envolve em tarefas de avaliação do tempo. A psicologia do tempo deu origem à neurociência do tempo. Quando Matell e outros pesquisadores se aventuram a penetrar em nossa cabeça, eles deparam com o essencial mistério humano: como é que uma massa de células com 1,3 quilo gera as memórias, os pensamentos e os sentimentos que associamos a nós mesmos: como é que o *wetware* dá origem ao software? Um pesquisador me disse que somos todos neurocientistas, na medida em que sabemos muito pouco sobre como o cérebro humano dá origem à mente humana.

"O cérebro funciona como uma corporação", disse Matell. "Há muitas unidades fazendo seu trabalho, e talvez algum gerenciamento de cima para baixo. Mas cada unidade está fazendo sua parte, e dentro de cada unidade há indivíduos" — estava se referindo aos neurônios — "cada um fazendo seu próprio trabalho." Eu tendo a fazer uma analogia entre neurônios e pessoas. Eles são pequenos agrupamentos para processamento de informação. Em algum nível, os neurônios estão agindo como pequenos autômatos. A grande questão é: de que modo sistemas psicológicos, como cérebros formados por neurônios, dão origem a fenômenos psicológicos como a consciência? Gostamos de pensar que temos livre-arbítrio, mas não creio que você possa ser um neurocientista e realmente acreditar nisso. Isso sugere que nosso comportamento é operado por outra coisa, e não nosso cérebro.

O cérebro humano é uma reunião de algumas centenas de bilhões de neurônios. Um neurônio é como um fio vivo; ele transmite informação na forma de impulso eletroquímico, de uma extremidade a outra de seu corpo celular estendido, geralmente numa só direção. Alguns neurônios são longos — o nervo ciático, que vai da base de sua espinha até o dedão do pé, tem cerca de um metro de comprimento —, mas a maioria é microscópica, e são todos excepcionalmente finos; postos lado a lado, algo entre dez e cinquenta deles caberiam na largura do ponto que finaliza esta sentença. Cada um deles tem uma extremidade receptora, composta de uma ramificação de dendritos, que ao microscópio parecem raízes de uma árvore; um extenso corpo celular, ou axônio, ao longo do qual se propaga o sinal; e uma terminação ramificada através da qual o sinal é passado adiante. Um neurônio típico recebe input de cerca de 10 mil neurônios "correnteza acima" e transmite para um número menor de neurônios "correnteza abaixo". Os neurônios não estão conectados fisicamente entre si; eles se comunicam através de minúsculas lacunas, ou brechas, chamadas sinapses. Quando um sinal atinge o término de um neurônio, ele desencadeia a liberação de neurotransmissores que atravessam as sinapses e se fixam aos dendritos dos neurônios próximos, como chaves que se encaixam num conjunto de fechaduras. Se os sinais que atingem um neurônio são suficientemente fortes, eles incitam o neurônio a gerar seu próprio sinal para passar adiante. Um neurônio ou dispara ou não dispara esse sinal, e, se disparar, seu potencial de ação é sempre o mesmo; tudo o que pode mudar é o ritmo desse disparo. Um estímulo mais forte — uma luz brilhante — induzirá o neurônio a disparar com mais frequência do que o fará um estímulo fraco, e haverá mais probabilidade de o neurônio excitar neurônios corrente abaixo. Mesma na escala de células, o tempo — o input por unidade de tempo — desempenha um papel.

Às vezes neurocientistas descrevem neurônios como "detectores de coincidência". Um neurônio está sempre recebendo um pingo básico de input que vem da "corrente acima"; apenas quando o pingo se torna uma torrente e um grande número de sinais chega simultaneamente, os neurônios são incitados a disparar. Poder-se-ia, com razão, perguntar o que significa "simultaneamente" nessa escala — o que é "agora" para um neurônio? Uma célula cerebral funciona mais ou menos como uma clepsidra, um relógio de água. Os neurotransmissores da "corrente acima" aderem a sua membrana celular e abrem canais que deixam entrar íons — em geral íons de sódio, que têm uma carga levemente positiva. Isso começa a despolarizar a célula, e, quando a despolarização atinge um limite crítico, o neurônio dispara; quanto mais rápido o input, mais rápida a torrente de íons. Mas é uma clepsidra com buracos: os íons vazam através da membrana celular e a célula pode, ativamente, bombear mais para fora dela. "A coisa toda pode provavelmente ser descrita como uma taça de vinho vazando, com uma haste frágil e um pouco de vinho Manischewitz", disse-me um pesquisador. "Se você pôr vinho na taça depressa demais, a haste vai quebrar; se não, o vinho vai escorrer para sua toalha de mesa."

O "agora" é o tempo que a torrente de íons leva para ultrapassar o fluxo existente. É uma janela dinâmica de tempo, e está sob forte controle da célula. O neurônio pode bombear íons para fora rápida ou lentamente, e o número de canais de íons da membrana celular é regulado pelo DNA da célula. O neurônio também atribui pesos diferenciados ao input que vem da "corrente acima": um sinal que chega de um neurônio mais afastado aos dendritos se degrada mais em seu caminho até o axônio, e assim pode ser um fator menos determinante para o neurônio disparar ou não. "Imagino os neurônios como indivíduos que estão computando algo", disse Matell. "Eles estão integrando informação — potenciais de ação — ao longo do tempo e do espaço." Usando uma analogia, disse Matell, ele faz uma pergunta aos estudantes: numa noite de sábado, como é que você decide se vai àquela festa da fraternidade ou fica em casa para estudar? "Você atribui um peso a suas fontes", disse Matell. "Se perguntar a sua mãe, ela vai dizer uma coisa; pergunte a seus amigos, e eles vão dizer outra coisa. Por outro lado, talvez seus amigos achem que você deva ir, mas você esteve em outra festa que esses amigos tinham sugerido e foi horrível, por isso a opinião deles vale menos."

Seja como for, "agora", para um neurônio, não é zero. Aqui, como em qualquer outro lugar, leva tempo para ganhar tempo: cinquenta microssegundos (um vigésimo de um milissegundo, ou 1/20 000 de um segundo) para os neurotransmissores se disseminarem através de uma sinapse de um neurônio ao neurônio seguinte; talvez vinte milissegundos para um neurônio se despolarizar antes de disparar; mais ou menos outros dez milissegundos para seu próprio sinal percorrer o comprimento da célula. Um neurônio pode disparar dez a vinte vezes por segundo, e quando periodicamente grupos de neurônios disparam em uníssono, e eles fazem isso com regularidade, seus pulsos são registrados como oscilações eletromagnéticas. "Um dos desafios para compreender a percepção do tempo é o fato de que os processos cerebrais operam numa escala de tempo de milissegundos", disse Matell. Como é que esse mesmo circuito dá origem à nossa aptidão para navegar através de segundos, minutos e até mesmo horas? Um modelo inicial se focou no cerebelo e o tratou quase literalmente como um circuito elétrico, com redes ramificadas e linhas de retardamento capazes de tornar um sinal mais lento. Esse conceito ajuda a explicar certos comportamentos, como nossa aptidão para determinar a direção de um som. (Quando um sinal auditivo chega a uma orelha pouco antes de atingir a outra, essa defasagem fornece informação quanto à localização da fonte sonora.) Mas isso é menos aplicável à percepção de intervalos da ordem de segundos ou minutos. Em vez disso, então, Matell tem ajudado a explorar outro modelo, que funciona menos como um circuito telefônico e mais como uma sinfonia.

Em 1995, depois de sua graduação na Ohio State, Matell foi para Duke trabalhar em seu doutorado. Estudou com o neurocientista cognitivo Warren Meck, que tinha vindo da Columbia no ano anterior para tentar entender a base neural da avaliação de um intervalo de tempo. Àquela altura, Meck tinha compilado dois esclarecedores conjuntos de dados. Um, derivado de estudos feitos com ratos e pessoas, revelava que a percepção que se tem de duração pode ser acelerada ou retardada com a administração de drogas que alteram o nível de dopamina no cérebro. O segundo era focado em circuitos. Pesquisas com ratos mostravam que se uma parte do cérebro chamada estriado dorsal era destruída ou removida, o animal perdia a capacidade de realizar tarefas-padrão de avaliação de tempo. E havia crescente evidência — com Chara Malapani, na Columbia, mas desde então reforçada pelo trabalho de vários pesquisadores, inclusive Marjan Jahanshai, neurocientista da University College, de Londres, e Deborah Harrington, na U. C. San Diego — de que pacientes com a doença de Parkinson, que apresentavam danos no estriado, também erravam consistentemente na avaliação de intervalos de tempo. Pouco depois da chegada de Matell, Meck lhe passou os dois conjuntos de dados.

"Ele me deu esses trabalhos e disse: 'Sua tarefa é imaginar como tudo isso funciona no cérebro'", contou-me Matell. "Não creio que estava pensando algo do tipo 'Venha com a resposta'. Mas comecei a ler uma porção de trabalhos de neurobiologia, e não de psicologia."

Enquanto falava, Matell me mostrava o laboratório e a instalação para seus ratos. Cada roedor ocupava uma câmara de plástico com mais ou menos um pé cúbico. Cada câmara tinha um pequeno alto-falante que tocava ocasionalmente um tom de áudio, uma passagem para introduzir bolotas de comida e três orifícios nos quais o rato podia enfiar seu focinho. "Orifícios funcionam melhor que alavancas, porque ratos gostam de meter o nariz em alguma coisa", disse Matell. Com essa configuração, ele era capaz de treinar os ratos a aprender os intervalos de tempo que escolhia. Por exemplo, se o rato metesse o nariz num orifício (ação que era detectada por um feixe de luz infravermelha que passava por cada buraco), era recompensado trinta segundos depois com uma bolota de comida. Se fosse impaciente e tornasse a meter o nariz antes de se passarem os trinta segundos, nada acontecia; assim, para o rato ter sucesso ele precisava fazer as duas coisas, meter o nariz e esperar — e aprender quanto tempo esperar antes de meter o nariz de novo. Em 2007, pesquisadores da Georgia State University descobriram que chimpanzés eram melhores nessa espera de trinta segundos para ganhar uma guloseima se conseguissem se distrair nesse meio-tempo — com brinquedos ou folheando exemplares da *National Geographic* e *Enterainment Weekly* que os pesquisadores lhes tinham dado. Os ratos de Matell passavam o tempo se limpando e farejando em volta. "Se fossem humanos, provavelmente pegariam seus celulares e surfariam na internet", disse Matell.

Quando os animais aprendem a avaliar um determinado intervalo, Matell pode tentar perturbar esse conhecimento. Em alguns experimentos, ele pode dar ao rato uma droga — talvez uma dose específica de anfetamina, injetada com precisão micrométrica numa determinada parte do cérebro — para ver como isso acelera ou retarda o timing do animal, e começar a decifrar quais estruturas neurais estão envolvidas. Ou pode, seletivamente, danificar ou destruir um determinado órgão dentro de seu cérebro, para medir como o timing do animal se altera. O procedimento é delicado e pode ser impreciso; geralmente o alvo é uma minúscula região no tronco cerebral chamada *substantia nigra pars compacta*, cujo tamanho no rato é de poucos milímetros. "Assim como nos humanos, cérebros de ratos não são idênticos", disse Matell. "Basicamente, você está atirando um pouco no escuro." Ele me mostrou um livro enorme chamado *Atlas of Brain Maps* [Atlas de mapas do cérebro]. Cada página mostrava, sucessivamente, uma fatia de um cérebro de rato na escala de milímetros. Parecia uma obra de anatomia de uma couve-flor. Quando termina um experimento, disse Matell, o animal passa por eutanásia e seu cérebro é removido e cortado em fatias finas, e das fatias se fazem slides que são examinados e comparados com as imagens no livro. "Assim, podemos dizer: 'Estávamos visando a essa estrutura — aonde chegamos?'"

Outra maneira de estudar como um rato aprende a avaliar o tempo de intervalos é implantar eletrodos em seu cérebro e registrar a atividade neural quando o animal está realizando sua tarefa de avaliar o tempo. Esse também é um trabalho delicado. Matell me mostrou o que parecia ser uma espada fibrosa com

2,5 centímetros de comprimento: uma pequena plataforma de metal, como um punho de espada, do qual saíam oito fios curtos, cada um com um eletrodo na extremidade. Usando o atlas do cérebro como guia, Matell, ou um estudante de pós-graduação, inseria cuidadosamente os eletrodos no cérebro do rato; os fios eram conectados a um cabo que saía pelo topo da câmara do experimento e para um dispositivo de gravação, de modo que o rato é capaz de se mover em seu compartimento relativamente sem empecilhos. Todo pico neural que ocorre recebe um código para o tempo em que ocorreu e pode depois ser comparado com as atividades do rato.

"É como pegar um microfone e pô-lo num recinto cheio de pessoas", disse Matell. "Essas pessoas são os neurônios. Você é capaz de ouvir coisas diferentes. Neurônios têm vozes diferentes, dependendo do tamanho da célula ou de sua distância até o eletrodo."

Em certo momento, Matell se deteve num armário de metal e tirou dele um modelo plástico de um cérebro humano. Ele o pôs na mesa e começou a desmontá-lo, separando o hemisfério direito do córtex cerebral do esquerdo. Lá dentro, situado no topo do tronco cerebral, havia uma estrutura que parecia um cogumelo achatado; era o corpo caloso, o pacote de fibras nervosas que fazem a crítica conexão entre os dois hemisférios. Matell apontou para uma estrutura com o formato de fúrcula, o ossinho de forquilha da galinha, inserida em cada hemisfério — os ventrículos, sacos cheios de fluido que, entre outras coisas, servem como amortecedores internos. "O cérebro está num fluido e cercado de fluido", disse ele. "É como um sistema de proteção para um ovo." Abaixo do corpo caloso estavam o hipocampo e a amígdala, que são parte do sistema límbico, sede da emoção e da memória, assim como o tálamo, os gânglios da base e outras estruturas subcorticais.

Na qualidade de uma espécie que pensa, estamos acostumados a achar que a principal tarefa do cérebro é nos ajudar a pensar. O cérebro é essencial para essa tarefa, mas em última análise o que ele faz é nos ajudar a antecipar, executar e selecionar a melhor ação para qualquer situação que o corpo esteja enfrentando naquele momento. Alcançar esse objetivo requer que o cérebro minimize toda incerteza quanto a qual ação realizar; e alcançar *esse* objetivo exige que ele primeiro reúna informação sólida sobre o que está acontecendo lá fora, e, em particular, como tudo está indo até agora — quais foram os resultados de ações anteriores e se a situação está ficando melhor ou pior. Para esse fim, a informação viaja pelo cérebro numa espécie de loop completo. Entram dados sensoriais — pelos olhos, pelas orelhas ou pela medula espinhal —, depois passam por distintas áreas do tálamo antes de se irradiarem para as áreas sensoriais corticais; o córtex visual primário, no lobo occipital, na parte de trás do cérebro; o córtex auditivo primário, nos lobos temporais, um de cada lado; e o córtex somatossensorial, no lobo parietal, mais atrás na cabeça. Dali os fluxos se combinam e são orientados para o sistema límbico, no lobo frontal. Isso é às vezes chamado de What Pathway, "Caminho do Quê", mediante o qual o cérebro percebe o que é o estímulo, destituído de qualquer valor. É um bolo ou uma cobra? Uma vez feita essa avaliação, a informação viaja pelo sistema límbico, inclusive a amígdala e o hipocampo, onde é codificada com um valor (quanto estou querendo esse bolo?) e, caso valha a pena de ser lembrada, gravada. Os dados vão então para o córtex frontal, onde são consideradas possíveis decisões (devo comer esse bolo antes de fazer meu dever de casa, ou espero para comer depois?), estabelecidas prioridades, e as informações menos pertinentes (minha dieta) podem ser minimizadas. Dali, continua para as áreas pré-motoras e motoras — localizadas no topo do cérebro, junto às áreas sensoriais — que dão início à ação.

Situada mais ou menos no meio dessa viagem há uma importante região chamada de gânglios basais, um conglomerado de estruturas que incluem o estriado e a *substantia nigra pars compacta*; sinais entram pelo estriado, que em ilustrações em livros de estudo tem um formato de espiral e parece um pouco com um fone de um telefone fixo. Os gânglios basais constituem o departamento de economia de trabalho do cérebro. Se minha reação típica a uma fatia de bolo é comê-la na mesma hora, meu cérebro logo conclui que pode pular o costumeiro loop What Pathway — ver o bolo, identificar o bolo, reconhecer o bolo como algo desejável, debater se come ou não o bolo — e ir direto ao ponto, comer o bolo. Ao reconhecerem padrões específicos de disparo dos neurônios corticais, os gânglios basais me dão mais rapidamente aquilo que quero, liberando minha arquitetura neural para novos estímulos. Os gânglios basais são o lugar em que se aprendem atividades rotineiras, e hábitos, até mesmo vícios, se formam.

É também um componente central do relógio do cérebro que avalia tempo de intervalo, acreditam Matell e Meck. Todo neurônio no córtex é um pouco como uma antena. "Está sintonizado com algo específico", disse Matell. "É um detector do estado-em-que-está-o-mundo para algum determinado e restrito estado." O córtex, por sua vez, envia milhares de neurônios para dentro dos gânglios basais, que é composto de centenas de milhares de neurônios espinhosos estriatais; cada neurônio estriado monitora o estado de 10 mil a 30 mil neurônios corticais, com muitas superposições, de modo que cada um está apto a detectar padrões específicos de disparo que ocorrem corrente acima. Quando ocorre um determinado padrão, o neurônio estriado dispara, fazendo com que neurônios nas proximidades da *substantia nigra pars compacta* liberem dopamina — uma pequena resposta neuroquímica que ajuda a marcar aquele padrão como memorável e digno de nota no futuro. O sinal continua para o tálamo, os neurônios motores, e de volta ao córtex. "É a contribuição de todos esses inputs que os gânglios basais estriatais estão detectando", disse Matell. "É como um centro de aprendizado de hábitos. Nos ratos, está envolvido em avaliação de tempo, porque avaliar tempo é um comportamento que o rato aprendeu, e que agora é rotineiro."

Essa mecânica está bem estabelecida. O modelo, diz Matell, propõe que a avaliação do tempo de intervalo é possibilitada pelo fato de que, quando estimulados por sinais externos, grupos de neurônios corticais disparam com distintos padrões. Alguns exibem o que é chamado de oscilações teta, disparando num ritmo de cinco a oito vezes por segundo, ou de cinco a oito hertz. Outros oscilam entre oito e doze hertz — frequências alfa —, e outros ainda entre vinte e oitenta hertz, ou oscilações gama. Essas oscilações, por sua vez, são detectadas pelos neurônios espinhosos no estriado dorsal. É claro, disse Matell, que esses ritmos de disparo estão bem abaixo da escala de tempo que encontramos em nossa vida diária, consciente. "O cérebro opera numa escala de milissegundos, mas podemos estimar o tempo até algumas horas. Você está aqui, o quê, há uma hora e meia? Podemos estimar isso sem olhar para o relógio. Então, como é que passamos de operações de milissegundos no cérebro para uma escala operacional de minutos e horas?"

Para abordar essa charada, Matell e Meck aproveitaram um modelo desenvolvido por outro neurocientista, Chris Miall, da Universidade de Birmingham. Voltamos para o escritório de Matell, enquanto ele continuava a explicar. Grandes janelas deixavam entrar o sol brilhante de fim de primavera e a visão dos telhados do campus. Numa parede havia uma estante alta com livros como *Psicofarmacologia* e *The Wet Mind* [A mente molhada], e no peitoril de uma janela próxima vi, ainda por abrir, um novo brinquedo chamado O Incrível Cérebro que

Cresce, para o que só era necessário acrescentar água. Em outra parede havia um quadro branco; Matell pegou um marcador e começou a desenhar nele. Desenhou duas fileiras de sinais em forma de tiras, cada um representando um disparo de um neurônio, dentro de um certo ritmo de disparos. Suponha agora, disse ele, que algum estímulo inicie, como um tom auditivo. Seus neurônios começam logo a disparar, mas não no mesmo ritmo; um talvez dispare a cada dez milissegundos e o outro dispara com uma frequência maior, a cada seis milissegundos. Suponha agora que os dois neurônios estão conectados num mesmo neurônio estriado, o qual detecta quando dois neurônios dispararam simultaneamente; no caso, isso acontece a cada trinta milissegundos.

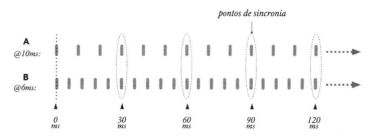

O neurônio A dispara a cada dez milissegundos e o neurônio B a cada seis milissegundos.

O resultado, disse Matell, é um neurônio estriado capaz de detectar um intervalo — trinta milissegundos — que é consideravelmente mais longo do que cada um dos neurônios corticais gera por si mesmo. E cada neurônio estriado tem 30 mil neurônios corticais plugados nele, não apenas dois; pode detectar imediatamente disparos coincidentes de dezenas de milhares de neurônios. Com essa matemática em ação, os neurônios espinhosos nos gânglios basais poderiam sintonizar uma ampla extensão de intervalos no mundo real, bem além da escala de milissegundo.

Na verdade, pode ser que praticamente toda duração possível está sendo constatada pelos neurônios de alguém a cada momento — só que o cérebro não se preocupa em se lembrar de todas elas. Aprender a reconhecer uma determinada duração é apenas uma questão de incentivo: o rato ganha uma bolota de comida; o humano ganha uma guloseima, ou incentivo verbal, ou alguma outra recompensa positiva. (Espere noventa segundos num sinal fechado, até ele ficar verde, e você ganhará a satisfação de estar liberado para prosseguir.) A recompensa provoca uma liberação de dopamina nos gânglios basais, o modelo dos disparos corticais é devidamente percebido, enviado para o tálamo e retido na memória para uma referência ulterior.

Num sentido estritamente matemático, quando se consideram os bilhões de neurônios no cérebro e os bilhões e bilhões de sinais que eles trocam a todo momento, parece ser quase inevitável que eles criem algum modo de avaliar o tempo de eventos no mundo exterior. E mesmo assim é maravilhosamente inconcebível que interações rotineiras entre células vivas possam dar origem à computação e a um comportamento tão íntimo e instintivo como a capacidade de avaliar a duração do sorriso de um estranho. Um batalhão de macacos digitadores teria mais chance de reproduzir uma das peças de Shakespeare.

Quando conversei com Meck, ele enfatizou que o que Matell e pesquisadores como ele estão tentando elucidar não é "a avaliação do tempo como normalmente definida", mas a discriminação temporal — o processo de constatar que uma certa duração tem mais valor do que outras durações. "O cérebro está avaliando durações o tempo todo, mesmo quando você não está prestando atenção nelas", disse ele. "Dez segundos não significaria nada para você se não lhe disséssemos que isso era importante. Você está aprendendo a discriminar o que é bom do que é ruim; isso importa. E, para discriminar, você precisa de memória. Não tenho conhecimento de nenhuma tarefa de avaliação de tempo que não seja uma discriminação temporal."

Matell e Meck se referem a seu modelo de avaliação de intervalo de tempo como modelo estriado de frequência de pulsos, e o descrevem em termos musicais. Os gânglios basais são o regente, seus neurônios espinhosos monitorando continuamente o córtex para detectar grupos de neurônios disparando em sincronia; num trabalho, Meck e Matell se referem a isso como "a composição musical da atividade cortical". (Cientistas que estudam o tempo são propensos a gostar de analogias musicais.) "É como uma orquestra cuja execução simultânea me diz onde estou na tarefa", disse Matell. Perguntei-lhe o que quis dizer com isso. Ele me lembrou que os gânglios basais são cruciais para a formação de hábitos — comportamentos nos quais agimos com base em nosso entorno sem nos darmos conta de que estamos fazendo isso. Muito da ação de dirigir, disse ele, "é automático, um procedimento baseado em hábito". Você vê uma certa placa que mostra a saída da estrada, liga o pisca-pisca, passa para a pista da direita, posiciona as mãos de certa maneira no volante para fazer a manobra.

O córtex detecta a placa que indica a saída, ativa o estriado, o estriado reconhece no córtex essa atividade como padrão no mundo real e diz: "Está bem, faça essa mudança de comportamento, que consiste em ligar o pisca-pisca", disse Matell. "Esse movimento é detectado pelo córtex e desencadeia outra mudança comportamental, que é passar para a pista da direita. O pisca-pisca é detectado, e provoca outra mudança de comportamento, que é desacelerar o carro. E você continua nesse conjunto de comportamentos encadeados: eu detecto esse ambiente específico, eu adoto esse comportamento específico, que me põe num novo ambiente etc."

Desses mesmos loops de dados surgem durações que foram aprendidas e que, ao menos inicialmente, estão estreitamente ligadas a tarefas efetivas. Um rato que está esperando sua bolota de comida é como uma pessoa na sinfonia. "Não é que o animal saiba onde está no tempo, ele apenas sabe que tem comida chegando", disse Matell. "Não tenho um senso de que o tempo está passando, apenas está ocorrendo um comportamento", e acrescentou: "Digamos que você ouviu uma sinfonia centenas de vezes. Agora você está preparando alguma coisa no fogão, bota água para ferver e depois põe a sinfonia para tocar, e sabe que quando chegar ao terceiro tema do segundo movimento é que a água estará fervendo. Você reconhece esse determinado tema do segundo movimento no amálgama do que está ouvindo. Não o reconhece porque o volume é mais alto do que no início da sinfonia. Nada está aumentando: não está ficando mais complexo; não há nenhuma mudança sistemática de magnitude. É diferente do modelo do marca-passo e daquela sensação de acumulação ou esgotamento. A comida vem quando o cérebro está no estado dez, e não no estado trinta, e, probabilisticamente, vou fazer o que estava querendo".

Ele relembrou um incidente ocorrido quando era estudante de pós-graduação. Ele e sua mulher estavam assistindo a um filme e fizeram uma pausa no videoteipe para irem até a cozinha. Naquela época, acionar a pausa não parava exatamente a fita, e sim acionava um *microloop* — avançando e retrocedendo a fita um quarto de segundo, e repetindo isso sem parar. Depois de cerca de cinco minutos a fita recomeçava sozinha. Matell e sua mulher estavam na cozinha havia algum tempo quando algo pareceu estar errado. "Nós dois ficamos com a sensação, humm, a pausa já não deveria ter terminado?", ele disse. "Nenhum de nós estava consciente disso; não estávamos prestando atenção ao tempo porque estávamos ocupados preparando comida. Mas nós dois ficamos subitamente tocados pelo fato de que não acontecera uma coisa que deveria ter acontecido. Isso pareceu ser muito consistente com esse tipo de detecção de um padrão — estamos com o tipo de sensação oh-é-o-terceiro-tema-do-segundo-movimento — sem termos nos preparado para isso."

Matell não demora em enfatizar que qualquer que seja a base neural para a avaliação do tempo, não é a mesma coisa que ter um órgão para captar o sentido do tempo. As orelhas detectam ondas sonoras, os olhos detectam ondas luminosas, o nariz interpreta moléculas. "Diferentemente de outros sistemas sensoriais, não existe um 'material temporal' do qual tenhamos um detector", disse Matell. "É óbvio que o cérebro sente o tempo e controla nosso comportamento, mas isso que o cérebro está mensurando não é objetivo. É tempo subjetivo. O cérebro está prestando atenção a seu próprio funcionamento para poder dele derivar alguma paisagem temporal." Até onde isso concerne à percepção humana, o tempo é o cérebro ouvindo sua própria fala.

O modelo estriado da frequência de pulsos está adquirindo aos poucos um lugar na literatura da neurociência; é cada vez mais citado por outros cientistas e considerado por muitos como a principal explicação neurofisiológica para o timing, a avaliação do intervalo de tempo. Mas o livro sobre o timing ainda não se fechou por completo. Muitas vezes, quando se menciona num trabalho o modelo estriado da frequência de pulsos, isso é acompanhado de uma declaração qualificativa, como "quase não existe qualquer evidência convincente que demonstre como ciclos fisiológicos específicos funcionam como um relógio interno para avaliar o tempo", ou de uma nota sugerindo que os cientistas "até agora não foram capazes de identificar um simples mecanismo neural dedicado ao processamento do tempo". Outros modelos estão sendo lançados por aí. "Deve haver uns dez novos modelos computacionais para a capacidade de avaliar o tempo aparecendo a cada ano", disse-me Patrick Simen, neurocientista do Oberlin College. Simen e seus colegas apresentaram seu próprio modelo em 2011, o modelo do processo opositor de difusão e deriva, que toma emprestado componentes de um modelo estabelecido de tomada de decisão e invoca também as capacidades dos gânglios basais para a detecção de coincidência. "Em certo sentido esse modelo poderia ser considerado novo, mas ele aproveita modelos já existentes e os junta de maneira um pouco diferente", disse Simen. Warren Meck tinha dito praticamente a mesma coisa sobre seu próprio modelo: "Não estamos propondo ideias que são novas em si mesmas", ele me disse. "Isso me agrada. É o modelo da IBM: apenas pegamos componentes já prontos e os juntamos de modo a torná-los mais úteis."

Até mesmo Matell estava indeciso quanto ao modelo estriado de frequência de pulsos. Por um lado, ele disse, isso requer que neurônios corticais individuais apresentem oscilações, o que geralmente não acontece. "Isso pode, ou não, ser um problema", disse. Talvez um neurônio dispare em conjunto com um certo tipo de oscilação, mas não o tempo todo. Talvez os disparos sejam como as marcações de jardas num campo de futebol americano, disse ele: estão por baixo de tudo, mas são difíceis de ver num gramado enlameado. O modelo é também muito sensível a ruídos — as pequenas e constantes variações de desempenho que existem em todos os sistemas biológicos. "Estaria tudo muito bem e muito bom se todos os neurônios fizerem ruídos juntos", disse Matell. "Mas, se você tiver uma situação na qual um oscilador fica um pouco mais rápido mas outro fica um pouco mais lento, o modelo então se desmonta completamente e não é capaz de avaliar o tempo. Ele fica muito, muito sensível a tudo o que for coerente, e não creio que a vida real seja assim."

E, assim como muitos cientistas, ele é assombrado pela aparente natureza métrica da percepção do tempo — a sensação de que o tempo "cresce" ou a capacidade de sentir quando se está, digamos, na metade de um determinado intervalo. Essa é uma experiência que até os ratos de seu laboratório têm. Matell treinou um grupo de ratos submetendo-os a duas condições: quando tocava um som, eles esperavam a comida depois de dez segundos, e quando acendia uma lâmpada, esperavam a comida depois de vinte segundos. Para sua surpresa, porém, quando acionava os dois estímulos os ratos esperavam a comida depois de quinze segundos — a meio caminho entre os dois estímulos, como se tivessem tirado a média entre as durações de tempo.

"Estou muito convencido de que os animais têm uma percepção de tempo que inclui alguns componentes relacionados com magnitude", ele me disse. "Eles não só tiram a média entre durações, eles tiram a média entre durações e avaliam o resultado em decorrência da probabilidade de recompensa de cada caso. Estão se comportando de maneira a sugerir que algum aspecto de sua capacidade de processamento de informação trabalha com informação muito quantitativa, de tipo analógico. Eu de certo modo ainda fico com a estrutura geral que estabelecemos: o estriado está lá sentado olhando conjuntos de neurônios corticais e, quando chega a comida, ele libera um pulso de dopamina que faz com que os neurônios estriados deixem sua marca no conjunto de neurônios corticais que são coativos, e então você está lá vendo os neurônios estriados a esperar que ocorram esses eventos coativos. Mas os padrões de atividade ao longo do córtex não estão crescendo.

"E é aí, eu diria, que reside toda a questão, e onde está o quebra-cabeça: qual é o padrão da atividade cortical que permite que o tempo flua de tal modo que, psicologicamente, ele parece estar crescendo? Existe alguma maneira de podermos ter um modelo de reconhecimento de padrão que leve a um comportamento mais ordinal? Estou razoavelmente convencido de que é provável que isso aconteça, que deve haver alguma fusão possível dessas duas ideias. Mas no momento não sei como chegar lá.

"Não estou convencido de que exista qualquer resposta para o problema. Assim, odeio deixá-lo com esse cenário, como se eu não tivesse ideia do que está acontecendo. Mas a verdade é que não tenho. Não tenho uma compreensão firme de como o cérebro está fazendo isso bem agora." Para uma resposta mais otimista, ele disse, eu teria de falar com Meck. "Talvez ele tenha chegado mais longe do que eu cheguei, e não tenha a mesma atitude derrotista que eu tenho. E por isso esteja mais disposto a promover o modelo, enquanto eu sempre gosto de ressaltar todos os problemas que ele tem."

Liguei para Meck alguns dias depois. "É um relógio terrível, do ponto de vista de um físico", ele reconheceu; demonstra ter uma tremenda variabilidade, seus conjuntos de neurônios podem derivar e ficar entre 10% e 20% fora de sincronia. Por comparação, ele observou, o relógio circadiano tem uma variabilidade de apenas 1%, "porém tem pouca flexibilidade — só pode ir até 24 horas!". Seu relógio, em contraste, é tremendamente flexível, capaz de avaliar o tempo no âmbito de segundos a minutos enquanto ainda demonstra invariância escalar, e isso ajuda a explicar os distúrbios temporais experimentados por pessoas com Parkinson e esquizofrenia. Isso não diverge da teoria escalar de avaliação do tempo, e sim se constrói sobre ela, completa com um módulo de relógio e um módulo de memória, "tornando-a mais 'biologicamente plausível' — essa é a expressão que preferimos usar", disse ele.

"Veja", disse, concluindo. "Para essas pessoas é importante que eu não abandone o modelo do marca-passo acumulador só porque estou querendo fazer algo novo; ele tem importância como modelo heurístico na psicologia cognitiva. Se seu trabalho não exige que você vá além disso, pode ficar com ele. Mas, para mim, para ser acadêmico você tem de ser um explorador e querer ver como as coisas funcionam, em particular no cérebro. Vejo como minha missão perambular nesse campo por bastante tempo, e ser dogmático e profissional o suficiente para derrubar todas essas outras ideias malucas que existem por aí sobre diferenças de modalidade, múltiplas escalas de tempo, de deterioração da memória, e o resto. Isso leva muito tempo."

Meck está disposto a avançar nesse campo. Entrou nele numa época em que a simples noção de um relógio interno era um anátema para biólogos comportamentais. O passo seguinte foi decifrar a fisiologia, num esforço ainda em curso, porém a premissa subjacente — a de que existe algum tipo de mecanismo, ou mecanismos, de timing a ser explorado — não está mais em questão. "Estudamos o timing até a exclusão de tudo o mais", disse-me Meck, ao descrever a primeira geração de pesquisadores do tempo. "Tentamos desmontar as tarefas de forma a que tudo que se olhasse fosse timing." A geração atual, acrescentou, "está olhando muito mais para o mundo real. Ela não diria que o timing é tão especial — é apenas uma parte do que o cérebro faz quando está aprendendo, ou participando de, ou experimentando emoções".

Catherine Jones, uma neuropsicóloga cognitiva da Universidade Cardiff, concorda. "Meu entendimento do timing evoluiu muito", disse ela. "Quando entrei nisso, no fim da década de 1990, o problema já estava configurado, a questão desse relógio interno localizado em algum lugar do cérebro. Uma espécie de silo. A ideia se ampliou um pouco. Agora, quando outras pessoas mencionam algo, eu penso: Oh, isso está relacionado com timing — por exemplo, como coordenamos fala e gestos para sermos melhores comunicadores."

O primeiro posto de pesquisa de Jones foi no laboratório de Marjan Jahanshai, na University College de Londres, estudando deficiências motoras e de timing em pacientes com doença de Parkinson. Agora ela estuda o autismo, e se pergunta se alguns dos comportamentos comuns a esse distúrbio — movimentos repetitivos, dificuldade com interações sociais, dificuldade para integrar inputs dos diversos sentidos — podem ser considerados também como distúrbios no timing. Melissa Allman, jovem neurocientista comportamental e cognitiva da Michigan State University que colaborou com Meck e com John Wearden, está seguindo uma linha de pesquisa semelhante. "Fiquei interessada em saber se esses comportamentos seriam explicáveis se você pensar em alguém com autismo como uma espécie de pessoa perdida no tempo", disse-me ela. Allman e Jones enfatizaram que essa linha de investigação é ainda nova e especulativa; não existe uma teoria específica, nem mesmo um conjunto de dificuldades temporais que se concordou estar associado ao autismo. Mas um dia, elas disseram, talvez seja possível identificar alguma deficiência no timing que se manifesta ainda na infância, e ela poderia servir como teste de triagem para crianças que correm esse risco.

Annett Schirmer, psicóloga da Universidade Nacional de Singapura, começou a estudar emoções e comunicação não verbal, mas foi atraída para a pesquisa do timing depois de se casar com Trevor Penney, um dos ex-alunos de pós-graduação de Meck. "Agora sou parte da máfia do timing", disse-me ela. Schirmer observou que a maior parte dos estudos sobre ativação emocional e timing envolvia estímulos visuais; por exemplo, está bem estabelecido que imagens de rostos com raiva parecem durar mais na tela do que estímulos neutros de duração equivalente. Mas em seu próprio trabalho ela descobriu que estímulos auditivos têm efeito oposto: a palavra "ah", como expressão de surpresa, parece, a quem a ouve, ter duração menor do que um "ah" neutro. A razão disso não está clara, disse Schirmer, embora sons e vozes introduzam variáveis adicionais, dinâmicas, inclusive *tempo*, duração intrínseca, que estão ausentes em imagens estáticas. Seja como for, a ideia de que a ativação distorce o timing acelerando o relógio interno pode não ser muito clara.

"É um mecanismo viável", disse Schirmer. "Mas provavelmente há outros mecanismos que influenciam nossa percepção." Um deles é a atenção. Na literatura do timing, a atenção em geral é descrita como tendo o efeito oposto do da ativação emocional. Rostos zangados parecem durar mais do que neutros porque são *ativadores*, o que faz o relógio interno acelerar, enquanto palavras tabu, quando vistas numa tela, parecem durar menos do que as neutras porque elas chamam sua atenção; o cérebro se distrai da contagem dos tiques, perde a pista de alguns e acaba subavaliando intervalos. Mas pode ser difícil distinguir as duas categorias; pelo visto, palavras como *fuck* [foda] e *asshole* [babaca] pareceriam, na mesma medida, tanto ativar quanto chamar sua atenção.

"Aí está a complicação", disse Schirmer. "Grande parte do modelo da ativação pode ser interpretada como atenção. Talvez o *arousal*, ou a ativação, *seja* atenção — é uma possibilidade. De um ponto de vista funcional, os dois estão estreitamente ligados. De um ponto de vista evolucionário, tudo o que é crucial para a sobrevivência geralmente captura nossa atenção e é ativador de comportamento. Para que ele prevaleça, precisa ocorrer no tempo certo, para que ajamos de acordo com isso e nos lembremos disso."

Aliás, a pesquisa do timing corre o risco de se espalhar e ficar rala demais. "Penso que o tempo é uma paisagem grande demais para que qualquer pesquisador seja capaz de cobri-la — não creio que seja possível", disse-me Jones. "Onde está a taxonomia do tempo?" A "taxonomia do tempo" é o grito por socorro de um pesquisador do tempo — o desejo de haver algum tipo de esquema todo abrangente que traga ordem e consistência a um campo de estudo que está se esparramando.

A expressão tem aparecido na literatura com mais frequência, mais recentemente em 2016, num trabalho do qual Meck é coautor com Richard Ivry, psicólogo e neurocientista da Universidade da Califórnia, em Berkeley. "Uma moderna 'taxonomia do tempo' é necessária", eles escreveram. "Pesquisadores oriundos de diversas disciplinas tendem a usar terminologias diferentes, abordagens experimentais diferentes, e às vezes se concentram em questões distintas dentro de um contexto específico. À medida que esse campo amadurece, pode ser vantajoso achar uma linguagem comum para melhor articular as questões que estão sendo colocadas."

Uma linguagem comum. Vejo-me pensando novamente em meu encontro com Felicitas Arias, diretora do Departamento do Tempo no Escritório Internacional de Pesos e Medidas, nos arredores de Paris, quando ela me mostrou o relógio mais preciso do mundo: uma penca de papéis grampeados num canto — agora uma torrente de e-mails — que são universalmente compartilhados. É assim que todos nós concordamos em estar na mesma hora. Os pesquisadores do timing precisam de alguma coisa semelhante, talvez um novo jornal, ou dois: *Timing & Percepção do Tempo*, ou *Timing & Notícias sobre Percepção do Tempo*, ou um dos vários outros que começaram a ser publicados. O que eles precisam é de uma versão linguística de um relógio.

Quando falei de novo com John Wearden, tinham se passado alguns anos. Ele estava, basicamente, aposentado, assim disse — porém um momento depois acrescentou que havia achado a aposentadoria "bem maçante" e começara a ensinar de novo. Tinha alguns estudos em andamento, mas, sobretudo, estava ajudando colegas mais jovens nas pesquisas deles. Sua mãe havia morrido, com 91 anos. Wearden viajara para o Egito e a Coreia do Sul e comprara um "carro de aposentadoria", um Porsche que fazia soar um alarme se ele ultrapassasse os 130 quilômetros por hora.

Contudo, certos aspectos da percepção do tempo ainda o deixavam exasperado, entre eles a antiga questão de por que o tempo parece passar mais depressa quando se fica mais velho. De todos os enigmas relativos ao tempo, esse pode ser o mais comum, mais íntimo e mais desorientador. Em estudos — e têm havido vários —, 80% dos participantes disseram que o tempo parecia passar mais rápido quando ficaram mais idosos. "*O mesmo lapso de tempo parece ser mais curto quando ficamos mais velhos* — isto é, os dias, os meses e os anos fazem isso", escreveu William James, em *Princípios de psicologia*. "É duvidoso que as horas façam isso, e os minutos e segundos, de acordo com todas as aparências, continuam os mesmos." Mas o tempo realmente voa quando ficamos mais velhos? Como sempre, a resposta depende muito de o que você entende por "tempo".

"É uma questão muito complicada", disse-me Wearden. "A que diabo uma pessoa está se referindo quando diz que o tempo passa mais rápido? Qual é a coisa certa a medir? Só porque alguém diz que acha que o tempo está passando rápido, ou responde que sim quando você pergunta: o tempo passa mais rápido quando você fica mais velho? — 'Oh, sim, definitivamente' —, não quer dizer que tenha razão. Pessoas costumam anuir a todo tipo de coisas. Essa é realmente uma questão não explorada. E não começamos a usar os instrumentos corretos experimentalmente, ou em termos de registrar o que acontece na vida real, para podermos lidar com o assunto."

Há pelo menos duas maneiras de expressar o enigma do tempo-e-idade. O que se expressa com mais frequência é algo assim: um determinado período de tempo parece passar mais rapidamente agora do que quando você era mais jovem. Um ano, digamos, parece passar mais rápido quando você tem quarenta anos do que quando tinha dez ou vinte. James citou Paul Janet, um filósofo na Sorbonne: "Quem quer que conte muitos lustros em sua memória só precisa perguntar a si mesmo para descobrir que o último deles, os cinco anos recentes, passaram muito mais rápido do que os períodos precedentes de mesma duração. Deixe alguém se lembrar dos últimos oito ou dez anos de escola: parece que duraram um século. Compare com eles os oito ou dez anos de vida mais recentes: parece que duraram uma hora".

Para explicar essa impressão, Janet propôs uma fórmula: a aparente duração de um determinado período de tempo tem uma variação inversamente proporcional à da idade. Um ano parece ser cinco vezes mais curto para um homem de cinquenta anos do que para um menino de dez, porque um ano corresponde a 1/50 da vida do homem e apenas um décimo da vida do menino. A proposta de Janet suscitou uma série de explicações semelhantes do motivo pelo qual o tempo parece acelerar com a idade; poderiam ser chamadas de teorias da razão, ou proporção. Em 1975, Robert Lemlich, professor aposentado de engenharia química da Universidade de Cincinnati, acrescentou um detalhe à fórmula de Janet. (Lemlich talvez fosse mais conhecido como um dos inventores de um processo industrial chamado fracionamento de espuma, que usa um fluxo de espuma para remover contaminantes de um líquido.) Lemlich sugeriu que a duração subjetiva de um período de tempo é inversamente proporcional à raiz quadrada de sua idade. Ele efetivamente escreveu a equação,

$$dS_1/dS_2 = \sqrt{R_2/R_1}$$

na qual dS_1/dS_2 é a velocidade relativa em que um intervalo de tempo parece estar passando, comparada com a de alguns anos atrás; R_2 é sua idade atual, e R_1 sua idade naquela época. Se você tem quarenta anos, um ano parece passar duas vezes mais rápido do que quando você tinha dez, já que a raiz quadrada de 40 ÷ 10 é 2. (Lemlich foi cuidadoso ao registrar que sua formulação "presumia a ausência de qualquer experiência traumática prolongada ou inusual".) As implicações dessa equação podem ser desanimadoras. Em rigor, se você tem quarenta anos e uma expectativa de vida de setenta, você viveu 57% de sua vida, mas pela matemática de Lemlich você viveu $\sqrt{(40/70)}$, ou 75%, de sua vida subjetiva. (O aspecto positivo, de acordo com Lemlich, é que você não vai sentir que tem ainda restante metade de seu tempo de vida, como realmente tem.)

Para testar essa equação, Lemlich realizou um experimento. Ele reuniu 31 estudantes de engenharia (com uma média de idade de vinte anos) e adultos (com uma média de 44 anos) e lhes pediu que estimassem quanto mais rápida ou lentamente o tempo parecia passar agora em comparação com dois períodos em sua vida: quando tinham metade de sua idade atual e quando tinham uma quarta parte de sua idade atual. Quase todos responderam que o tempo parecia passar mais rapidamente agora do que em qualquer desses dois momentos. Poucos anos mais tarde, James Walker, psicólogo da Universidade Brandon, em Manitoba, obteve resultados semelhantes quando perguntou a um grupo de estudantes mais velhos (média de idade de 29 anos) "quão longo parece ser um ano atualmente" em comparação com quão longa parecera ser a duração de um ano quando tinham metade e uma quarta parte da idade atual. Então, 74% disseram que o tempo tinha passado mais lentamente quando eram mais jovens. Entre 1983 e 1991, Charles Joubert, um psicólogo na North Alabama University, realizou mais três estudos comparativos que também pareceram confirmar Janet e Lemlich.

O problema de formular a pergunta da pesquisa desse modo é que ela adota uma visão impossivelmente otimista da memória humana. Não consigo me lembrar do que comi no almoço na última quarta-feira, muito menos se esse almoço foi melhor ou pior que o da quarta-feira anterior. Qual é a probabilidade de eu lembrar com exatidão uma experiência ainda mais abstrata — a velocidade na qual o tempo parece passar — de dez, vinte ou quarenta anos atrás? Além disso, como observou James, teorias de "razão", ou "proporção", como até mesmo Janet observou, não explicam muita coisa: a formulação de Janet "expressa aproximadamente o fenômeno", ele escreveu, mas "difícil se dizer que diminui o mistério". James achou ser mais provável que a experiência de o tempo-acelerar-com-a-idade resulta de uma "simplificação da visão retroativa". Quando somos jovens, virtualmente toda experiência é nova, por isso ela permanece vívida anos mais tarde. Mas, quando envelhecemos, os hábitos e a rotina passam a ser a norma; são poucas as novas experiências (já fizemos de tudo) e mal notamos o tempo que habitamos atualmente. Mais tarde, escreveu James, "os dias e as semanas se suavizam na lembrança como inúmeras unidades, e os anos ficam ocos e desabam".

Essa melancólica proposição de James pertence à categoria do que se pode chamar de teorias da memória, seguindo a linha do que Locke tinha sugerido: avaliamos a duração de um período de tempo no passado pelo número de eventos que lembramos terem ocorrido nesse período. Uma época cheia de eventos memoráveis parecerá em retrospecto ter passado lentamente — levando mais tempo —, enquanto uma na qual pouco ou nada aconteceu parecerá ter acelerado, deixando você a perguntar para onde o tempo foi. Há potencialmente várias maneiras de a memória influenciar a rapidez com que o tempo parece ter ido embora. Eventos emocionais tendem a se agigantar na memória, e assim, para um progenitor sobrecarregado, seus anos no ensino médio — o primeiro baile de formatura, o primeiro carro, a colação de grau, tudo isso destacado na memória com a ajuda de fotos e álbuns de recortes — bem podem parecer ter durado mais do que um período médio com o mesmo número de anos, ou, de qualquer forma, mais do que os anos recentes de sua vida atual de ir diariamente para o trabalho, assumir tarefas e incumbências, lavar a louça. Parece também que lembramos certos períodos da vida, em geral de nossa adolescência e os vinte anos, mais vividamente que outros — fenômeno chamado inchaço da reminiscência, que pode contribuir para a sensação de que um dado período de tempo tinha, então, durado mais.

Inserida nas explicações baseadas na memória está a suposição de que quando ficamos mais velhos nossa vida se torna comparativamente menos memorável. Mas há pouca evidência de que isso seja verdade, e a experiência comum parece contradizê-lo. A noite em que conheci minha mulher se destaca muito mais claramente em minha memória do que meu primeiro beijo num acampamento de verão. Não me lembro de como estava o tempo ou da idade que tinha quando andei de bicicleta pela primeira vez, mas lembro o claro sábado de primavera, alguns anos atrás, quando, com 46 anos, larguei o assento da bicicleta de um garoto de seis anos e o vi sair disparado à minha frente, pela primeira vez movido por sua própria e vacilante força, pela grama de um campo de beisebol. Em cinco décadas viajei, amei, perdi e recomecei, mas cada vez mais tenho a impressão de que as memórias daqueles anos mais para trás pertencem a outra pessoa ou a vidas passadas, e de que tudo de notável que aconteceu comigo ocorreu depois que me casei e me tornei pai. Nesse tempo, dois garotos ganharam forma diante de meus olhos, e tudo o que é novo para eles parecia ser novo para mim também, duas vezes: o alfabeto, adição, multiplicação, o piano, as Quatro Perguntas* e a aptidão para, depois de muito treino no quintal, e com o pé esquerdo, chutar, suavemente e com efeito, uma bola de futebol no canto superior direito do gol.

    O tempo parece ter acelerado — está passando rápido, com certeza —, mas o que estou querendo dizer com isso? Que nos anos recentes aconteceram comigo menos coisas do que jamais ocorreram antes? Ou que acabei me identificando com a experiência de tempo de meus filhos, que parece ser menos carregada e apressada do que a minha, e por isso faz a minha parecer muito mais pressionada? Não pode ser que meu tempo esteja voando porque seu conteúdo seja *menos* memorável, assim, talvez seja o contrário: eles sejam mais memoráveis, e os eventos memoráveis sejam mais numerosos, fazendo com que eu fique mais agudamente consciente de todas as coisas

---

* Provável referência às quatro perguntas que uma criança faz na comemoração familiar da festa judaica de *Pessach* sobre as diferenças entre o jantar daquela noite e o de uma noite comum. [N.T.]

potencialmente memoráveis que eu gostaria de fazer mas não tenho tempo para isso e nunca terei. O tempo acelerou enquanto eu envelhecia? Ou sua velocidade constante simplesmente me incomoda mais porque tenho menos tempo à minha frente, e por isso ele parece ser mais precioso?

Uma das primeiras tentativas de desembaraçar esses fios, ainda antes de Lemlich, foi um estudo de 1961 intitulado "On Age and the Subjecitve Speed of Time" [Sobre idade e a velocidade subjetiva do tempo], e ele é uma boa lição de uma ciência ruim. Os pesquisadores observaram que uma coisa que parece fazer o tempo passar mais depressa é a sensação de estar atarefado. "É o próprio fato de estar atarefado que é o fator importante", perguntaram, "ou o fato de estar atarefado faz com que o tempo seja mais valioso?" Eles reuniram dois grupos de participantes: 118 estudantes de faculdade e 160 adultos entre 66 e 75 anos. Cada um recebeu uma lista com 25 metáforas a ser consideradas:

um cavaleiro a galope
um ladrão em fuga
um meio de transporte se movendo rapidamente
um trem em alta velocidade
um cata-vento
um monstro devorador
um pássaro em voo
uma nave espacial em voo
uma exuberante cachoeira
um carretel se enrolando
pés em marcha
uma grande roda girando
uma canção maçante
areia levada pelo vento
uma mulher idosa fiando

uma vela ardendo
uma fieira de contas
folhas brotando
um velho com um cajado
nuvens à deriva
uma escadaria em direção ao topo
uma vasta extensão de céu
uma estrada subindo uma colina
um tranquilo, imóvel oceano
a Rocha de Gibraltar

Os participantes foram instruídos a considerar o quanto cada metáfora era apropriada para "evocar em você uma imagem satisfatória do tempo" rotulando as cinco mais apropriadas com um 1, as cinco seguintes com um 2, e baixando até as cinco menos apropriadas. Os resultados sugeriram que os jovens e os idosos tinham uma experiência semelhante do tempo; ambos os grupos acharam que as metáforas mais representativas foram do tipo "um meio de transporte se movendo rapidamente" e "um cavaleiro a galope", enquanto as menos representativas foram expressões como "um tranquilo, imóvel oceano" e "a Rocha de Gibraltar". Porém, depois de alguma regulagem estatística adicional — e, para um leitor moderno, suspeitamente intrincada —, os pesquisadores concluíram que os adultos mais idosos tenderam a considerar as metáforas que conotavam agilidade mais representativas de sua experiência que as estáticas, enquanto os adultos jovens geralmente preferiram as estáticas.

No entanto, o estudo também apresentava uma flagrante falha metodológica. Os autores pretendiam determinar qual fator contribui mais para a impressão de que o tempo está passando rapidamente: quanto você está atarefado ou o quanto você dá valor a seu tempo. Se atividade é o que mais importa, raciocinaram, os jovens é que deveriam dizer que o tempo acelera, porque os jovens são mais ativos que os idosos. Mas são os mais idosos que o dizem; portanto, concluíram os pesquisadores, o valor que se dá ao tempo é que é o maior fator, pois "o tempo vai acabando para os idosos à medida que a morte se aproxima". Contudo, além de declararem que o "indivíduo idoso está menos atarefado e ativo do que antes", os autores nunca se deram ao trabalho de demonstrar que isso efetivamente acontece. E o único parâmetro de como as pessoas valorizam seu tempo foi como elas classificaram as metáforas do tempo. Como tantas tentativas de explicar por que o tempo parece acelerar quando envelhecemos, o estudo é pouco mais do que uma suposição embrulhada em números.

Existe outra explicação, mais simples, para o mistério de por que o tempo parece passar mais rápido quando ficamos mais velhos: ele não parece. É certo que o tempo não passa *efetivamente* mais rápido com a idade, é apenas uma impressão. Mas alguns pesquisadores chegaram à ideia de que a própria impressão é ilusória. O tempo só parece parecer passar mais rápido quando envelhecemos.

À primeira vista, os muitos estudos anteriores parecem ser consistentes em seus resultados: mais de dois terços dos participantes — entre 67% e 82% — relatam que o tempo pareceu passar mais lentamente quando eram mais jovens. Mas, se é para aceitar essa impressão ao pé da letra, seria de esperar que ela surgisse progressivamente com a idade. Se, em média, um ano parece passar mais rápido quando se tem quarenta anos do que quando se tem vinte, então as pesquisas deveriam descobrir que há mais pessoas de quarenta anos do que de trinta dizendo que o tempo está passando mais rápido que antes. Ou, pedindo aos dois grupos que caracterizem quão rapidamente passou o ano anterior, os de quarenta anos diriam que passou mais rápido do que diriam os do grupo de vinte anos.

Seria visível algum tipo de gradiente, com a impressão de que o tempo voa ficando mais pronunciada entre os mais idosos.

Porém os números não demonstram isso. Consistentemente, essa impressão também é compartilhada entre os grupos etários: dois terços das pessoas mais idosas dizem que o tempo passa mais rápido agora do que quando eram mais jovens — e o mesmo dizem dois terços dos mais jovens. Em proporções iguais ao longo de todas as idades, as pessoas dizem que o tempo acelerou com a idade. O resultado é um paradoxo: a maioria das pessoas de qualquer idade tem a impressão de que o tempo passa mais rapidamente com a idade, o que sugere que a impressão, se for mesmo isso, pouco tem a ver com a idade.

Então, o que está acontecendo? Claramente, muitas pessoas estão experimentando *algo* — mas o que é? Parte da confusão provém da maneira pela qual esses estudos pedem aos participantes que pensem sobre o tempo. De um jeito ou de outro, em todos os estudos faz-se uma pergunta que não pode ser respondida de forma confiável: como você experimentou a passagem do tempo dez, ou vinte, ou trinta anos atrás? Em vez disso, se há algo a ser avaliado, é como a pessoa sente a passagem do tempo exatamente agora. Aqui o terreno é um pouco mais firme. Em geral, a impressão de que o tempo está passando mais rápido tem relação mais forte com o estado psicológico da pessoa, em especial com quão atarefada ela afirma que está, e não com sua idade. Como disse Simone de Beauvoir, "o modo como experimentamos o fluir do tempo a cada dia depende do que esse tempo contém".

Em 1991, Steve Baum, um psicólogo do Centro Médico Sunnybrook, em Toronto, e dois colegas examinaram mais de perto a questão de estar atarefado em relação à percepção do tempo num grupo de idosos. Eles entrevistaram trezentas pessoas de idade avançada, a maioria mulheres judias aposentadas, entre 62 e 94 anos de idade; metade ainda era ativa, a outra menos, e muitas pessoas deste último grupo viviam em instituições ou instalações para idosos. Primeiro, fizeram-se aos participantes várias perguntas que visavam a avaliar sua saúde emocional e sensação de felicidade. Depois se perguntou: "Quão rapidamente o tempo parece passar agora para você?", com a instrução de responder com um 1 ("mais rapidamente"), 2 ("mais ou menos a mesma coisa") ou 3 ("mais lentamente"). Não foi especificado que intervalo de tempo serviria para a comparação — uma semana, um ano —, deixando vagos os termos "rapidamente" e "lentamente". (Mais rápido ou mais lento do quê, e quando?) Mais uma vez os resultados foram compatíveis com os de outros estudos: 60% dos participantes disseram que o tempo passava mais rápido agora do que antes. Porém, além de tudo, os indivíduos que disseram isso tendiam a ser mais ativos que seus colegas, levando o que eles descreveram como uma vida cheia de propósito, e disseram que se sentiam mais jovens do que sua idade cronológica. Treze por cento dos participantes responderam que o tempo agora passava mais lentamente — e esses indivíduos eram mais propensos que os outros a exibir sinais de depressão. "O tempo não passa mais depressa quando envelhecemos", concluíram os pesquisadores. E, sim, escreveram, ele se acelera com o bem-estar psicológico da pessoa.

A evidência mais forte contrária à noção de que com a idade o tempo parece passar mais rápido vem de um trio de estudos realizados, a maior parte, durante as duas últimas décadas. Em 2005, Marc Wittman e Sandra Lehnhoff, da Universidade Ludwig Maximilian, de Munique, fizeram a cerca de quinhentos participantes alemães e austríacos, entre catorze e 94 anos de idade, e divididos entre oito grupos etários, uma série de perguntas do tipo:

Quão rapidamente o tempo passa para você em geral?
Quão rapidamente você espera que passe a hora seguinte?

Quão rapidamente passou para você a última semana?
Quão rapidamente passou para você o último mês?
Quão rapidamente passou para você o último ano?
Quão rapidamente passaram para você os últimos dez anos?

Os participantes foram instruídos a responder a cada pergunta com uma escala de cinco pontos, desde "muito lentamente" (−2) até "muito rapidamente" (+2). Ao contrário de estudos anteriores, este não se preocupou em perguntar às pessoas como se sentiam em relação a um determinado intervalo de tempo agora comparado com a impressão que tinham dele num momento anterior de sua vida. Em vez disso, perguntou a pessoas de idades diferentes como se sentiam agora em relação à velocidade com que passaram vários intervalos de tempo; tudo isso no tempo presente.

Os resultados foram bem claros: para cada um dos intervalos de tempo, cada grupo etário respondeu, em média, com um 1 ("rapidamente"); não houve, estatisticamente, diferença entre os grupos etários, e houve pouca indicação de que pessoas mais velhas sentissem mais do que os mais jovens o tempo passar mais rápido. Apenas numa categoria de perguntas se demonstrou haver uma diferença muito pequena: participantes mais idosos tendiam mais do que os jovens a dizer que os dez anos anteriores tinham passado mais rapidamente; dos cinquenta aos noventa e tantos anos de idade todos responderam que a década anterior tinha passado rapidamente, na mesma medida de rapidez ("1").

Um experimento muito semelhante, realizado em 2010 com mais de setecentos participantes holandeses, entre dezesseis e oitenta anos de idade, chegou virtualmente ao mesmo resultado. Mais uma vez, cada grupo etário respondeu, em média, que todo intervalo de tempo, de uma semana a dez anos, tinha passado "rapidamente" ("1"). Os pesquisadores William

Friedman, do Oberlin College, e Steve Janssen, da Universidade Duke e da Universidade de Amsterdam, não acharam diferença estatística entre os grupos etários, e houve pouca indicação de que mais idosos do que jovens sentiam que o tempo passava num ritmo rápido ("1"). O único ruído, assim como no estudo de Wittman e Lehnhoff, foi uma leve indicação de que quando as pessoas ficavam mais velhas elas eram mais propensas a dizer que os últimos dez anos tinham passado rapidamente — pelo menos entre pessoas de até cinquenta anos, e a partir daí as respostas ficaram mais niveladas.

Qualquer pequena variação que Friedman e Janssen constataram nas respostas era atribuível não à idade, e sim a quanta pressão de tempo em sua vida os participantes percebiam estar submetidos naquele momento. Além das perguntas sobre a passagem do tempo, Janssen e Friedman tinham incluído uma série de declarações visando a medir quanto o participante se sentia atarefado, como "Frequentemente não tenho tempo para fazer tudo que quero ou tenho de fazer" e "Frequentemente tenho de correr para ter certeza de que tudo será feito". Os participantes responderam com uma escala de −3 ("discordo veementemente") a +3 ("concordo veementemente"), e os resultados foram mapeados junto aos de suas percepções do tempo: os indivíduos que relataram que as horas, as semanas e os anos estavam passando "rapidamente" ou "muito rapidamente" eram também os mais propensos a relatar que se sentiam atarefados ou que não conseguiam realizar tudo o que queriam num determinado dia. Em 2014, os pesquisadores repetiram o estudo com mais de oitocentos participantes japoneses de todas as idades, com resultados, em essência, idênticos. Dito tudo isso, assim parece, o tempo passa mais rápido não com a idade, mas com a pressão de tempo, o que explica por que pessoas de todas as idades dizem que ele está acelerando: o tempo é a única coisa que virtualmente toda pessoa, em igual medida, acha que está faltando. "Todos sentem que o tempo passa rapidamente, em todas as escalas", disse-me Janssen.

Ainda assim, há um ruído intrigante: nos estudos de Janssen e Friedman, como no de Wittman, um número de idosos maior que o de jovens relatou que o tempo tinha acelerado durante os dez anos anteriores. A última década passou um pouco mais rápido para pessoas na casa dos trinta do que para pessoas na casa dos vinte, e ainda um pouco mais depressa para pessoas na casa dos quarenta (todos na zona do "1", ou "rapidamente"). Mas para os da casa dos cinquenta para cima o ritmo da última década continuou a ser praticamente o mesmo. Janssen ainda está classificando as possíveis explicações, mas ele acha que talvez não estejam relacionadas com a pressão do tempo: as pessoas são muito boas em avaliar a quanta pressão de tempo estiveram sujeitas na última semana, no último mês ou no último ano, mas provavelmente não nos últimos dez anos. (Além disso, quando o participante médio chega à casa dos trinta, pode-se apostar com segurança que esteve bem atarefado nos últimos dez anos — tão atarefado quanto um participante médio da casa dos cinquenta.) Talvez pessoas mais jovens possam ter a expectativa de eventos maiores na vida, e essa antecipação faça com que seus dez anos mais recentes pareçam ter passado mais lentamente. Talvez pessoas com vinte e trinta e tantos anos se lembrem de mais eventos dos últimos dez anos do que se lembram pessoas mais idosas, fazendo com que essa década pareça mais prolongada. Porém, se é isso que acontece — se as décadas parecem acelerar com a idade porque nossos anos mais recentes tiveram menos eventos memoráveis —, por que esse efeito não continua a aumentar, em vez de se nivelar, depois dos cinquenta?

Há mais uma explicação plausível para o fato de pessoas com mais de cinquenta anos serem ligeiramente mais propensas do que adultos jovens a dizer que a última década passou mais rápido, pensam Janssen e Wittman. É o poder da sugestão: a impressão de que o tempo voa mais rapidamente quando envelhecemos é uma crença popular, e é provável que as pessoas mais idosas fiquem mais influenciadas por ela do que as jovens quando avaliam o ritmo com que passou a década anterior. Considere novamente a evidência. Essa impressão existe em todos os grupos etários, ampla e uniformemente — apesar do fato de que ela não coincide com a experiência efetiva da maior parte das pessoas. Uma pessoa com quarenta ou cinquenta anos não é mais propensa do que uma de vinte anos a dizer que o último ano — ou a semana, ou o mês — passou mais "rápido". Porque o que estamos experimentando tem menos relação com a idade do que quão igualmente atarefados nos sentimos durante os intervalos de tempo mais curtos. Mas quando avaliam a velocidade com que passou a última década, pessoas com mais de cinquenta anos estão querendo que alguma outra consideração entre em cena — algum fator que claramente não fique mais potente à medida que sua idade chegue à casa dos oitenta e noventa. Esse fator, pensam os pesquisadores, é a noção comum de que o tempo voa mais rápido quando envelhecemos, e pessoas mais idosas são mais propensas a pensar que ele está configurando sua perspectiva.

Essa explicação é enervantemente circular: o tempo parece acelerar quando envelhecemos pelo fato de outras pessoas dizerem que ele acelera. Mas também consigo ver como isso se aplica. Por muito tempo ignorei ou descartei o adágio de que o tempo voa quando envelhecemos porque eu não me sentia velho o bastante para que a condição de "quando envelhecemos" se aplicasse. Ultimamente, porém, comecei a pensar que estou envelhecendo, e ela se aplica. O tempo não está acelerando; seu ritmo é cruelmente estável, fato do qual estou ainda mais dolorosamente consciente.

Um dia, atarefado, fui de metrô para a Grand Central Station, no centro de Manhattan. As plataformas do metrô são profundas nessa estação; sobe-se por escadas até o nível da rua, onde os usuários entram e saem passando por roletas, e uma escada rolante leva ao mezanino. Ao pé da escada rolante uma mulher de meia-idade distribuía panfletos. Usava uma camiseta amarela que ostentava as palavras "O Fim", e na parte da frente do panfleto que ela me deu se lia também "O Fim". Ela estava gritando: "Deus está vindo, todos sabemos disso! Como podemos estar prontos se não sabemos a data?".

No topo da escada rolante, um homem — mais velho, de óculos e ligeiramente encurvado — também distribuía panfletos. Ele também vestia uma camiseta amarela onde se lia "O Fim", e bem embaixo das palavras havia uma data, 21 de maio. Faltavam menos de três semanas para essa data. Meu pensamento imediato foi maldoso: no dia 22 de maio, quando estivesse claro que o mundo não tinha acabado, o que fariam eles com as camisetas restantes? Porém logo voltei a circular em torno daquela proposição mortal. E se tudo realmente chegasse ao fim no próximo mês — ou na próxima semana, ou nos próximos poucos minutos? O fim poderia ser um cataclismo; poderia ser um aneurisma; poderia ser uma bigorna caindo em cima de mim do décimo andar. Eu poderia morrer dormindo. Estava preparado? Tinha feito o melhor uso possível de meu tempo? Estava fazendo isso naquele mesmo momento?

Em 1922, o jornal parisiense *L'Intransigeant* fez uma pergunta a seus leitores: se você soubesse que o mundo estava a ponto de acabar catastroficamente, como você passaria suas últimas horas? Muitos leitores responderam, entre eles Marcel Proust, que se deliciou com a pergunta. "Creio que a vida subitamente nos pareceria maravilhosa se fôssemos ameaçados de morte, como você diz", ele escreveu. "Pense apenas em quantos projetos, viagens, casos de amor e estudos ela — nossa vida — esconde de nós, tornados invisíveis por nossa preguiça, a qual, tendo certeza de um futuro, os adia incessantemente." O seu ponto era: que infelicidade é ter de estar consciente de um fim para focar a atenção no presente. Muito do que fazemos no presente se faz reflexivamente; o hábito é o inimigo do pensamento consciente. Por que não pensamos mais sobre o presente quando estamos nele?

Há pouco tempo, olhando retrospectivamente meu diário, descobri uma entrada de alguns anos atrás, quando eu estava passando pela Grand Central a caminho da biblioteca para devolver um exemplar do livro *O conceito do tempo* de Heidegger. O livro, publicado em 1924, é essencialmente uma aula encadernada, e esboça muitas ideias que aparecem mais tarde na sua obra *Ser e tempo*. Eu tinha ficado com ele por várias semanas até descobrir que precisava devolvê-lo naquele mesmo dia, assim estava num trem para Nova York tentando reabsorver a ideia de Heidegger sobre o tempo conforme minha própria janela diminuía.

Na argumentação dele há um conceito central, amorfo, que ele chama de *Dasein* e se traduz literalmente como "lá ser" ou "ser lá", mas que ele também define como "ser [ou estar] no mundo" e como "estar um com o outro", e como "essa entidade em seu ser que conhecemos como vida humana", e até mesmo como "ser questionável". (Minha própria sensação é de que, se você tem de fabricar outra palavra para definir tempo, não está ajudando muito.) A coisa mais concreta que Heidegger é capaz de dizer sobre *Dasein* é que ele não pode ser totalmente definido até o seu fim — depois do qual, é claro, ele não é mais. "Anterior a seu fim, ele nunca é autenticamente o que pode ser."

Heidegger começou como estudante de teologia (mais tarde aderiu ao Partido Nazista) e era assíduo leitor de Agostinho, que tinha explorado uma ideia um tanto semelhante. Comece fazendo soar uma nota ou uma sílaba; sua duração pode ser medida — é longa? é curta? — até o som cessar. O *agora* não pode ser medido até mais tarde, em retrospecto. Heidegger estende a analogia ao ser em geral: a existência de algo não pode ser totalmente avaliada enquanto não tiver terminado. Uma pergunta como "Estou aproveitando ao máximo meu tempo?" — quer se aplique à próxima hora ou a todo o tempo de alguém na terra — não pode ser respondida sem o conhecimento de que o tempo vai acabar. Existencialmente, o valor do tempo advém de sua finitude; o *agora* é definido pelo *depois*. "O fenômeno fundamental do tempo é o futuro", escreve Heidegger.

O que pega aqui, obviamente, é que no esquema de Heidegger a questão existencial nunca é capaz de encontrar uma resposta satisfatória; no momento em que você for capaz de fornecer uma, estará morto. Agostinho propôs que o tempo seria nada mais que "a tensão da consciência" — a mente atual se espremendo entre a memória e a expectativa. Heidegger oferece uma tensão mais carregada, na qual estamos para sempre nos esforçando para chegar ao futuro para avaliar nossa vida atual, como numa retrospectiva. O ser de alguém — *Dasein* — está sempre "correndo à frente para seu passado", e esse simples ato é a definição do tempo. A mera leitura das passagens de Heidegger é suficiente para induzir ansiedade: "*Dasein*, concebido em sua mais extrema possibilidade de ser, *é o próprio tempo*, e não *no* tempo... Mantendo-me ao longo de meu passado enquanto corro à frente eu tenho tempo".

Eu não tinha tempo. Quando meu trem chegou à Grand Central atravessei apressadamente a estação, sob a abóbada de estrelas pintadas, passei pelo estande de informação com seu relógio globular e desci ao metrô para me dirigir à biblioteca, tendo tomado algumas notas apressadas para meu futuro *eu*, que esperei poder decifrar mais tarde.

Mais ou menos na época em que Joshua e Leo completaram quatro anos, começaram as perguntas difíceis: o que é "morrer"? Você vai morrer? Quando você vai morrer? Eu vou morrer? As pessoas são feitas de carne? As pessoas se deterioram? Quando eu morrer, quem vai soprar minhas velas de aniversário — e quem vai comer meu bolo?

Eu não estava totalmente despreparado. A psicóloga desenvolvimental Katherine Nelson tinha observado que o *eu* começa a se manifestar por volta daquela idade. Nos primeiros anos de vida, uma criança não distingue entre suas próprias lembranças e as que são contadas para ela; conte-lhe sobre sua ida ao supermercado e ela provavelmente vai lembrar esse evento como se ela mesma tivesse ido. A experiência da lembrança em si mesma é tão nova para ela que é como se todas as memórias lhe pertencessem. Aos poucos a criança reconhece suas lembranças como somente dela, e assim fica consciente de sua continuidade e de sua passagem pelo tempo: eu sou eu, uma consciência contida numa membrana, feita de minhas memórias (eu fui eu ontem) e minhas expectativas (eu serei eu amanhã); eu era e sempre serei eu.

Esse estágio de desenvolvimento se cristalizou para mim no desjejum de uma manhã em que um dos meninos descreveu um sonho que tinha tido na noite anterior — o primeiro sonho do qual ele foi capaz de se lembrar ao acordar. Foi um pesadelo, disse ele: estava caminhando no escuro quando uma voz invisível o confrontou e perguntou: "Quem é você?". Se não estava claro para ele, estava para mim que a voz era dele mesmo. Assim, havia ali dois eus, um confrontando o outro — um *eu* desconhecido de si mesmo —, e pelo menos um deles tinha conhecimento bastante de si mesmo para fazer a pergunta mais existencial do gênero humano. Mas quando um novo *eu* se dá conta de sua continuidade no tempo, ele faz uma pausa. *Eu sempre serei eu* — mas qual é a duração de *sempre*? Um *eu* capaz de reparar que tudo a sua volta expira não pode evitar a conclusão de que ele também vai expirar, de algum modo, algum dia.

Os meninos dividiam um quarto, e na hora do dormir eu sentava entre suas camas, luzes apagadas, e contava uma história. Uma noite, antes de começar a história, notei que um deles estava chorando baixinho. Perguntei o que estava errado, e ele disse: "O que acontece no fim do mundo?".

"Não creio que alguém saiba", eu disse.

"Mas e se eu viver *depois* do fim do mundo?" Ele agora estava soluçando. Sua preocupação, como eu a obtive dele, não era que iria morrer um dia, e sim que não iria — que seria deixado totalmente sozinho. Antes que eu conseguisse achar algo para dizer que pudesse ser remotamente confortante e não factualmente incorreto, seu irmão entrou na conversa.

"Isso é impossível", disse ele, e acrescentou: "Se eu tiver bastante sorte, provavelmente vou viver até os 103 anos. Talvez até 115".

O primeiro parou de chorar. "Você não pode passar dos 120", disse ele. Tinha lido recentemente o *Livro Guiness dos recordes mundiais*.

"Praticamente não", eu disse. "Mas ninguém sabe quando vai morrer."

"Tudo isso tem a ver com o quanto você se exercita", disse o irmão.

"Você não tem com que se preocupar", eu disse ao primeiro. "O mundo não vai acabar sem você, está bem?"

"O mundo *vai* acabar sem ele", insistiu o irmão. "E ele vai acabar sem o mundo."

"Pai, você sabe que horas o mundo vai morrer?"

"Não tenho ideia de quando o mundo vai morrer. É daqui a muito tempo."

"O que vai fazer o mundo acabar, de qualquer maneira?"

"Bem, existem muitas teorias quanto a isso", eu disse.

"E qual é uma delas?"

Bem, eu disse, o Sol, que está constantemente se expandindo, pode um dia ficar tão grande que vai engolir a Terra. "Mas isso será num futuro tão distante que nem sequer podemos imaginá-lo", eu disse.

"Qual é a segunda?"

"Um buraco negro vai nos sugar", disse o irmão.

"Sim, talvez um buraco negro nos sugue", eu disse.

"A terceira?"

Expliquei como o universo começou como uma partícula e então explodiu e agora é enorme, mas que posteriormente poderia parar de se expandir e talvez até mesmo encolher e voltar a ser uma partícula. "Então seremos esmagados dentro da partícula", eu disse.

"É mesmo?"

"Talvez", eu disse.

"Isso vai acontecer daqui a muito, muito tempo?"

"Sim, daqui a muito tempo."

"Então não estaremos vivos."

"Não, não estaremos."

"Pai, qual é a outra teoria?"

"Vamos pensar em mais uma, depois vamos pensar em dormir", eu disse.

"Pai, quando o mundo for uma partícula, seria possível ele explodir de novo?"

"Com certeza, seria possível. Poderia começar tudo de novo."

"Provavelmente não", ele disse.
"Talvez não", eu disse. "No entanto, é interessante pensar nisso."

Ultimamente a preocupação mais séria dos meninos tem a ver com meus pais. Minha mãe tem oitenta e muitos anos e meu pai já passou dos noventa, e eles vivem a várias horas de distância na casa em que eu cresci. Eles são maravilhas da biologia humana, e mais a cada dia que passa. Cuidam do jardim, cantam no coro de sua igreja, exercitam-se juntos toda semana com um treinador no ginásio. Têm atividades: grupo de leitura, clube de fotografia, palavras cruzadas, filmes. Ainda dirigem, o que me preocupa. Tentamos visitá-los frequentemente com os meninos, mas não com tanta frequência quanto gostaríamos.

Alguns verões atrás fui com meus pais e os meninos à feira estadual. É uma excursão que eu fazia com meus pais quase todo ano quando era pequeno. A feira dura vários dias, do fim de agosto até setembro, num vasto terreno com pavilhões e estandes. Há competições de canto de galo, e de tamanhos de úberes, exposições de flores, demonstrações de edredons, uma exibição de borboletas, fileiras e mais fileiras de coelhos e pombos de estimação, um sujeito barbado vendendo coisas de madeira, vendedores de liquidificador e algodão-doce com gosto de bordo. E há a área de diversões com brinquedos que deixam você enjoado e jogos de habilidade suspeitos. E sempre tem a escultura de manteiga.

Pegamos um ônibus no Shoppingtown Mall para evitar o problema do estacionamento. Meu pai começou a falar sobre a guerra. Ele foi convocado em 1944 mas não tinha boa visão, assim não participava de combates, fato ao qual meus irmãos e eu podemos dever tudo. Em vez disso, durante vários meses depois do fim da guerra ele ficou alocado nos arredores de Paris, num hospital militar, do qual era funcionário. Aos fins de semana, ele e seus camaradas iam para a cidade, onde vendiam suas rações de cigarro e compravam perfumes e meias para vender aos rapazes na base. Enquanto isso, ele disse, estava estudando francês, que repassava mentalmente. Às vezes estava entrando num ônibus ou ia a pé para algum lugar, e uma expressão francesa pipocava subitamente em sua cabeça, como se ele estivesse ensaiando para uma peça.

Nos últimos tempos, ele disse, tinha um novo monólogo interior, sobre quão velho ele era e sobre os amigos que estavam indo embora. Morrendo, ele queria dizer; meus pais perderam vários amigos próximos nos últimos poucos anos. Ele mencionou a receita de colírio que está usando. Às vezes, disse, ele pega o frasco e pensa no milagre que é um olho e no de que os dois dele ainda conseguem funcionar. Às vezes ele tem esses pensamentos quando está no banheiro, disse, e isso é interessante também — como tudo entra e sai, atravessando e acrescentando à maquinaria viva que somos nós, até que acaba.

Ele tem um sonho recorrente no qual é um menino no banco dianteiro de um carro que seu pai está dirigindo. Numa versão, eles estão descendo das montanhas para uma planície, e ele é capaz de ver que lá adiante na estrada ela se ramifica em várias, espraiando-se em todas as direções, e ele começa a se preocupar com qual é a correta, e para onde ele pode estar indo.

Durante algumas semanas, o homem na loja que conserta relógios tem deixado mensagens no telefone: meu relógio de pulso estava consertado, quando eu iria buscá-lo? Sua última mensagem dizia que se eu não fosse buscar meu relógio logo, ele o venderia. Assim, num dia de outono, vários meses após eu ter deixado lá o relógio, peguei o trem para a Grand Central e fui andando pela Quinta Avenida para ir pegá-lo.

Quando cheguei à loja, o relojoeiro estava a uma mesa examinando um relógio com uma lente de relojoeiro. Levantou os olhos e me reconheceu, depois pegou um saquinho plástico que continha meu relógio e me entregou. Ninguém estava esperando, assim lhe perguntei se dispunha talvez de quinze minutos para me contar como tinha se tornado relojoeiro. "Quinze minutos?", ele disse, com um sotaque acentuado. "Por que você precisa de quinze minutos? Posso lhe contar tudo em cinco minutos."

Tinha crescido na Ucrânia. Com quinze anos disse aos pais que não queria mais ir à escola; queria fazer alguma coisa, mas não sabia o quê. Alguém sugeriu relojoaria, e foi isso que ele fez. Naqueles dias, na Rússia do pós-guerra, dificilmente chegavam peças de relógio, por isso seu emprego envolvia, muitas vezes, fabricá-las à mão. Hoje em dia, disse ele, fabricantes de relógio usam peças que são específicas de suas marcas, mas às vezes um conserto pede uma peça que é mais fácil ele mesmo fabricar. Foi até sua mesa e voltou com um Rolex com a parte traseira aberta, revelando um microcosmo de engrenagens girando. Apontou com orgulho para um pequeno pino que mantinha o balancim no lugar; ele o tinha feito à mão. Perguntei qual aspecto do trabalho o satisfazia mais. Lançou-me um olhar intrigado. "Consertar relógios", disse. "Alguém traz um relógio aqui, ele não funciona, eu conserto, então ele funciona — isso me satisfaz."

Paguei a conta e voltei para a Grand Central. Tinha tempo até meu trem sair, então me sentei a uma mesa num café e tirei meu relógio para fora. O relojoeiro me dissera que o fizera à prova d'água; notei que estava dois minutos adiantado em relação ao meu telefone. Eu o pus no pulso e senti seu velho peso novamente, e logo me esqueci dele.

Olhei em volta. Duas mulheres idosas estavam sentadas em banquinhos junto ao balcão, conversando. Perto, numa mesa, um casal francês e seus dois filhos tomavam sorvete de casquinha. Um sacerdote passou apressado. Vi uma mulher escrever algo em seu caderninho e um homem, sozinho, cotovelo na mesa e a mão sob o queixo, dormindo. Por toda a volta pessoas estavam olhando para seus telefones, ou falando aos seus telefones, e por toda parte um zumbido difuso de negócios e conversas — o som de uma espécie intensamente social tratando de se conectar e sincronizar entre si.

O efeito foi confortador; eu tinha trabalhado em casa nos últimos meses e já passara um tempo desde que me sentira como uma peça de uma engrenagem. Olhei para o relógio: doze minutos para meu trem. Susan e eu temos nos revezado no ritual do jantar e de pôr os meninos na cama; esta noite era minha. Eu costumava ter receio disso, porque os meninos resistiam; o percurso banho-escovar os dentes-pijama-hora da história deveria ser uma simples narrativa, mas eles tinham criado um épico, uma espécie de híbrido de Homero e Vonnegut, digressivo e ansioso. Quando aquela hora finalmente terminava, com as luzes apagadas e os meninos dormindo, muitas vezes eu estava dormindo também, no chão do quarto deles.

Uma teoria nos livros sobre a criação dos filhos diz que crianças pequenas resistem a pegar no sono porque têm medo dele; ainda são novos na experiência de acordar na manhã seguinte, e assim o boa-noite parece ser muito parecido com um adeus. Mas nas últimas semanas algo havia mudado; os meninos tinham começado a aceitar o sono, a diminuição de nosso ritmo à noite era menos assustadora, mais prazerosa. Por um tempo, um dos meninos precisou que eu lhe acariciasse as costas para poder relaxar o bastante e se deixar desligar. E essa atividade serviu mais para tranquilizar a mim. Ele a tolerou por mais um minuto ou dois e depois sussurrou diplomaticamente: "Agora você pode ir embora".

Eu soube que chegara a hora de terminar o livro quando meus garotos já tinham idade bastante para começar a perguntar por ele. "Sobre o que ele é? Por que está demorando tanto?" Eles tinham suas opiniões sobre quantas páginas eu devia escrever por dia e sobre quantas palavras devia haver em cada página, e no jantar me perguntavam se eu tinha alcançado minha cota de palavras e vinham com comentários do tipo "J. K. Rowling escreve muito mais rápido que *isso*". Um dia, do banco traseiro do carro, eles propuseram títulos para o livro. Um sugeriu *O tempo é confuso*, que me pareceu adequado, mas talvez não muito convidativo. O outro sugeriu *As pessoas que o tempo esqueceu*, que soava como uma fantástica história de aventuras, mas também, talvez, uma inconsciente referência a ele mesmo e a outros membros negligenciados de sua família.

Anos atrás, muito antes de eu ter filhos ou mesmo de estar casado, um amigo com filhos disse: "Esse negócio de ter filhos é que, depois de algum tempo, você esquece como era antes de tê-los tido". A ideia era inconcebível. Eu não conseguia visualizar um futuro *eu* cujas idas e vindas seriam completamente circunscritas, aparentemente com muita felicidade, pelos desejos e necessidades de alguém com a metade de meu tamanho. Mas é o que acontece. À medida que ia incorporando o papel, sentia às vezes como se estivesse desmontando um barco e usando a madeira para construir um barco para outra pessoa. Tábua por tábua eu me desmontei e me reorganizei, até que só me restou uma coisa de minha vida antes dos filhos: o livro. Havia menos tempo do que nunca para ele, assim aproveitei todo o pouco tempo que havia — noites, fins de semana, verões, feriados. Era insaciável de um modo desornado, o que parecia ser normal porque tinha sido assim antes também. Isso não podia continuar. Ainda assim, entrar nele num sábado chuvoso ou nas horas tardias da noite era como entrar num cálido entrepiso no sótão. Era tentador imaginar que o projeto poderia nunca terminar. Alguém poderia alegar que o livro, tendo demorado tanto, tinha se tornado outro filho, que eu não queria deixar ir embora e cujo destino eu era capaz de efetivamente controlar.

Eu também me perguntava se minha estratégia de fazer cálculos com o tempo tinha sido presunçosa demais. Para Agostinho, uma sílaba, sentença ou estrofe em movimento era a incorporação do tempo; desdobrando, isso se estende entre o passado e o futuro, memória e expectativa, abrangendo o agora e seu contentor, o *eu*. "O que é verdadeiro quanto ao poema como um todo também é verdadeiro para suas estrofes e sílabas individualmente", ele escreveu. "O mesmo vale para todo o longo desempenho no qual este poema pode ser um simples item." Hipoteticamente, o mesmo vale para um livro: enquanto ele permanecesse em movimento, o presente do autor nunca terminaria. Pode-se ver para onde esta lógica conduz. A imortalidade seria um livro que estivesse perpetuamente não terminado.

Tudo isso — tudo que importa, escreveu Agostinho — se desdobra numa sentença. Em algum lugar ao longo do caminho perdi a pista do presente verbal e do fio da mensagem: que a alma (a esta altura eu posso chamá-la assim) está em sua fala, na sentença nunca completada nem dita mas que mesmo agora ainda está saindo dos lábios de alguém.

Não é verão, ou o fim do verão, até que eu tenha ido à praia. Não me refiro a uma praia de lago, onde as ondas se espreguiçam, pisa-se em sujeira e podemos ver os juncos que crescem no fundo. Eu preciso de uma praia honesta de oceano, com dunas de areia branca e uma brisa marinha que agita a bandeira do salva-vidas, onde seu cabelo fica salgado só de estar ali sentado quando a onda estoura espirrando espuma e o faz lembrar que não existe nada a não ser mar entre você e a Normandia.

Durante muito tempo nossos garotos ficavam fascinados e assustados com esse tipo de praia, como é natural, mas eu sabia que o verão tinha chegado num sentido eterno no ano em que eles começaram a gostar daquilo. Tinham cinco anos. Era o fim de semana do Labor Day, essa radiante diapausa entre langor e arregimentação, quando os dias se alongam e sugerem algo eterno. Um furacão tinha vindo e ido embora, deixando sol e espuma. Os meninos passaram o início da tarde aprendendo como furar a onda daquele jeito que deixa água do mar escorrendo de seu nariz. Depois a maré começou a recuar, e chegou o momento de construir castelos de areia.

Aí está o prazer humano em sua essência: encher a mão de areia, revirá-la para baixo e chamar isso de arquitetura. Achamos um lugar no ponto mais recuado da linha da maré que fosse sustentável. Era uma propriedade imobiliária de primeira, uma planície de inundação, plana, com areia perfeitamente úmida, mas também exposta; nossa obra seria a primeira a desabar quando a maré voltasse. Em apenas alguns minutos um dos garotos tinha criado um povoado feito de montinhos de areia protegidos por uma muralha baixa e curva. Eu cavei um fosso na frente, para retardar as primeiras ondas, quando quer que chegassem, e construí um quebra-mar à sua frente. Ele olhou com alegre espanto. "Nunca tivemos tanto tempo assim!", exclamou. Queria dizer, acho, que ele nunca tinha estado tão perto das grandes ondas — a maré ainda recuava — e ainda assim não se sentia ameaçado ou afobado. Notei que havia pais mais jovens na praia, mais para cima. "Olhe nossa cidadezinha", disse ele, cheio de orgulho. E disse de novo: "Nunca tivemos tanto tempo assim!".

Nietzsche afirmou — na verdade, o psicanalista Stephen Mitchell afirmou que Nietzsche afirmou — que se pode avaliar o relacionamento de um homem com o tempo pelo modo com que constrói um castelo de areia. O primeiro homem vai proceder com hesitação, absorto na arte, mas enquanto isso preocupado com o inevitável retorno das ondas e chocado com sua perda quando ela finalmente chegar. Um segundo homem nem começará a construir: por que se dar ao trabalho se a maré vai destruí-lo? O terceiro — o paradigma da masculinidade, na opinião de Nietzsche — abraça o inevitável e se joga no trabalho sem levar isso em conta, alegre mas não desatento.

Gostaria de pensar que pertenço à terceira categoria, mas com sorte estarei na primeira. Notei que meu outro filho, contrariando meu gentil conselho, tinha começado seu projeto de construção — um monte pequeno e esculpido — em frente ao quebra-mar e à muralha de proteção da cidade. A primeira onda que veio reduziu-o a um calombo molhado, e ele, às lágrimas. Começou uma segunda ermida, que logo desabou, depois mais uma. Nietzsche deveria ter uma quarta categoria para ele, pensei — o homem que está um pouco isolado mas ferrenhamente ligado. Àquela altura a maré tinha retornado com vigor e as primeiras ondas rasas subiram pela praia. Ele foi a primeira vítima: depois as ondas varreram meu quebra-mar e meu fosso e fustigaram a muralha da cidade; depois se encresparam atrás da muralha e inundaram as ruas. Meu outro filho estava atrás da muralha, de frente para a maré, os braços estendidos, o sorriso de muitas eras em seu rosto.

"O fim está aqui! O fim está aqui!"

Ele era um gigante. Nunca parecera estar tão feliz, e eu o invejei.

Agradecimentos

Este livro se tornou possível graças ao apoio da Fundação Solomon H. Guggenheim e à Colônia MacDowell.

Notas sobre as fontes

A literatura sobre o tempo é ilimitada. Desde o início da história, os escritores fizeram jorrar suas ideias sobre o tema, muitas delas ponderadas, ou anedoticamente provocativas, mas, até tempos recentes, relativamente poucas eram científicas. Correndo o risco — embora na verdade com o objetivo expresso — de ignorar grandes linhas filosóficas e de pensamento religioso, foquei-me aqui, principalmente, num esforço de explorar a relação do homem com o tempo através de experimentos, um empreendimento que começou a ser feito a sério um século e meio atrás. Faço isso sabendo muito bem que mesmo experimentos bem-intencionados podem ser mal projetados, ou podem obter resultados vagos ou conflitantes, ou podem abordar um aspecto tão estreito de nossa experiência temporal que seria difícil dizer se são aplicáveis além do confinamento do laboratório no qual foram concebidos.

Além do mais, mesmo esse subconjunto da literatura, frouxamente confinado a experimentos e seus resultados, é volumoso. De início deparei com a obra de vida de Julius T. Fraser, inquestionavelmente a principal autoridade no estudo interdisciplinar do tempo. Em 1966, Fraser fundou a International Society for the Study of Time, que a cada três anos promove uma conferência e reúne pesquisadores do tempo de todos os tipos, desde físicos, filósofos kantianos e historiadores do período medieval até neurobiólogos, antropólogos e estudiosos de Proust. Fraser reuniu aos poucos os trabalhos numa série, com dez volumes, de livros ecléticos mas investigativos, *The Study of Time* [O estudo do tempo], e escreveu ou editou vários outros, inclusive *Time, the Familiar Stranger* [Tempo, o estranho familiar] e *The Voices of Time: A Cooperative Survey of Man's View of Time as Expressed by the Humanities* [As vozes do tempo: uma pesquisa cooperativa da visão do homem sobre o tempo, expressa pelas ciências humanas]. O poeta e erudito Frederick Turner descreveu Fraser com admiração, como "uma espécie de combinação de Einstein, Yoda, Gandalf, dr. Johnson, Sócrates, o Deus do Antigo Testamento e Groucho Marx". Ouvi dizer que Fraser tinha se aposentado e se retirado para Connecticut, mas, quando eu já lera bastante de sua obra para me sentir confiante e procurá-lo, ele morreu, com 87 anos.

Este livro não deve ser confundido com uma enciclopédia do tempo. (Existem pelo menos duas: uma, publicada em 1994, tem setecentas páginas e pesa quase um quilo e meio; a segunda, publicada em 2009, tem 1600 páginas em três volumes, e pesa cinco quilos.) Posso assegurar que estas páginas não respondem a todas as suas perguntas sobre o tempo. Em vez disso, tendo em mente o interesse do leitor e do autor, limitei-me ao que me pareceu humanamente possível: uma breve incursão na porção desse campo que é a de maior interesse para mim e, espero, por extensão, para você. Para os que quiserem ler mais, seguem-se minhas fontes mais importantes. Cuidado com as tocas de coelhos.

Referências bibliográficas

Avante [pp. 11-8]

AGOSTINHO. *Confissões*. Trad. de Maria Boulding. Nova York: Vintage, 1998.
GILBRETH, Frank B.; GILBRETH, Lillian Moller. *Fatigue Study: the Elimination of Humanity's Greatest Unnecessary Waste, a First Step in Motion Study*. Nova York: Macmillan, 1919.
GILBRETH, Frank B.; KENT, Robert Thurston. *Motion Study, a Method for Increasing the Efficiency of the Workman*. Nova York: D. Van Nostrand, 1911.
GLEICK, James. *Faster: The Acceleration of Just about Everything*. Nova York: Pantheon, 1999.
JAMES, William. "Does Consciousness Exist?". *Journal of Philosophy, Psychology and Scientific Methods* 1, nº 18 (1904).
LAKOFF, George; JOHNSON, Mark. *Philosophy in the Flesh: The Embodied Mind and Its Challenge to Western Thought*. Nova York: Basic, 1999.
ROBINSON, John P.; GODBEY, Geoffrey. *Time for Life: The Surprising Ways Americans Use Their Time*. University Park, PA: Pennsylvania State University Press, 1997.

As horas [pp. 19-39]

ADAM, Barbara. *Timewatch: The Social Analysis of Time*. Cambridge, RU: Polity, 1995.
ARIAS, Elisa Felicitas. "The Metrology of Time". *Philosophical Transactions. Series A, Mathematical, Physical, and Engineering Sciences* 363, nº 1834 (2005), pp. 2289-305.
BATTERSBY, S. "The Lady Who Sold Time". *New Scientist*, 25 fev.-3 mar. 2006, pp. 52-3.
BRANN, Eva T. H. *What, Then, Is Time?*. Lanham, MD: Rowman & Littlefield, 1999.
COCKELL, Charles S.; ROTHSCHILD, Lynn J. "The Effects of Ultraviolet Radiation A and B on Diurnal Variation in Photosynthesis in Three Taxonomically and Ecologically Diverse Microbial Mats". *Photochemistry and Photobiology* 69 (1999), pp. 203-10.

FRIEDMAN, William J. "Developmental and Cognitive Perspectives on Humans' Sense of the Times of Past and Future Events". *Learning and Motivation* 36, nº 2 (2005), pp. 145-58.
GOFF, Jacques Le. *Time, Work, and Culture in the Middle Ages*. Chicago: University of Chicago Press, 1980.
KORIAT, Asher; FISCHHOFF, Baruch. "What Day Is Today?: An Inquiry into the Process of Temporal Orientation". *Memory and Cognition* 2, nº 2 (1974), pp. 201-5.
PARKER, Thomas E.; MATSAKIS, Demetrios. "Time and Frequency Dissemination: Advances in GPS Transfer Techniques". *GPS World*, nov. 2004, pp. 32-8.
RIFKIN, Jeremy. *Time Wars: The Primary Conflict in Human History*. Nova York: H. Holt, 1987.
ROONEY, David. *Ruth Belville: The Greenwich Time Lady*. Londres: National Maritime Museum, 2008.
ZERUBAVEL, Eviatar. *Hidden Rhythms: Schedules and Calendars in Social Life*. Chicago: University of Chicago Press, 1981.
_____. *The Seven Day Circle: The History and Meaning of the Week*. Nova York: Free Press, 1985.

Os dias [pp. 41-109]

ALDEN, Robert. "Explorer Tells of Cave Ordeal". *New York Times*, 20 set. 1962.
ANTLE, Michael C.; SILVER, Rae. "Orchestrating Time: Arrangements of the Brain Circadian Clock". *Trends in Neurosciences* 28, nº 3 (2005), pp. 145-51.
BASNER, Mathias et al. "Mars 520-D Mission Simulation Reveals Protracted Crew Hypokinesis and Alterations of Sleep Duration and Timing". *Proceedings of the National Academy of Sciences of the United States of America* 110, nº 7 (2012), pp. 2635-40.
BERTOLUCCI, Cristiano; FOA, Augusto. "Extraocular Photoreception and Circadian Entrainment in Nonmammalian Vertebrates". *Chronobiology International* 21, nºs 4-5 (2004), pp. 501-19.
BRADSHAW, W. E.; HOLZAPFEL, C. M. "Genetic Shift in Photoperiodic Response Correlated with Global Warming". *Proceedings of the National Academy of Sciences of the United States of America* 98, nº 25 (2001), pp. 14509-11.
BRAY, M. S.; YOUNG, M. E. "Circadian Rhythms in the Development of Obesity: Potential Role for the Circadian Clock within the Adipocyte". *Obesity Reviews* 8, nº 2 (2007), pp. 169-81.
BYRD, Richard Evelyn. *Alone: The Classic Polar Adventure*. Nova York: Kodansha International, 1995.

CASTILLO, Marina R. et al. "Entrainment of the Master Circadian Clock by Scheduled Feeding". *American Journal of Physiology. Regulatory, Integrative and Comparative Physiology* 287 (2004), pp. 551-5.

COCKELL, Charles S.; ROTHSCHILD, Lynn J. "Photosynthetic Rhythmicity in an Antarctic Microbial Mat and Some Considerations on Polar Circadian Rhythms". *Antarctic Journal* 32 (1997), pp. 156-7.

COPPACK, Timothy; PULIDO, Francisco. "Photoperiodic Response and the Adaptability of Avian Life Cycles to Environmental Change". *Advances in Ecological Research* 35 (2004), pp. 131-50.

COVINGTON, Michael F.; HARMER, Stacey L. "The Circadian Clock Regulates Auxin Signaling and Responses in Arabidopsis". *PLOS Biology* 5, nº 8 (2007), pp. 1773-84.

CZEISLER, Charles A. et al. "Bright Light Resets the Human Circadian Pacemaker Independent of the Timing of the Sleep-Wake Cycle". *Science* 233, nº 4764 (1986), pp. 667-71.

CZEISLER, Charles A. et al. "Stability, Precision, and near-24-Hour Period of the Human Circadian Pacemaker". *Science* 284, nº 5423 (1999), pp. 2177-81.

DIJK, D. J. et al. "Sleep, Performance, Circadian Rhythms, and Light-Dark Cycles during Two Space Shuttle Flights". *American Journal of Physiology. Regulatory, Integrative and Comparative Physiology* 281, nº 5 (2001), pp. R1647-64.

DUNLAP, Jay C. "Molecular Bases for Circadian Clocks (Review)". *Cell* 96, nº 2 (1999), pp. 271-90.

FIGUEIRO, Mariana G.; MARK S. Rea. "Evening Daylight May Cause Adolescents to Sleep Less in Spring Than in Winter." *Chronobiology International* 27, nº 6 (2010), pp. 1242-58.

FOER, Joshua. "Caveman: An Interview with Michel Siffre". *Cabinet Magazine* nº 30, verão 2008. Disponível em: <http://www.cabinetmagazine.org/issues/30/foer.php>.

FOSTER, Russell G. "Keeping an Eye on the Time". *Investigative Ophthalmology* 43, nº 5 (2002), pp. 1286-98.

FROY, Oren. "The Relationship between Nutrition and Circadian Rhythms in Mammals". *Frontiers in Neuroendocrinology* 28, nº 2-3 (2007), pp. 61-71.

GOLDEN, Susan S. "Meshing the Gears of the Cyanobacterial Circadian Clock". *Proceedings of the National Academy of Sciences* 101, nº 38 (2004), pp. 13 697-8.

_____. "Timekeeping in Bacteria: The Cyanobacterial Circadian Clock". *Current Opinion in Microbiology* 6, nº 6 (2003), pp. 535-40.

_____; CANALES, Shannon R. "Cyanobacterial Circadian Clocks: Timing Is Everything". *Nature Reviews. Microbiology* 1, nº 3 (2003), pp. 191-9.

GOLOMBEK, Diego A.; CALCAGNO, Javier A.; LUQUET, Carlos M. "Circadian Activity Rhythm of the Chinstrap Penguin of Isla Media Luna, South

Shetland Islands, Antártica Argentina". *Journal of Field Ornithology* 62, nº 3 (1991), pp. 293-428.

GOOLEY, J. J. et al. "Melanopsin in Cells of Origin of the Retinohypothalamic Tract". *Nature Neuroscience* 4, nº 12 (2001), p. 1165.

GRONFIER, Claude et al. "Entrainment of the Human Circadian Pacemaker to Longerthan 24-H Days". *Proceedings of the National Academy of Sciences of the United States of America* 104, nº 21 (2007), pp. 9081-6.

HAMERMESH, Daniel S.; KNOWLES MYERS, Caitlin; POCOCK, Mark L. "Cues for Timing and Coordination: Latitude, Letterman, and Longitude". *Journal of Labor Economics* 26, nº 2 (2008), pp. 223-46.

HAO, H.; RIVKEES, S. A. "The Biological Clock of Very Premature Primate Infants Is Responsive to Light". *Proceedings of the National Academy of Sciences of the United States of America* 96, nº 5 (1999), pp. 2426-9.

HELLWEGERA, Ferdi L. "Resonating Circadian Clocks Enhance Fitness in Cyanobacteria in Silico". *Ecological Modelling* 221, nº 12 (2010), pp. 1620-9.

JOHNSON, Carl Hirschie; EGLI, Martin. "Visualizing a Biological Clockwork's Cogs". *Nature Structural and Molecular Biology* 11, nº 7 (2004), pp. 584-5.

JOHNSON, Carl Hirschie; MORI, Tetsuya; XU, Yao. "A Cyanobacterial Circadian Clockwork". *Current Biology* 18, nº 17 (2008), pp. R816-25.

KOHSAKA, Akira; BASS, Joseph. "A Sense of Time: How Molecular Clocks Organize Metabolism". *Trends in Endocrinology and Metabolism* 18, nº 1 (2007), pp. 4-11.

KONDO, T. "A Cyanobacterial Circadian Clock Based on the Kai Oscillator". *Cold Spring Harbor Symposia on Quantitative Biology* 72, (2007), pp. 47-55.

KONOPKA, R. J.; BENZER, S. "Clock Mutants of *Drosophila Melanogastermelanogaster*". *Proceedings of the National Academy of Sciences of the United States of America* 68, nº 9 (1971), pp. 2112-6.

LOCKLEY, Steven W.; GOOLEY, Joshua J. "Circadian Photoreception: Spotlight on the Brain". *Current Biology* 16, nº 18 (2006), pp. R795-7.

LU, Weiqun et al. "A Circadian Clock Is Not Required in an Arctic Mammal". *Current Biology* 20, nº 6 (2010), pp. 533-7.

LUBKIN, Virginia; BEIZAI, Pouneh; SADUN, Alfredo A. "The Eye as Metronome of the Body". *Survey of Ophthalmology* 47, nº 1 (2002), pp. 17-26.

MANN, N. P. "Effect of Night and Day on Preterm Infants in a Newborn Nursery: Randomised Trial". *British Medical Journal* 293 (nov. 1986), pp. 1265-7.

McCLUNG, Robertson. "Plant Circadian Rhythms". *Plant Cell* 18 (abr. 2006), pp. 792-803.

MEIER-KOLL, Alfred et al. "A Biological Oscillator System and the Development of Sleep—Waking Behavior during Early Infancy". *Chronobiologia* 5, nº 4 (1978), pp. 425-40.

MENAKER, Michael. "Circadian Rhythms. Circadian Photoreception". *Science* 299, nº 5604 (2003), pp. 213-4.

MENDOZA, Jorge. "Circadian Clocks: Setting Time by Food". *Journal of Neuroendocrinology* 19, nº 2 (2007), pp. 127-37.

MILLS, J. N. et al. "The Circadian Rhythms of Human Subjects without Timepieces or Indication of the Alternation of Day and Night". *Journal of Physiology* 240, nº 3 (1974), pp. 567-94.

MIRMIRAN, Majid et al. "Perinatal Development of Human Circadian Rhythms: Role of the Foetal Biological Clock". *Neuroscience and Biobehavioral Reviews* 16, nº 3 (1992), pp. 371-8.

MITTAG, Maria; KIAULEHN, Stefanie; JOHNSON, Carl Hirschie. "The Circadian Clock in *Chlamydomonas Reinhardtiireinhardtii*: What Is It For? What Is It Similar To?". *Plant Physiology* 127, nº 2 (2005), pp. 399-409.

MONK, Timothy H. et al. "Decreased Human Circadian Pacemaker Influence after 100 Days in Space: A Case Study". *Psychosomatic Medicine* 63, nº 6 (2001), pp. 881-5.

MONK, Timothy H. et al. "Sleep and Circadian Rhythms in Four Orbiting Astronauts". *Journal of Biological Rhythms* 13 (jun. 1998), pp. 188-201.

MURAYAMA, Yoriko et al. "Tracking and Visualizing the Circadian Ticking of the Cyanobacterial Clock Protein KaiC in Solution". *EMBO Journal* 30, nº 1 (2011), pp. 68-78.

NIKAIDO, S. S.; JOHNSON, C. H. "Daily and Circadian Variation in Survival from Ultraviolet Radiation in *Chlamydomonas Reinhardtiireinhardtii*". *Photochemistry and Photobiology* 71, nº 6 (2000), pp. 758-65.

O'NEILL, John S.; REDDY, Akhilesh B. "Circadian Clocks in Human Red Blood Cells". *Nature* 469, nº 7331 (2011), pp. 498-503.

OUYANG, Yan et al. "Resonating Circadian Clocks Enhance Fitness in Cyanobacteria". *Proceedings of the National Academy of Sciences of the United States of America* 95 (jul. 1998), pp. 8660-4.

PALMER, John D. *The Living Clock: The Orchestrator of Biological Rhythms*. Oxford: Oxford University Press, 2002.

PANDA, Satchidananda; HOGENESCH, John B.; KAY, Steve A. "Circadian Rhythms from Flies to Human". *Nature* 417, nº 6886 (2002), pp. 329-35.

PÖPPEL, Ernst. "Time Perception". In: HELD, R.; LEIBOWITZ, H. W.; TEUBNER, H. L. (Orgs.). *Handbook of Sensory Physiology*. Vol. 8: *Perception*. Berlim: Springer, 1978, pp. 713-29.

PTITSYN, Andrey A. et al. "Circadian Clocks Are Resounding in Peripheral Tissues". *PLOS Computational Biology* 2, nº 3 (2006), pp. 126-35.

PTITSYN, Andrey A.; ZVONIC, Sanjin; GIMBLE, Jeffrey M. "Digital Signal Processing Reveals Circadian Baseline Oscillation in Majority of Mammalian Genes". *PLOS Computational Biology* 3, nº 6 (2007), pp. 1108-14.

RAMSEY, Kathryn Moynihan et al. "The Clockwork of Metabolism". *Annual Review of Nutrition* 27 (2007), pp. 219-40.

REPPERT, S. M. "Maternal Entrainment of the Developing Circadian System". *Annals of the New York Academy of Sciences* 453 (1985), pp. 162-9. Fig. 2.

REVEL, Florent G. et al. "The Circadian Clock Stops Ticking during Deep Hibernation in the European Hamster". *Proceedings of the National Academy of Sciences of the United States of America* 104, nº 34 (2007), pp. 13816-20.

RIVKEES, Scott A. "Developing Circadian Rhythmicity in Infants". *Pediatrics* 112, nº 2 (2003), pp. 373-81.

———; HOFMAN, P. L.; FORTMAN, J. "Newborn Primate Infants Are Entrained by Low Intensity Lighting". *Proceedings of the National Academy of Sciences of the United States of America* 94, nº 1 (1997), pp. 292-7.

RIVKEES, Scott A. et al. "Rest-Activity Patterns of Premature Infants Are Regulated by Cycled Lighting". *Pediatrics* 113, nº 4 (2004), pp. 833-9.

RIVKEES, Scott A.; REPPERT, S. M. "Perinatal Development of Day-Night Rhythms in Humans". *Hormone Research* 37, Supplement 3 (1992), pp. 99-104.

ROENNEBERG, Till et al. "Social Jetlag and Obesity". *Current Biology* 22, nº 10 (2012), pp. 939-43.

ROENNEBERG, Till; MERROW, Martha. "Light Reception: Discovering the Clock-Eye in Mammals". *Current Biology* 12, nº 5 (2002), pp. R163-5.

RUBIN, Elad B. et al. "Molecular and Phylogenetic Analyses Reveal Mammalian-like Clockwork in the Honey Bee (*Apis Melliferamellifera*) and Shed New Light on the Molecular Evolution of the Circadian Clock". *Genome Research* 16, nº 11 (2006), pp. 1352-65.

SCHEER, Frank A. J. L. et al. "Adverse Metabolic and Cardiovascular Consequences of Circadian Misalignment". *Proceedings of the National Academy of Sciences of the United States of America* 106, nº 11 (2009), pp. 4453-8.

———. "Plasticity of the Intrinsic Period of the Human Circadian Timing System". *PLOS ONE* 2, nº 8 (2007), p. e721.

SIFFRE, Michel. *Hors du temps: L'Experience du 16 juillet 1962 au fond du gouffre de Scarasson par celui qui l'a vecue.* Paris: R. Julliard, 1963.

———. "Six Months Alone in a Cave". *National Geographic*, mar. 1975, pp. 426-35.

SKULADOTTIR, Arna; THOME, Marga; RAMEL, Alfons. "Improving Day and Night Sleep Problems in Infants by Changing Day Time Sleep Rhythm: A Single Group before and after Study". *International Journal of Nursing Studies* 42, nº 8 (2005), pp. 843-50.

SOREK, Michal et al. "Photosynthetic Circadian Rhythmicity Patterns of Symbiodinium, the Coral Endosymbiotic Algae". *Proceedings. Biological Sciences/ The Royal Society* 280 (2013), 20122942.

STEVENS, Richard G.; ZHU, Yong. "Electric Light, Particularly at Night, Disrupts Human Circadian Rhythmicity: Is That a Problem?". *Philosophical Transactions of the Royal Society of London. Series B, Biological Sciences* 370, nº 1667 (16 mar. 2015), 20140120.

STOKKAN, Karl-Arne et al. "Entrainment of the Circadian Clock in the Liver by Feeding". *Science* 291 (2001), pp. 490-3.

STROGATZ, Steven H. *Sync: The Emerging Science of Spontaneous Order.* Nova York: Hyperion, 2003.

SUZUKI, Lena; JOHNSON, Carl Hirschie. "Algae Know the Time of Day: Circadian and Photoperiodic Programs". *Journal of Phycology* 37, nº 6 (2001), pp. 933-42.

TAKAHASHI, Joseph S.; SHIMOMURA, Kazuhiro; KUMAR, Vivek. "Searching for Genes Underlying Circadian Rhythms". *Science* 322 (7 nov. 2008), pp. 909-12.

TAVERNIER, Ronald J.; LARGEN, Angela L.; BULT-ITO, Abel. "Circadian Organization of a Subarctic Rodent, the Northern Red-Backed Vole (*Clethrionomys Rutilusrutilus*)". *Journal of Biological Rhythms* 19, nº 3 (2004), pp. 238-47.

UNITED STATES CONGRESS, OFFICE OF TECHNOLOGY ASSESSMENT. *Biological Rhythms: Implications for the Worker.* Washington, D.C.: U. S. Government Printing Office, 1991.

VAN OORT, Bob E. H. et al. "Circadian Organization in Reindeer". *Nature* 438, nº 7071 (2005), pp. 1095-6.

WEINER, Jonathan. *Time, Love, Memory: A Great Biologist and His Quest for the Origins of Behavior.* Nova York: Knopf, 1999.

WITTMANN, Marc et al. "Social Jetlag: Misalignment of Biological and Social Time". *Chronobiology International* 23, nºs 1-2 (2006), pp. 497-509.

WOELFLE, Mark A. et al. "The Adaptive Value of Circadian Clocks: An Experimental Assessment in Cyanobacteria". *Current Biology* 14 (24 ago. 2004), pp. 1481-6.

WRIGHT, Kenneth P. et al. "Entrainment of the Human Circadian Clock to the Natural Light-Dark Cycle". *Current Biology* 23, nº 16 (2013), pp. 1554-8.

XU, Yao; MORI, Tetsuya; JOHNSON, Carl Hirschie. "Cyanobacterial Circadian Clockwork: Roles of KaiA, KaiB and the KaiBC Promoter in Regulating KaiC". *EMBO Journal* 22, nº 9 (2003), pp. 2117-26.

ZIVKOVIC, Bora. "Circadian Clock without DNA: History and the Power of Metaphor". *Observations* (blog), *Scientific American* (2011), pp. 1-25.

O presente [pp. 111-257]

ALLPORT, D. A. "Phenomenal Simultaneity and the Perceptual Moment Hypothesis". *British Journal of Psychology* 59, nº 4 (1968), pp. 395-406.

BAUGH, Frank G.; BENJAMIN, Ludy T. "Walter Miles, Pop Warner, B. C. Graves, and the Psychology of Football". *Journal of the History of the Behavioral Sciences* 42, Winter (2006), pp. 3-18.

BLATTER, Jeremy. "Screening the Psychological Laboratory: Hugo Munsterberg, Psychotechnics, and the Cinema, 1892-1916". *Science in Context* 28, nº 1 (2015), pp. 53-76.

BORING, Edwin Garrigues. *A History of Experimental Psychology*. Nova York: Appleton-Century-Crofts, 1950.

_____. *Sensation and Perception in the History of Experimental Psychology*. Nova York: Appleton-Century-Crofts, 1942.

BUONOMANO, Dean V.; BRAMEN, Jennifer; KHODADADIFAR, Mahsa. "Influence of the Interstimulus Interval on Temporal Processing and Learning: Testing the State-Dependent Network Model". *Philosophical Transactions of the Royal Society of London. Series B, Biological Sciences* 364, nº 1525 (2009), pp. 1865-73.

CAI, Mingbo; EAGLEMAN, David M.; MA, Wei Ji. "Perceived Duration Is Reduced by Repetition but Not by High-Level Expectation". *Journal of Vision* 15, nº 13 (2015), pp. 1-17.

CAI, Mingbo; STETSON, Chess; EAGLEMAN, David M. "A Neural Model for Temporal Order Judgments and Their Active Recalibration: A Common Mechanism for Space and Time?". *Frontiers in Psychology* 3 (nov. 2012), p. 470.

CAMPBELL, Leah A.; BRYANT, Richard A. "How Time Flies: A Study of Novice Skydivers". *Behaviour Research and Therapy* 45, nº 6 (2007), pp. 1389-92.

CANALES, Jimena. "Exit the Frog, Enter the Human: Physiology and Experimental Psychology in Nineteenth-Century Astronomy". *British Journal for the History of Science* 34, nº 2 (2001), pp. 173-97.

_____. *A Tenth of a Second: A History*. Chicago: University of Chicago Press, 2009.

DIERIG, Sven. "Engines for Experiment: Labor Revolution and Industrial in the Nineteenth-Century City". In: DIERIG, Sven; LACHMUND, Jens; MENDELSOHN, Andrew (Orgs.). *Osiris*. Vol. 18: *Science and the City*. Chicago: University of Chicago Press, 2003. pp. 116-34.

DOLLAR, John (Dir. e Prod.). "Prisoner of Consciousness". *Equinox*, temporada 1, episódio 3. Channel 4 (UK), transmitido em 4 ago. 1986.

DUNCOMBE, Raynor L. "Personal Equation in Astronomy". *Popular Astronomy* 53 (1945), pp. 2-13, 63-76, 110-21.

EAGLEMAN, David M. "How Does the Timing of Neural Signals Map onto the Timing of Perception?". In: NIJHAWAN, R.; KHURANA, B. (Orgs.). *Space and Time in Perception and Action*. Cambridge, UK: Cambridge University Press, 2010. pp. 216-31.

_____. "Human Time Perception and Its Illusions". *Current Opinion in Neurobiology* 18, nº 2 (2008), pp. 131-6.

_____. "Motion Integration and Postdiction in Visual Awareness". *Science* 287, nº 5460 (2000), pp. 2036-8.

EAGLEMAN, David M. "The Where and When of Intention". *Science* 303, nº 5661 (2004), pp. 1144-6.

_____; HOLCOMBE, Alex O. "Causality and the Perception of Time". *Trends in Cognitive Sciences* 6, nº 8 (2002), pp. 323-5.

EAGLEMAN, David M.; PARIYADATH, Vani. "Is Subjective Duration a Signature of Coding Efficiency?". *Philosophical Transactions of the Royal Society of London. Series B, Biological Sciences* 364, nº 1525 (2009), pp. 1841-51.

EAGLEMAN, David M. et al. "Time and the Brain: How Subjective Time Relates to Neural Time". *Journal of Neuroscience* 25, nº 45 (2005), pp. 10369-71.

EFRON, R. "The Duration of the Present". *Annals of the New York Academy of Sciences* 138 (fev. 1967), pp. 712-29.

EKIRCH, A. Roger. *At Day's Close: Night in Times Past.* Nova York: W. W. Norton, 2006.

ENGEL, Andreas K. et al. "Temporal Binding, Binocular Rivalry, and Consciousness". *Consciousness and Cognition* 8, nº 2 (1999), pp. 128-51.

_____. "Role of the Temporal Domain for Response Selection and Perceptual Binding". *Cerebral Cortex* 7, nº 6 (1997), pp. 571-82.

ENGEL, Andreas K.; SINGER, Wolf. "Temporal Binding and the Neural Correlates of Sensory Awareness". *Trends in Cognitive Sciences* 5, nº 1 (2001), pp. 16-25.

FRIEDMAN, William J. *About Time: Inventing the Fourth Dimension.* Cambridge, MA: MIT Press, 1990.

_____. "Developmental and Cognitive Perspectives on Humans' Sense of the Times of Past and Future Events". *Learning and Motivation* 36, nº 2, edição especial (2005), pp. 145-58.

_____. "Developmental Perspectives on the Psychology of Time". In: GRONDIN, Simon (Org.). *Psychology of Time.* Bingley, RU: Emerald, 2008. pp. 345-66.

_____. "The Development of Children's Knowledge of Temporal Structure". *Child Development* 57, nº 6 (1986), pp. 1386-1400.

_____. "The Development of Children's Knowledge of the Times of Future Events". *Child Development* 71, nº 4 (2000), pp. 913-32.

_____. "The Development of Children's Understanding of Cyclic Aspects of Time". *Child Development* 48, nº 4 (1977), pp. 1593-9.

_____. "The Development of Infants' Perception of Arrows of Time". *Infant Behavior and Development* 19, Supplement 1 (1996), p. 161.

_____; BRUDOS, Susan L. "On Routes and Routines: The Early Development of Spatial and Temporal Representations". *Cognitive Development* 3, nº 2 (1988), pp. 167-82.

GALISON, Peter L. *Einstein's Clocks and Poincare's Maps: Empires of Time.* Nova York: W. W. Norton, 2003.

GALISON, Peter L.; BURNETT, D. Graham. "Einstein, Poincare and Modernity: A Conversation". *Time* 132, nº 2 (2009), pp. 41-55.

GILLINGS, Annabel (Dir. e Prod.). "Daytime". *Time*, episódio 1. BBC Four, transmitido em 30 jul. 2007.

GRANIER-DEFERRE, Carolyn et al. "A Melodic Contour Repeatedly Experienced by Human Near-Term Fetuses Elicits a Profound Cardiac Reaction One Month after Birth". *PLOS ONE* 6, nº 2 (2011), p. e17304.

GREEN, Christopher D.; BENJAMIN, Ludy T. *Psychology Gets in the Game: Sport, Mind, and Behavior, 1880-1960*. Lincoln: University of Nebraska Press, 2009.

HAGGARD, P.; CLARK, S.; KALOGERAS, J. "Voluntary Action and Conscious Awareness". *Nature Neuroscience* 5, nº 4 (2002), pp. 382-5.

HALE, Matthew. *Human Science and Social Order: Hugo Munsterberg and the Origins of Applied Psychology*. Philadelphia: Temple University Press, 1980.

HELFRICH, Hede. *Time and Mind II: Information Processing Perspectives*. Toronto: Hogrefe & Huber, 2003.

HOERL, Christoph; MCCORMACK, Teresa. *Time and Memory: Issues in Philosophy and Psychology*. Oxford: Clarendon, 2001.

JAMES, William. *The Principles of Psychology*. Londres: Macmillan, 1901.

JENKINS, Adrianna C.; MACRAE, C. Neil; MITCHELL, Jason P. "Repetition Suppression of Ventromedial Prefrontal Activity during Judgments of Self and Others". *Proceedings of the National Academy of Sciences of the United States of America* 105, nº 11 (2008), pp. 4507-12.

KARMARKAR, Uma R.; BUONOMAN, Dean V. "Timing in the Absence of Clocks: Encoding Time in Neural Network States". *Neuron* 53, nº 3 (2007), pp. 427-38.

KLINE, Keith A.; EAGLEMAN, David M. "Evidence against the Temporal Subsampling Account of Illusory Motion Reversal". *Journal of Vision* 8, nº 4 (2008), pp. 13.1-13.5.

KLINE, Keith A.; HOLCOMBE, Alex O.; EAGLEMAN, David M. "Illusory Motion Reversal Is Caused by Rivalry, Not by Perceptual Snapshots of the Visual Field". *Vision Research* 44, nº 23 (2004), pp. 2653-8.

KORNSPAN, Alan S. "Contributions to Sport Psychology: Walter R. Miles and the Early Studies on the Motor Skills of Athletes". *Comprehensive Psychology* 3, nº 1, artigo 17 (2014), pp. 1-11.

KREIMEIER, Klaus; LIGENSA, Annemone. *Film 1900: Technology, Perception, Culture*. New Burnet, RU: John Libbey, 2009.

LEJEUNE, Helga; WEARDEN, John H. "Vierordt's 'The Experimental Study of the Time Sense' (1868) and Its Legacy". *European Journal of Cognitive Psychology* 21, nº 6 (2009), pp. 941-60.

LEVIN, Harry; BUCKLER-ADDIS, Ann. *The Eye-Voice Span*. Cambridge, MA: MIT Press, 1979.

LEWKOWICZ, David J. "The Development of Intersensory Temporal Perception: An Epigenetic Systems/Limitations View". *Psychological Bulletin* 126, nº 2 (2000), pp. 281-308.

_____. "Development of Multisensory Temporal Perception". In: MURRAY, M. M.; WALLACE, M. T. (Orgs.). *The Neural Bases of Multisensory Processes*. Boca Raton, FL: CRC; Taylor & Francis, 2012. pp. 325-44.

_____. "The Role of Temporal Factors in Infant Behavior and Development". In: LEVIN, I.; ZAKAY, D. (Orgs.). *Time and Human Cognition*. North-Holland: Elsevier Science Publishers, 1989. pp. 1-43.

_____; LEO, Irene; SIMION, Francesca. "Intersensory Perception at Birth: Newborns Match Nonhuman Primate Faces and Voices". *Infancy* 15, nº 1 (2010), pp. 46-60.

LEYDEN, W. von. "History and the Concept of Relative Time". *History and Theory* 2, nº 3 (1963), pp. 263-85.

LICKLITER, R.; BAHRICK, L. E. "The Development of Infant Intersensory Perception: Advantages of a Comparative Convergent-Operations Approach". *Psychological Bulletin* 126, nº 2 (2000), pp. 260-80.

MATTHEWS, William J.; MECK, Warren H. "Time Perception: The Bad News and the Good". *Wiley Interdisciplinary Reviews: Cognitive Science* 5, nº 4 (2014), pp. 429-46.

MATTHEWS, William J. et al. "Subjective Duration as a Signature of Coding Efficiency: Emerging Links among Stimulus Repetition, Predictive Coding, and Cortical GABA Levels". *Timing & Time Perception Reviews* 1, nº 5 (2014), pp. 1-5.

MÜNSTERBERG, Hugo; LANGDALE, Allan. *Hugo Munsterberg on Film: The Photoplay: A Psychological Study, and Other Writings*. Nova York: Routledge, 2002.

MYERS, Gerald E. "William James on Time Perception". *Philosophy of Science* 38, nº 3 (1971), pp. 353-60.

NEIL, Patricia A. et al. "Development of Multisensory Spatial Integration and Perception in Humans". *Developmental Science* 9, nº 5 (2006), pp. 454-64.

NELSON, Katherine. "Emergence of the Storied Mind". In: _____. *Language in Cognitive Development: The Emergence of the Mediated Mind*. Cambridge, UK: Cambridge University Press, 1996. pp. 183-291.

_____. "Emergence of Autobiographical Memory at Age 4". *Human Development* 35, nº 3 (1992), pp. 172-7.

NICHOLS, Herbert. *The Psychology of Time*. Nova York: Henry Holt, 1891.

NIJHAWAN, Romi. "Visual Prediction: Psychophysics and Neurophysiology of Compensation for Time Delays". *Behavioral and Brain Sciences* 31, nº 2 (2008), pp. 179-98; discussão pp. 198-239.

_____; KHURANA, Beena. *Space and Time in Perception and Action*. Cambridge, RU: Cambridge University Press, 2010.

PARIYADATH, Vani; EAGLEMAN, David M. "Brief Subjective Durations Contract with Repetition". *Journal of Vision* 8, nº 16 (2008), pp. 1-6.

──────. "The Effect of Predictability on Subjective Duration". *PLOS ONE* 2, nº 11 (2007), p. e1264.

PARIYADATH, Vani et al. "Why Overlearned Sequences Are Special: Distinct Neural Networks for Ordinal Sequences". *Frontiers in Human Neuroscience* 6 (dez. 2012), pp. 1-9.

PIAGET, Jean. "Time Perception in Children". In: FRASER, Julius Thomas (Org.). *The Voices of Time: A Cooperative Survey of Man's Views of Time as Expressed by the Sciences and by the Humanities*. Amherst, MA: University of Massachusetts Press, 1981. pp. 202-16.

PLATÃO. *Parmenides*. Trad. de R. E. Allen. New Haven, CT: Yale University Press, 1998.

PÖPPEL, Ernst. "Lost in Time: A Historical Frame, Elementary Processing Units and the 3-Second Window". *Acta Neurobiologiae Experimentalis* 64, nº 3 (2004), pp. 295-301.

──────. *Mindworks: Time and Conscious Experience*. Boston: Harcourt Brace Jovanovich, 1988.

PURVES, D.; PAYDARFAR, J. A.; ANDREWS, T. J. "The Wagon Wheel Illusion in Movies and Reality". *Proceedings of the National Academy of Sciences of the United States of America* 93, nº 8 (1996), pp. 3693-7.

RICHARDSON, Robert D. *William James: In the Maelstrom of American Modernism: A Biography*. Boston: Houghton Mifflin, 2006.

SACKS, Oliver. "A Neurologist's Notebook: The Abyss". *The New Yorker*, 24 set. 2007, pp. 100-11.

SCHAFFER, Simon. "Astronomers Mark Time: Discipline and the Personal Equation". *Science in Context* 2, nº 1 (1988), pp. 115-45.

SCHMIDGEN, Henning. "Mind, the Gap: The Discovery of Physiological Time". In: KREIMEIER, K.; LIGENSA, A. (Orgs.). *Film 1900: Technology, Perception, Culture*. New Burnet, RU: John Libbey, 2009. pp. 53-65.

──────. "Of Frogs and Men: The Origins of Psychophysiological Time Experiments, 1850-1865". *Endeavour* 26, nº 4 (2002), pp. 142-8.

──────. "Time and Noise: The Stable Surroundings of Reaction Experiments, 1860-1890". *Studies in History and Philosophy of Biological and Biomedical Sciences* 34, nº 2 (2003), pp. 237-75.

SCRIPTURE, Edward Wheeler. *Thinking Feeling Doing*. Meadville, PA: Flood and Vincent, 1895.

SOLNIT, Rebecca. *River of Shadows: Eadweard Muybridge and the Technological Wild West*. Nova York: Viking, 2003.

VANRULLEN, Rufin; KOCH, Christof. "Is Perception Discrete or Continuous?". *Trends in Cognitive Sciences* 7, nº 5 (2003), pp. 207-13.

VATAKIS, Argiro; SPENCE, Charles. "Evaluating the Influence of the 'Unity Assumption' on the Temporal Perception of Realistic Audiovisual Stimuli". *Acta Psychologica* 127, nº 1 (2008), pp. 12-23.

WEARING, Deborah. *Forever Today: A Memoir of Love and Amnesia*. Londres: Doubleday, 2005.

_____. "The Man Who Keeps Falling in Love with His Wife". *The Telegraph*, 12 jan. 2005. Disponível em: <http://www.telegraph.co.uk/news/health/3313452/The-man-who-keeps-falling-in-love-with-his-wife.html>.

WOJTACH, William T. et al. "An Empirical Explanation of the Flash-Lag Effect". *Proceedings of the National Academy of Sciences of the United States of America* 105, nº 42 (2008), pp. 16338-43.

WUNDT, Wilhelm. *An Introduction to Psychology*. Trad. de Rudolf Pinter. Londres: [s.n.], 1912.

Por que o tempo voa [pp. 259-351]

ALEXANDER, Iona; COWEY, Alan; WALSH, Vincent. "The Right Parietal Cortex and Time Perception: Back to Critchley and the Zeitraffer Phenomenon". *Cognitive Neuropsychology* 22, nº 3 (maio 2005), pp. 306-15.

ALLAN, Lorraine et al. "John Gibbon (1934-2001) Obituary". *American Psychologist* 57, nºˢ 6-7 (2002), pp. 436-7.

ALLMAN, Melissa J.; MECK, Warren H. "Pathophysiological Distortions in Time Perception and Timed Performance". *Brain* 135, nº 3 (2012), pp. 656-77.

ALLMAN, Melissa J. et al. "Properties of the Internal Clock: First- and Second-Order Principles of Subjective Time". *Annual Review of Psychology* 65 (2014), pp. 743-71.

ANGRILLI, Alessandro et al. "The Influence of Affective Factors on Time Perception". *Perception & Psychophysics* 59, nº 6 (1997), pp. 972-82.

ARANTES, Joana; BERG, Mark E.; WEARDEN, John H. "Females' Duration Estimates of Briefly-Viewed Male, but Not Female, Photographs Depend on Attractiveness". *Evolutionary Psychology* 11, nº 1 (2013), pp. 104-19.

ARSTILA, Valtteri. *Subjective Time: The Philosophy, Psychology, and Neuroscience of Temporality*. Cambridge, MA: MIT Press, 2014.

BAER, Karl Ernst von. "Welche Auffassung der lebenden Natur ist die richtige? und Wie ist diese Auffassung auf die Entomologie anzuwenden?". Discurso em São Petersburgo, 1860. Ed. de H. Schmitzdorff. São Petersburgo: Verlag der kaiser, Hofbuchhandl, 1864. pp. 237-84.

BATTELLI, Lorella et al. "The 'When' Parietal Pathway Explored by Lesion Studies". *Current Opinion in Neurobiology* 18, nº 2 (2008), pp. 120-26.

BAUER, Patricia J. *Remembering the Times of Our Lives: Memory in Infancy and Beyond*. Mahwah, NJ: Lawrence Erlbaum Associates, 2007.

BAUM, Steve K.; BOXLEY, Russell L.; SOKOLOWSKI, Marcia. "Time Perception and Psychological Well-Being in the Elderly". *Psychiatric Quarterly* 56, nº 1 (1984), pp. 54-60.

BELOT, Michele; CRAWFORD, Vincent P.; HEYES, Cecilia. "Players of Matching Pennies Automatically Imitate Opponents' Gestures Against Strong Incentives". *Proceedings of the National Academy of Sciences of the United States of America* 110, nº 8 (2013), pp. 2763-8.

BERGSON, Henri. *An Introduction to Metaphysics: The Creative Mind*. Totowa, NJ: Littlefield, Adams, 1975.

BLEWETT, A. E. "Abnormal Subjective Time Experience in Depression". *British Journal of Psychiatry* 161 (ago. 1992), pp. 195-200.

BLOCK, Richard A.; ZAKAY, Dan. "Timing and Remembering the Past, the Present, and the Future". In: GRONDIN, Simon (Org.). *Psychology of Time*. Bingley, UK: Emerald, 2008. pp. 367-94.

BRAND, Matthias et al. "Cognitive Estimation and Affective Judgments in Alcoholic Korsakoff Patients". *Journal of Clinical and Experimental Neuropsychology* 25, nº 3 (2003), pp. 324-34.

BSCHOR, T. et al. "Time Experience and Time Judgment in Major Depression, Mania and Healthy Subjects: A Controlled Study of 93 Subjects". *Acta Psychiatrica Scandinavica* 109, nº 3 (2004), pp. 222-9.

BUETI, Domenica; WALSH, Vincent. "The Parietal Cortex and the Representation of Time, Space, Number and Other Magnitudes". *Philosophical Transactions of the Royal Society of London. Series B, Biological Sciences* 364, nº 1525 (2009), pp. 1831-40.

BUHUSI, Catalin V.; MECK, Warren H. "Relative Time Sharing: New Findings and an Extension of the Resource Allocation Model of Temporal Processing". *Philosophical Transactions of the Royal Society of London. Series B, Biological Sciences* 364, nº 1525 (2009), pp. 1875-85.

CHURCH, Russell M. "A Tribute to John Gibbon". *Behavioural Processes* 57, nºs 2-3 (2002), pp. 261-74.

_____; MECK, Warren H.; GIBBON, John. "Application of Scalar Timing Theory to Individual Trials". *Journal of Experimental Psychology Animal Behavior Processes* 20, nº 2 (1994), pp. 135-55.

CONWAY III, Lucian Gideon. "Social Contagion of Time Perception". *Journal of Experimental Social Psychology* 40, nº 1 (2004), pp. 113-20.

COULL, Jennifer T.; NOBRE, A. C. "Where and When to Pay Attention: The Neural Systems for Directing Attention to Spatial Locations and to Time Intervals as Revealed by Both PET and fMRI". *Journal of Neuroscience* 18, nº 18 (1998), pp. 7426-35.

COULL, Jennifer T. et al. "Functional Anatomy of the Attentional Modulation of Time Estimation". *Science* (Nova York) 303, nº 5663 (2004), pp. 1506-8.

CRAIG, A. D. "Human Feelings: Why Are Some More Aware than Others?". *Trends in Cognitive Sciences* 8, nº 6 (2004), pp. 239-41.

CRYSTAL, Jonathon D. "Animal Behavior: Timing in the Wild". *Current Biology* 16, nº 7 (2006), pp. R252-3. Disponível em: <http://www.ncbi.nlm.nih.gov/pubmed /16 5 81502>.

DENNETT, Daniel C. "The Self as a Responding — and Responsible — Artifact". *Annals of the New York Academy of Sciences* 1001 (2003), pp. 39-50.

DROIT-VOLET, Sylvie. "Child and Time". *Lecture Notes in Computer Science (Including Subseries Lecture Notes in Artificial Intelligence and Lecture Notes in Bioinformatics)* 6789 LNAI (2011), pp. 151-72.

_____; BRUNOT, Sophie; NIEDENTHAL, Paula. "Perception of the Duration of Emotional Events". *Cognition and Emotion* 18, nº 6 (2004), pp. 849-58.

DROIT-VOLET, Sylvie; FAYOLLE, Sophie L.; GIL, Sandrine. "Emotion and Time Perception: Effects of Film-Induced Mood". *Frontiers in Integrative Neuroscience* 5 (ago. 2011), pp. 1-9.

DROIT-VOLET, Sylvie; GIL, Sandrine. "The Time-Emotion Paradox". *Philosophical Transactions of the Royal Society of London. Series B, Biological Sciences* 364, nº 1525 (2009), pp. 1943-53.

DROIT-VOLET, Sylvie; MECK, Warren H. "How Emotions Colour Our Perception of Time". *Trends in Cognitive Sciences* 11, nº 12 (2007), pp. 504-13.

DROIT-VOLET, Sylvie et al. "Music, Emotion, and Time Perception: The Influence of Subjective Emotional Valence and Arousal?". *Frontiers in Psychology* 4 (jul. 2013), pp. 1-12.

EFFRON, Daniel A. et al. "Embodied Temporal Perception of Emotion". *Emotion* 6, nº 1 (2006), pp. 1-9.

FRAISSE, Paul. "Perception and Estimation of Time". *Annual Review of Psychology* 35 (fev. 1984), pp. 1-36.

_____. *The Psychology of Time*. Nova York: Harper & Row, 1963.

FRASER, Julius Thomas. *Time and Mind: Interdisciplinary Issues*. Madison, CT: International Universities Press, 1989.

_____. *Time, the Familiar Stranger*. Amherst, MA: University of Massachusetts Press, 1987.

FRASER, Julius Thomas; HABER, Francis C.; MULLER, G. H. *The Study of Time: Proceedings of the First Conference of the International Society for the Study of Time*. Oberwolfach (Floresta Negra), Alemanha Ocidental. Berlim: Springer-Verlag, 1972.

FRASER, Julius Thomas (Ed.). *The Voice of Time: A Cooperative Survey of Man's Views of Time as Expressed by the Sciences and by the Humanities*. Nova York: George Braziller, 1966.

FRIEDMAN, William J.; JANSSEN, Steve M. J. "Aging and the Speed of Time". *Acta Psychologica* 134, nº 2 (2010), pp. 130-41.

GALLANT, Roy; FEDLER, Tara; DAWSON, Kim A. "Subjective Time Estimation and Age". *Perceptual and Motor Skills* 72 (jun. 1991), pp. 1275-80.

GIBBON, John. "Scalar Expectancy Theory and Weber's Law in Animal Timing". *Psychological Review* 84, nº 3 (1977), pp. 279-325.

_____; CHURCH, Russell M. "Representation of Time". *Cognition* 37, nos 1-2 (1990), pp. 23-54.

_____; MECK, Warren H. "Scalar Timing in Memory". *Annals of the New York Academy of Sciences* 423 (maio 1984), pp. 52-77.

GIBBON, John et al. "Toward a Neurobiology of Temporal Cognition: Advances and Challenges". *Current Opinion in Neurobiology* 7, nº 2 (1997), pp. 170-84.

GIBSON, James J. "Events Are Perceivable but Time Is Not". In: FRASER, J. T.; LAWRENCE, N. (Orgs.). *The Study of Time II: Proceedings of the Second Conference of the International Society for the Study of Time, Lake Yamanaka, Japan*. Nova York: Springer-Verlag. pp. 295-301.

GIL, Sandrine; ROUSSET, Sylvie; DROIT-VOLET, Sylvie. "How Liked and Disliked Foods Affect Time Perception". *Emotion* (Washington DC) 9, nº 4 (2009), pp. 457-63.

GOODDY, William. "Disorders of the Time Sense". In: VINKEN, P. J.; BRUYN, G. W. (Orgs.). *Handbook of Clinical Neurology*. Amsterdam: North Holland Publishing, 1969. Vol. 3, pp. 229-50.

_____. *Time and the Nervous System*. Nova York: Praeger, 1988.

GRONDIN, Simon. "From Physical Time to the First and Second Moments of Psychological Time". *Psychological Bulletin* 127, nº 1 (2001), pp. 22-44.

_____. *Psychology of Time*. Bingley, RU: Emerald, 2008.

GRUBER, Ronald P.; BLOCK, Richard A. "Effect of Caffeine on Prospective and Retrospective Duration Judgements". *Human Psychopharmacology* 18, nº 15 (2003), pp. 351-9.

GU, Bon-mi; LAUBACH, Mark; MECK, Warren H. "Oscillatory Mechanisms Supporting Interval Timing and Working Memory in Prefrontal-Striatal-Hippocampal Circuits". *Neuroscience and Biobehavioral Reviews* 48 (2015), pp. 160-85.

HEIDEGGER, Martin. *The Concept of Time*. Trad. de William McNeill. Oxford, RU: B. Blackwell, 1992.

HENDERSON, Jonathan et al. "Timing in Free-Living Rufous Hummingbirds, *Selasphorus Rufusrufus*". *Current Biology* 16 (7 mar. 2006), pp. 512-5.

HICKS, R. E.; MILLER, G. W.; KINSBOURNE, M. "Prospective and Retrospective Judgments of Time as a Function of Amount of Information Processed". *American Journal of Psychology* 89, nº 4 (1976), pp. 719-30.

HOAGLAND, Hudson. "Some Biochemical Considerations of Time". In: FRASER, Julius Thomas. *The Voices of Time: A Cooperative Survey of Man's Views of Time as Expressed by the Sciences and by the Humanities*. Nova York: George Braziller, 1966, pp. 321-22.

HOAGLAND, Hudson. "The Physiological Control of Judgments of Duration: Evidence for a Chemical Clock". *Journal of General Psychology* 9, (dez. 1933), pp. 267-87.

HOPFIELD, J. J.; BRODY, C. D. "What Is a Moment?: 'Cortical' Sensory Integration over a Brief Interval". *Proceedings of the National Academy of Sciences of the United States of America* 97, nº 25 (2000), pp. 13 919-24.

IVRY, Richard B.; SCHLERF, John E. "Dedicated and Intrinsic Models of Time Perception". *Trends in Cognitive Sciences* 12, nº 7 (2008), pp. 273-80.

JACOBSON, Gilad A.; ROKNI, Dan; YAROM, Yosef. "A Model of the Olivo-Cerebellar System as a Temporal Pattern Generator". *Trends in Neurosciences* 31, nº 12 (2014), pp. 617-9.

JANSSEN, Steve M. J.; FRIEDMAN, William J.; NAKA, Makiko. "Why Does Life Appear to Speed Up as People Get Older?". *Time and Society* 22, nº 2 (2013), pp. 274-90.

JIN, Dezhe Z.; FUJII, Naotaka; GRAYBIEL, Ann M. "Neural Representation of Time in Cortico-Basal Ganglia Circuits". *Proceedings of the National Academy of Sciences of the United States of America* 106, nº 45 (2009), pp. 19 156-61.

JONES, Luke A.; ALLELY, Clare S.; WEARDEN, John H. "Click Trains and the Rate of Information Processing: Does 'Speeding Up' Subjective Time Make Other Psychological Processes Run Faster?". *Quarterly Journal of Experimental Psychology* 64, nº 2 (2011), pp. 363-80.

JOUBERT, Charles E. "Structured Time and Subjective Acceleration of Time". *Perceptual and Motor Skills* 59, nº 1 (1984), pp. 335-6.

_____. "Subjective Acceleration of Time: Death Anxiety and Sex Differences". *Perceptual and Motor Skills* 57 (ago. 1983), pp. 49-50.

_____. "Subjective Expectations of the Acceleration of Time with Aging". *Perceptual and Motor Skills* 70 (fev. 1990), p. 334.

LAMOTTE, Mathilde; MARIE, Izaute; DROIT-VOLET, Sylvie. "Awareness of Time Distortions and Its Relation with Time Judgment: A Metacognitive Approach". *Consciousness and Cognition* 21, nº 2 (2012), pp. 835-42.

LEJEUNE, Helga; WEARDEN, John H. "Vierordt's 'The Experimental Study of the Time Sense' (1868) and Its Legacy". *European Journal of Cognitive Psychology* 21, nº 6 (2009), pp. 941-60.

LEMLICH, Robert. "Subjective Acceleration of Time with Aging". *Perceptual and Motor Skills* 41 (maio 1975), pp. 235-8.

LEWIS, Penelope A.; MIALL, R. Chris. "The Precision of Temporal Judgement: Milliseconds, Many Minutes, and Beyond". *Philosophical Transactions of the Royal Society of London. Series B, Biological Sciences* 364, nº 1525 (2009), pp. 1897-1905.

_____. "Remembering the Time: A Continuous Clock". *Trends in Cognitive Sciences* 10, nº 9 (2006), pp. 401-6.

LEWIS, Penelope A.; WALSH, Vincent. "Neuropsychology: Time out of Mind". *Current Biology* 12, nº 1 (2002), pp. 12-4.

LUI, Ming Ann; PENNEY, Trevor B.; SCHIRMER, Annett. "Emotion Effects on Timing: Attention versus Pacemaker Accounts". *PLOS ONE* 6, nº 7 (2011), p. e21829.

LUSTIG, Cindy; MATELL, Matthew; MECK, Warren H. "Not 'Just' a Coincidence: Frontal-Striatal Interactions in Working Memory and Interval Timing". *Memory* 13, nºs 3-4 (2005), pp. 441-8.

MACDONALD, Christopher J. et al. "Retrospective and Prospective Views on the Role of the Hippocampus in Interval Timing and Memory for Elapsed Time". *Timing & Time Perception* 2, nº 1 (2014), pp. 51-61.

MATELL, Matthew S.; BATESON, Melissa; MECK, Warren H. "Single-Trials Analyses Demonstrate That Increases in Clock Speed Contribute to the Methamphetamine-Induced Horizontal Shifts in Peak-Interval Timing Functions". *Psychopharmacology* 188, nº 2 (2006), pp. 201-12.

MATELL, Matthew S.; KING, George R.; MECK, Warren H. "Differential Modulation of Clock Speed by the Administration of Intermittent versus Continuous Cocaine". *Behavioral Neuroscience* 118, nº 1 (2004), pp. 150-6.

MATELL, Matthew S.; MECK, Warren H.; NICOLELIS, Miguel A. L. "Integration of Behavior and Timing: Anatomically Separate Systems or Distributed Processing?" In: MECK, Warren H. (Org.). *Functional and Neural Mechanisms of Interval Timing*. Boca Raton, FL: CRC Press, 2003. pp. 371-91.

MATTHEWS, William J. "Time Perception: The Surprising Effects of Surprising Stimuli". *Journal of Experimental Psychology: General* 144, nº 1 (2015), pp. 172-97.

_____; MECK, Warren H. "Time Perception: The Bad News and the Good". *Wiley Interdisciplinary Reviews: Cognitive Science* 5, nº 4 (2014), pp. 429-46.

MATTHEWS, William J.; STEWART, Neil; WEARDEN, John H. "Stimulus Intensity and the Perception of Duration". *Journal of Experimental Psychology: Human Perception and Performance* 37, nº 1 (2011), pp. 303-13.

MAUK, Michael D.; BUONOMANO, Dean V. "The Neural Basis of Temporal Processing". *Annual Review of Neuroscience* 27 (jan. 2004), pp. 307-40.

MCINERNEY, Peter K. *Time and Experience*. Philadelphia: Temple University Press, 1991.

MECK, Warren H. "Neuroanatomical Localization of an Internal Clock: A Functional Link Between Mesolimbic, Nigrostriatal, and Mesocortical Dopaminergic Systems". *Brain Research* 1109, nº 1 (2006), pp. 93-107.

_____. "Neuropsychology of Timing and Time Perception". *Brain and Cognition* 58, nº 1 (2005), pp. 1-8.

MECK, Warren H.; IVRY, Richard B. "Editorial Overview: Time in Perception and Action". *Current Opinion in Behavioral Sciences* 8 (2016), pp. vi-x.

MERCHANT, Hugo; HARRINGTON, Deborah L.; MECK, Warren H. "Neural Basis of the Perception and Estimation of Time". *Annual Review of Neuroscience* 36 (jun. 2013), pp. 313-36.

MICHON, John A. "Guyau's Idea of Time: A Cognitive View". In: MICHON, John A.; POUTHAS, Viviane; JACKSON, Janet L. *Guyau and the Idea of Time*. Amsterdam: North-Holland Publishing, 1988. pp. 161-97.

MITCHELL, Stephen A. *Relational Concepts in Psychoanalysis: An Integration*. Cambridge: Harvard University Press, 1988.

NABER, Marnix; PASHKAM, Maryam Vaziri; NAKAYAMA, Ken. "Unintended Imitation Affects Success in a Competitive Game". *Proceedings of the National Academy of Sciences of the United States of America* 110, nº 50 (2012), pp. 20 046-50.

NATHER, Francisco Carlos et al. "Time Changes with the Embodiment of Another's Body Posture". *PLOS ONE* 6, nº 5 (2011), p. e19818.

NATHER, Francisco Carlos; BUENO, Jose L. O. "Timing Perception in Paintings and Sculptures of Edgar Degas". *KronoScope* 12, nº 1 (2012), pp. 16-30.

NATHER, Francisco Carlos; MONTEIRO FERNANDES, Paola Alarcon; BUENO, Jose L. O. "Timing Perception Is Affected by Cubist Paintings Representing Human Figures". *Proceedings of the 28th Annual Meeting of the International Society for Psychophysics* 28 (2012), pp. 292-7.

NELSON, Katherine. "Emergence of Autobiographical Memory at Age 4". *Human Development* 35, nº 3 (1992), pp. 172-7.

_____. *Narratives from the Crib*. Cambridge, MA: Harvard University Press, 1989.

_____. *Young Minds in Social Worlds: Experience, Meaning, and Memory*. Cambridge, MA: Harvard University Press, 2007.

NOULHIANE, Marion et al. "Role of the Medial Temporal Lobe in Time Estimation in the Range of Minutes". *Neuroreport* 18, nº 10 (2007), pp. 1035-8.

OGDEN, Ruth S. "The Effect of Facial Attractiveness on Temporal Perception". *Cognition and Emotion* 27, nº 7 (2013), pp. 1292-1304.

OPRISAN, Sorinel A.; BUHUSI, Catalin V. "Modeling Pharmacological Clock and Memory Patterns of Interval Timing in a Striatal Beat-Frequency Model with Realistic, Noisy Neurons". *Frontiers in Integrative Neuroscience* 5, nº 52 (23 set. 2011).

OVSIEW, Fred. "The Zeitraffer Phenomenon, Akinetopsia, and the Visual Perception of Speed of Motion: A Case Report". *Neurocase* 4794 (abr. 2013), pp. 37-41.

PERBAL, Severine et al. "Relationships between Time Estimation, Memory, Attention, and Processing Speed in Patients with Severe Traumatic Brain Injury". *Neuropsychologia* 41, nº 12 (2003), pp. 1599-1610.

PÖPPEL, Ernst. "Time Perception". In: HELD, R.; LEIBOWITZ, H. W.; TEUBNER, H. L. (Orgs.). *Handbook of Sensory Physiology*. Berlim: Springer-Verlag, 1978. Vol. 8: *Perception*. pp. 713-29.

POUTHAS, Viviane; PERBAL, Severine. "Time Perception Depends on Accurate Clock Mechanisms as Well as Unimpaired Attention and Memory Processes". *Acta Neurobiologiae Experimentalis* 64, nº 3 (2004), pp. 367-85.

RAMMSAYER, T. H. "Neuropharmacological Evidence for Different Timing Mechanisms in Humans". *Quarterly Journal of Experimental Psychology. B, Comparative and Physiological Psychology* 52, nº 3 (1999), pp. 273-86.

ROECKLEIN, Jon E. *The Concept of Time in Psychology: A Resource Book and Annotated Bibliography*. Westport, CT: Greenwood Press, 2000.

SACKETT, Aaron M. et al. "You're Having Fun When Time Flies: The Hedonic Consequences of Subjective Time Progression". *Psychological Science* 21, nº 1 (2010), pp. 111-7.

SCHIRMER, Annett. "How Emotions Change Time". *Frontiers in Integrative Neuroscience* 5 (5 out. 2011), pp. 1-6.

_____; MECK, Warren H.; PENNEY, Trevor B. "The Socio-Temporal Brain: Connecting People in Time". *Trends in Cognitive Sciences* 20, nº 10 (2016), pp. 760-72.

SCHIRMER, Annett et al. "Emotional Voices Distort Time: Behavioral and Neural Correlates". *Timing & Time Perception* 4, nº 1 (2016), pp. 79-98.

SCHUMAN, Howard; Rogers, Willard L. "Cohorts, Chronology, and Collective Memory". *Public Opinion Quarterly* 68, nº 2 (2004), pp. 217-54.

SCHUMAN, Howard; SCOTT, Jacqueline. "Generations and Collective Memories". *American Sociological Review* 54, nº 3 (1989), pp. 359-81.

SUDDENDORF, Thomas. "Mental Time Travel in Animals?". *Trends in Cognitive Sciences* 7, nº 9 (2003), pp. 391-6.

_____; CORBALLIS, Michael C. "The Evolution of Foresight: What Is Mental Time Travel, and Is It Unique to Humans?". *Behavioral and Brain Sciences* 30, nº 3 (2007), pp. 299-313; discussão pp. 313-51.

SWANTON, Dale N.; GOOCH, Cynthia M.; MATELL, Matthew S. "Averaging of Temporal Memories by Rats". *Journal of Experimental Psychology* 35, nº 3 (2009), pp. 434-9.

TIPPLES, Jason. "Time Flies When We Read Taboo Words". *Psychonomic Bulletin and Review* 17, nº 4 (2010), pp. 563-8.

TREISMAN, Michel. "The Information-Processing Model of Timing (Treisman, 1963): Its Sources and Further Development". *Timing & Time Perception* 1, nº 2 (2013), pp. 131-58.

TUCKMAN, Jacob. "Older Persons' Judgment of the Passage of Time over the Life-Span". *Geriatrics* 20 (fev. 1965), pp. 136-40.

WALKER, James L. "Time Estimation and Total Subjective Time". *Perceptual and Motor Skills* 44, nº 2 (1977), pp. 527-32.

WALLACH, Michael A.; GREEN, Leonard R. "On Age and the Subjective Speed of Time". *Journal of Gerontology* 16, nº 1 (1961), pp. 71-4.

WEARDEN, John H. "Applying the Scalar Timing Model to Human Time Psychology: Progress and Challenges". In: HELFRICH, Hede (Org.). *Time and Mind II: Information Processing Perspectives*. Cambridge, MA: Hogrefe & Huber, 2003. pp. 21-9.

_____. "'Beyond the Fields We Know...': Exploring and Developing Scalar Timing Theory". *Behavioural Processes* 45 (abr. 1999), pp. 3-21.

_____. "'From That Paradise...': The Golden Anniversary of Timing". *Timing & Time Perception* 1, nº 2 (2013), pp. 127-30.

_____. "Internal Clocks and the Representation of Time". In: HOERL, Christoph; MCCORMACK, Teresa (Orgs.). *Time and Memory: Issues in Philosophy and Psychology*. Oxford: Clarendon, 2001. pp. 37-58.

_____. *The Psychology of Time Perception*. Londres: Palgrave Macmillan, 2016.

_____. "Slowing Down an Internal Clock: Implications for Accounts of Performance on Four Timing Tasks". *Quarterly Journal of Experimental Psychology* 61, nº 2 (2008), pp. 263-74.

WEARDEN, John H. et al. "Why 'Sounds Are Judged Longer than Lights': Application of a Model of the Internal Clock in Humans". *Quarterly Journal of Experimental Psychology. B, Comparative and Physiological Psychology* 51, nº 2 (1998), pp. 97-120.

WEARDEN, John H.; JONES, Luke A. "Is the Growth of Subjective Time in Humans a Linear or Nonlinear Function of Real Time?". *Quarterly Journal of Experimental Psychology* 60, nº 9 (2006), pp. 1289-1302.

WEARDEN, John H.; LEJEUNE, Helga. "Scalar Properties in Human Timing: Conformity and Violations". *Quarterly Journal of Experimental Psychology* 61, nº 4 (2008), pp. 569-87.

WEARDEN, John H.; MCSHANE, Bairbre. "Interval Production as an Analogue of the Peak Procedure: Evidence for Similarity of Human and Animal Timing Processes". *Quarterly Journal of Experimental Psychology* 40, nº 4 (1988), pp. 363-75.

WEARDEN, John H. et al. "Internal Clock Processes and the Filled-Duration Illusion". *Journal of Experimental Psychology. Human Perception and Performance* 33, nº 3 (2007), pp. 716-29.

WEARDEN, John H.; PENTON-VOAK, I. S. "Feeling the Heat: Body Temperature and the Rate of Subjective Time, Revisited". *Quarterly Journal of Experimental Psychology. Section B: Comparative and Physiological Psychology* 48, nº 2 (1995), pp. 129-41.

WEARDEN, John H. et al. "Stimulus Timing by People with Parkinson's Disease". *Brain and Cognition* 67 (2008), pp. 264-79.

WEARDEN, John H.; WEARDEN, A. J.; RABBITT, P. M. A. "Age and IQ Effects on Stimulus and Response Timing". *Journal of Experimental Psychology: Human Perception and Performance* 23, nº 4 (1997), pp. 962-79.

WIENER, Martin; MAGARO, Christopher M.; MATELL, Matthew S. "Accurate Timing but Increased Impulsivity Following Excitotoxic Lesions of the Subthalamic Nucleus". *Neuroscience Letters* 440 (2008), pp. 176-80.

WITTMANN, Marc et al. "Effects of Psilocybin on Time Perception and Temporal Control of Behaviour in Humans". *Journal of Psychopharmacology* 21, nº 1 (2007), pp. 50-64.

WITTMANN, Marc; LEHNHOFF, Sandra. "Age Effects in Perception of Time". *Psychological Reports* 97, nº 3 (2005), pp. 921-35.

WITTMANN, Marc; LELAND, David S.; CHURAN, Jan; PAULUS, Martin P. "Impaired Time Perception and Motor Timing in Stimulant-Dependent Subjects". *Drug and Alcohol Dependence* 90, nºs 2-3 (2007), pp. 183-92.

WITTMANN, Marc et al. "Accumulation of Neural Activity in the Posterior Insula Encodes the Passage of Time". *Neuropsychologia* 48, nº 10 (2010), pp. 3110-20.

WITTMANN, Marc; WASSENHOVE, Virginie van. "The Experience of Time: Neural Mechanisms and the Interplay of Emotion, Cognition and Embodiment". *Philosophical Transactions of the Royal Society of London. Series B, Biological Sciences* 364, nº 1525 (2009), pp. 1809-13.

WITTMANN, Marc et al. "Impaired Time Perception and Motor Timing in Stimulant-Dependent Subjects". *Drug and Alcohol Dependence* 90, nºs 2-3 (2007), pp. 183-92.

WITTMANN, Marc et al. "The Relation between the Experience of Time and Psychological Distress in Patients with Hematological Malignancies". *Palliative & and Supportive Care* 4, nº 4 (2006), pp. 357-63.

Índice onomástico

I Congresso Internacional de Psicólogos (Paris, 1891), 211
I Exposição Nacional de Cinema (1916), 212

A

Adams, Chuck, 206
adenosina, 83
Airy, John Biddel, astrônomo real, 28, 153, 162
"agoridade, percepção da", *veja* tempo subjetivo
Agostinho, Santo,
 conceito de tempo de, 7, 13-6, 54-5, 116-7, 120, 127, 129, 166, 199, 264
 sobre tensão da consciência, 14-5, 54, 116-9, 128-30, 196, 230, 340, 349
Alemanha, 27, 48, 125
alerta, estado de, 53
Alice no país das maravilhas (Carroll), 260
Allman, Melissa, 320
amígdala, 232, 307-8
animais, estudos com,
 da duração da percepção, 77, 79, 93, 97, 121, 161, 182, 317
 de ritmos circadianos, 47, 55, 57, 65, 70, 74, 93
 medição do tempo de intervalo, 53, 58, 65, 241, 245, 274, 278-80, 282, 306
"Ano Vago", 39
Antártida, 88, 92
antecipação, 57, 173, 199, 203, 272, 336
Apocolocintose do divino Cláudio (Sêneca), 20
aquecimento global, 90, 98, 185
Arias, Elisa Felicitas, 29, 322
Aristóteles, 54, 115, 118, 127
Arnold, John, & Son, 29
arrastamento, 61, 69
Ártico, 17, 86-7, 89-90, 96, 98
Aschoff, Jürgen, 48, 82
Astroland, 227
astronomia, 150, 153, 155, 158
astrônomo real, 28, 153, 162
Atlas of Brain Maps, 306
atômico, tempo, 25-6, 33, 36, 99, 101, 144, 150
atenção,
 alcance da, 87, 145, 214, 219, 321
 estruturas cerebrais envolvidas na, 37, 125, 127, 169, 213, 218, 232, 243, 250, 321
 prestando, 104, 118, 120, 125, 135, 176, 219, 250, 253, 265, 278, 282, 298, 312, 314-5
attossegundos, 143-4

auditivo, córtex, 308
autismo, 299, 320
autômata, 161, 313
autômato, teoria do, 125
azul-esverdeadas, algas, 73

B

Baer, Karl Ernst von, 137-8, 141
Barger, Laura, 107
basais, gânglios, 309-13, 316
Baum, Steve, 332
Beauvoir, Simone de, 332
bebês, *veja* crianças
behaviorismo, 277-8, 280
Belville, John Henry, 29
Belville, Ruth, 29
Benzer, Seymour, 57
Bergson, Henri, 296
Bhopal, 53
Big Bang, 11-2
biologia, 15, 22, 47, 90, 107, 116, 135, 169-70, 344
   circadiana, *veja* circadianos
   comportamental, 15, 48, 107, 135, 305
   na avaliação de tempo, 22, 47, 116
   ritmos do aquecimento global, 90
   ruído (variações no desempenho), 107
bissecção, tarefa de, 289
Blickfield, 146
Bois-Reymond, Emil du, 160
Boring, Edward G., 166
Boston Elevated Railway Company, 211
Braam, Janet, 57
Brigham e Hospital de Mulheres, 107

British Barbarians, The (Grant), 135
Broca, Paul, 161-2
Brookhaven, Laboratório Nacional de, 144
Buonomano, Dean, 204-10
Business Psychology (Münsterberg), 211
Byrd, Almirante Richard, 42, 88

C

Cabinet (revista), 46
cachoeira, efeito da, 171
calendários, 81
California Institute of Technology (Caltech), 187
cameo, efeito, 217
carbono, átomos de, 54, 90
Carroll, Lewis, 260
causalidade, 168, 186, 190, 192, 255
celestial, meridiano, 150
cerebelo, 232, 304
cérebro, estudos de imagem do, 218
césio, 25-7
Chapman, John Jay, 164
Chaucer, Geoffrey, 261
Chernobyl, 53
Chesterton, G. K., 137
Church, Russell, 278
cianobactéria, 73-9
Cícero, 24
circadianos, ritmos, 51-3, 58, 64, 70, 88, 98, 102-3, 108, 167
   de funções corporais, 102-3, 108, 167
   em experimentos de isolamento, 87
   estudos com animais de, no Ártico, 88, 93
   fetal, 64

genética de, de crianças, 70
microbial, 64
reprogramação de, 61
Circular T (mensal, do BIPM, relatório do Departamento do Tempo), 33-4
City University de Nova York, 240
Clay, E. R., 129, 145
Clement, William, 25
clepsidra (relógio de água), 24, 279, 302
clima, mudança do, 90, 96-7
cognitiva, ciência, 149, 169, 176, 200, 278, 304, 318-20
Colwell, Chris, 102-3, 105
Conceito do tempo, O (Heidegger), 339
condicionamento, 277-8
Condillac, Etienne Bonnot de, 140
Confissões (Santo Agostinho), 7, 13-4
consciência, 16, 38, 50-1, 58, 125, 128, 130-1, 135-6, 141, 146-7, 161, 176, 178, 180, 190, 203, 207, 224, 230-1, 244, 267, 291, 297, 301, 340-1
    Agostinho sobre, 16, 129-30
    âmbito da, 146-7
    fluxo de, 118
    do tempo, 50, 129-30, 132, 135-6, 147, 155, 196, 266, 268, 276
    James sobre, 118, 125, 130
Contos da Cantuária (Chaucer), 261
Convenção do Metro, 23
Corkum, Paul, 143-4
corpo caloso, 307
corrida espacial, 46
córtex cerebral, 245, 307
cosmologia, 15
Crane, Stephen, 136
crianças (infantes), 16, 50, 68, 70, 72, 116, 121-2, 236, 238, 240-4, 246, 251, 276, 290, 320, 347

cristianismo, 13
cronobiologia, 48
cronômetro, 29, 205, 226, 231, 270, 279, 295
cronoscópios, 150, 154, 162
criptocromos, 80
Crítica da razão pura (Kant), 201
Crystal Age, A (Hudson), 135
Culture of Time and Space, 1880-1918, The (Kern), 213
Czeisler, Charles, 107

D

2001: Uma odisseia no espaço (filme), 222
Darwin, Charles, 137, 195
Dasein, 339-40
debut, efeito, 217-9
Deegan, Linda, 97-8
defasagem, tempos de, 155, 190
Degas, Edgar, 287-90, 295, 300
Dennett, Daniel, 172, 176
Departamento de Defesa dos Estados Unidos, 30
Descartes, René, 13, 176
dias, 14, 16, 24, 44, 51, 56, 61, 73, 75, 87, 91-2, 99, 101, 107, 109, 123, 167, 186, 296, 318, 323, 327, 350
    Ártico e Antártico, 344, 346
    de experimentos com isolamento, 44, 46-7, 62, 81, 85
    de duração de vida, 138, 152
    na colação de dados no UTC, 32-3
    percepção pelas crianças dos, 63-6, 69, 241-2, 255-6
    reprogramando diferentes durações dos, 33, 101, 104-5, 107, 237
    veja também circadianos, ritmos
"dia dos dois meios-dias, o", 158

Dierig, Sven, 161
DiMauro, Louis, 144
Disneyworld, 263
disseminação do tempo, 26, 28-9, 35, 48, 67, 101, 150
DNA, 55-7, 75-6, 79-80, 303
Dopamina, 63, 280-1, 304, 309, 312, 317
Dresser, Annetta, 124
drogas, efeitos na percepção do tempo, 265, 276, 280, 300, 304
Droit-Volet, Sylvie, 289-96
duração, 26, 48, 50-1, 55, 61, 105, 115, 117, 126-7, 138, 141, 146-7, 185
   distorções de, 26, 48, 140, 143, 185, 220, 228, 232-3, 298, 304, 312
   do presente especioso, 129-30, 132, 135, 145, 149
   em contextos que se movem e que não se movem, 272
   estimativas de, 50, 118, 127, 185, 196, 199, 224-5, 240, 280-6, 293-4 (*veja também* marca-passo acumulador, modelo de)
   estudos com animais, 76, 105, 107, 148, 162, 273-4
   reação de infantes e crianças a, 240, 243-4, 246, 251
   medida de, 61, 78, 115, 130, 140-1, 143, 149, 166, 179, 205-6, 239, 257, 325
   percepção de, 185, 272
   sentimentos resultantes de não coincidência de, 56, 138, 140, 143, 149, 165, 206, 209, 217, 219, 269, 272, 324, 327
   teorias da memória no julgamento de, 327

E

Eagleman, David, 167-71, 173-5, 177-9, 181-94, 204, 214-8, 220, 223-8, 230-3
ecossistemas, 86-90
Edison, Thomas, 162
efeito *oddball*, 217-20, 222-4
Einstein, Albert, 99, 159, 167, 237-8, 356
eletrocronografia, 155, 218
eletrônicos, ruídos, 31
emoções, 125, 290, 292
   estruturas cerebrais envolvidas em, 37, 291
   percepção do tempo influenciada por, 294, 319
   sincronia e, 214, 290
   surgimento de, 291, 293
empatia, 294, 296
enzimas, 64, 74, 80
Era do Gelo, 89, 138
erros de antecipação, 203
equação pessoal, 153-5
escalas, relatividade de, 139
Escritório Internacional de Pesos e Medidas, 22, 29, 31, 37, 101, 322
   Comitê Consultivo para Tempo e Frequência (CCTF), 36
   Departamento do Tempo, 29, 33, 36, 322
espacial, informação, 204, 208
especioso, presente, 129-30, 132, 135, 145, 149
esquizofrenia, 299, 318
estações, 21, 86, 93-4, 97-8, 135, 138, 241
estado oculto, 208-9
estelar, trânsito, 152-3
estriado dorsal, 304, 310
eucariotos, 55, 73

experiência existencial do tempo, 276
Exner, Sigmund, 147
Expectativa Escalar, Teoria de (SET), 274, 278-9
experimentos, 57, 77, 84, 99, 211, 290, 355
  com infantes ou crianças, 238, 243, 245
  ilusão visual, 135, 171, 184, 214-6
  isolamento, 48, 81, 84, 88, 108, 163
  percepção do tempo, 147-9, 168, 209, 281, 298
  psicológicos, 147-8
  queda livre, 154, 165, 225-7, 232
  ressonância magnética funcional, 220
  rosto que fala, 235-6, 246, 248-50, 256-7
  temperatura corporal, 52-3, 59, 81-4, 271
  tempo de resposta, 149, 155, 173, 186
  veja também animais, estudos com
Exxon Valdez, 53

F

Faculdade de Medicina Baylor, 167
  Laboratório de Percepção e de Ação, 170
Faculdade de Medicina da Universidade da Flórida, 67
femtossegundos, 142-3
fenomenologia, 120
fetal, desenvolvimento, 62, 65
Feynman, Richard, 55
fim do mundo, 342

"Finding a Life Work" (Münsterberg), 211
First and Last Things (Wells), 136
Flamsteed, John, astrônomo real, 28, 153, 162
flash-lag, efeito, 171, 173-4, 177, 181-3
flecha do tempo, 50
fotoliase, 80
fotossíntese, 73-4, 76
Fraisse, Paul, 196, 267, 277
Fraser, Julius T., 355-6
frequência, padrões de, 26, 28
frequência cardíaca, 52, 63, 68, 290-2
Freud, Sigmund, 200-1, 237
Friedman, William, 240-2, 244, 335-6
"fuga da luz", hipótese da, 79
fungos, 74, 76-7

G

Galileu, rede, 30
Galison, Peter, 157, 159
Gandhi, Mohandas K., 237
genes, 55-7, 60, 62, 64, 75, 77, 93, 255
Georgia State University, 305
Gibbens, Alice, 124
Gibbon, John, 274, 278-9, 282
Gibson, J. J., 263-4
Gilbreth, Frank, 7
Global Positioning System (GPS), 27, 30-2, 34, 67, 91
globalização, 22
Golden, Susan, 75-7
Graves, Bernice, 155-6
gravidade, 11, 17, 24-5, 99, 165, 225, 230, 255
Great Book of Optical Illusions, The (Seckel), 171

Greenwich, Observatório de, 28, 100, 151-2, 162
Greenwich, Tempo Médio de, 29
Grotte de Clamouse, 108-9
Guerra dos mundos, A (Wells), 206
Guerra Fria, 46
Guyau, Jean-Marie, 276

H

Haggard, Patrick, 188
Harrington, Deborah, 305
Hawking, Stephen, 12
Hawthorne, Nathaniel, 114
Heidegger, Martin, 13, 120, 157, 237, 339-40
Helmholtz, Hermann von, 153-4
hipocampo, 131, 307-8
hipotálamo, 59, 61-3, 66-7
Hipp, Matthias, 154
Hirsch, Adolph, 151, 153-5
Hoagland, Hudson, 270-2
homeostática, pressão, 83
Homero, 347
homúnculo, 125, 161, 221
hormônios, 52-3, 59-60, 63, 93, 232, 270
Houdini, Harry, 270
horários de trem, 22, 100
horas, 16, 21-4, 28, 30-1, 37, 43, 45-6, 52-3, 56, 58-9, 61-2, 64-5, 69, 73, 77-80, 82, 87, 91-2, 99-101, 104, 106, 109, 113, 115, 131, 139-40, 151-2, 157-8, 198, 225, 245, 262, 264-7, 303, 310, 318, 323, 335, 339, 343-4, 348
  em zonas horárias, 47-8, 53, 56, 58-9, 61-2, 64-5, 69, 71, 74-5, 77, 82, 93, 95, 102, 107, 113, 167
  na duração da vida, 66, 79, 93, 104
  no ciclo sono-vigília, *veja* circadianos, ritmos
humores, 53
Huntington, doença de, 299
Huxley, T. H., 135
Huygens, Christiaan, 24-5

I

IBM, 316
ilusão visual, experimentos de, 135, 171, 184, 214-6
ilusões, 171, 179, 219, 290
  em experimentos, 172-8, 181, 190-91, 216, 220
In the Maelstrom of American Modernism (Richardson), 124, 137
incas, 39
incorporação do tempo, 293, 349
incrível cérebro que cresce (brinquedo), 310
indiferença, ponto de, 148
industrialização, 160
insônia, 66, 124
Instituto Max Planck para Fisiologia Comportamental, 48
  Departamento de Ritmos e Comportamentos, 48
intervalo, 24, 34, 107, 113, 146-7, 165, 167, 179, 190, 206, 208, 234
  ativação (*arousal*), 291
  estudos com animais de, 273-4, 278, 317
  medição de, 147, 149, 167-9
  medição de tempo de, 34, 130, 147, 209-10, 249, 262, 264, 270-2, 276, 278, 280-2, 284-6, 293, 297-9, 304-6, 309, 313, 334, 337
  modelo de, 325

pesquisa sobre, 146-8, 270-1, 273-5, 279, 280-2, 284, 310-1, 321, 325, 334
Instituto Nacional de Metrologia do Japão, 27
intervalos rotacionais, 24
intoxicação, efeitos na percepção do tempo, 112, 265, 275, 288
Intransigeant, L' (jornal), 339
isolamento, experimentos de, 48, 81, 84, 88, 108, 163
Ivry, Richard, 322

J

Jahanshahi, Marjan, 304, 319
James, Henry, 137
James, William, 145, 149, 158, 164, 211, 219, 264, 277, 284
  haxixe, uso por experiência sensorial de crianças descrita por, 112, 141
  sobre envelhecimento e tempo de percepção, 45, 125-31, 219, 264, 284, 323, 324, 326-7
  sobre consciência, 118
  sono-vigília, hábitos de, 124
  Wells e, 136
Janela temporal de contiguidade intersensorial, 249
Janet, Paul, 324-6
Janssen, Steve, 335-7
Japão, 27
jet lag, 98, 101-5
Johnson, Carl, 74-5, 77
Johnson, Mark, 12
Jones, Catherine, 319-21
Joubert, Charles, 326
judeus, 242, 332

K

Kant, Immanuel, 50, 129, 201, 355
Kelly, E. Robert, 129
Kelly, Mike e Mark, 99
Kern, Stephen, 213
Kesey, Ken, 91
Kipling, Rudyard, 136
Konopka, Ronald, 57

L

Lakoff, George, 12
Lashley, Karl, 202-3, 207-8
Lehnhoff, Sandra, 333, 335
Lemlich, Robert, 325-6, 329
Lewkowicz, David, 235-6, 242-57
ligação intencional, 188
límbico, sistema, 307-8
livro Guiness dos recordes mundiais, 342
Lloyd, Dan, 295
lobo frontal, 162, 308
lobo occipital, 308
lobo parietal, 308
lobos temporais, 308
Locke, John, 140, 327
longitude, 79, 100, 151
Looking Backward (Bellamy), 135
Loudon, Andrew, 93

M

Mach, Ernst, 276
Malapani, Chara, 304
Malebranche, Nicolas, 139
malthusianismo, 80
Manet, Édouard, 287
Mann, Thomas, 237

Máquina do tempo, A (Wells), 134-6
marca-passo acumulador, modelo de, 206, 217, 279-82, 285, 291, 295, 298, 314, 318
Marte, 106-7
Marx, Karl, 161
Matell, Matthew, 297-300, 303-7, 309-17
McClure's Magazine, 211
McGurk, efeito, 248
Meck, Warren, 169, 277-80, 282, 304, 309-10, 313, 316, 318-20, 322
medida, padrões de, 22-3, 31, 90, 130, 146-7, 291, 334, 340
Médico e o monstro, O (Stevenson), 136
Meia-Noite, Caverna da (Texas), 81, 84
melatonina, 63, 69
medida, padrões de, 23
memória, 13-4, 113, 125, 128, 130, 166, 213-4, 276, 299, 349
  ativa, 66
  cinema como simulação de, 66
  em experimentos de isolamento, 88, 93, 109
  em tradução simultânea, 197
  estudo com animais, 278-80
  estruturas do cérebro envolvidas na, 37, 131, 162, 232, 300, 307, 312
  falhada, 84, 131, 233, 313, 319, 327-8
  inconfiabilidade da, 131, 198, 326-8
  na infância, 122, 341
  na teoria do tempo escalar, 13, 264, 290, 313, 318, 329
  percepção do tempo e, 118, 126, 199
  transiente, em "estado oculto", 208
mente inconsciente, 200
merenda, 278
Metropolitan Museum of Art, 287
Miall, Chris, 310
Michigan State University, 320
microbiologia, 74-5
microscópios, 90, 137, 139, 141, 143, 149, 301
microssegundos, 30, 210, 303
Miles, Walter, 155-6
milissegundos, 30, 99, 168, 176, 179-80, 186-9, 194, 204-10, 247, 249
  base neural do tempo em, 167
  em experimentos de percepção do tempo, 174, 182, 184, 190-2, 206, 208, 218, 223, 227, 303-4, 310-1
  mais baixo limite absoluto de resolução temporal, 149
  num modelo de marca-passo acumulador, 206, 217, 279-82, 285, 291, 295, 314, 318
Mill, John Stuart, 131
Milwaukee Electric Railway, 267
Mindworks: Time and Conscious Experience (Pöppel), 200-3, 206
minutos, 7, 24-8, 37, 44-5, 53, 96, 99, 144, 171, 185, 199, 206, 215, 266, 273-5, 314, 346-7, 350
  à luz do dia, 69-70, 107, 134
  antes do fim do mundo, 338
  concretização de tarefa medida em, 157, 167, 221, 270
  da duração da vida, 138
  de intervalo de tempo, 152, 167, 262, 271-2, 304, 310, 314, 323
  em ciclos sono-vigília, 97
  no estabelecimento de zonas horárias, 100

no presente especioso, 149
no timing de funções corporais, 48, 52, 65, 107, 132, 197, 283
nos dias de Marte, 106
percepção por crianças, 70, 228, 236, 269
Mitchell, Stephen, 350
modelo do processo opositor de difusão e deriva, 316
modelo estriado de frequência de pulsos, 313, 315-6
morse, código, 205-8
Motion Study (Gilbreth), 7
Motivation and Morale in Industry (Viteles), 267
movimento rápido dos olhos durante o sono, 83
Muitos Relógios, escola de, 77
Münsterberg, Hugo, 211-3

N

Naber, Marnix, 292
Nações Unidas, 23
nanossegundos, 27, 30-1, 33-4, 38, 99, 142
Nasa (National Aeronautics Space Administration), 81
National Institute of Standards e Technology (NIST), 26-8, 53, 67
estação de rádio WWVB, 28
Nazista, Partido, 340
Nelson, Katherine, 240, 341
neurobiologia, 16, 305
Neuron (revista), 205
neurociência, 170, 204, 217, 299, 315
pesquisa do tempo em, 168, 214, 295, 300
neuroquímicos, 60, 63, 65, 69, 83, 207, 309

Neurospora, 58
Newton, Isaac, 159
newtoniana, física, 195
New York Herald, 158
New Yorker, The, 168
Nietzsche, Friedrich, 350-1
nitrogênio, fixação de, 74
Noção de tempo na criança, A (Piaget), 238
North Alabama University, 326
Northeastern University, 235
Nothin' but Net 100-foot Free Fall, 165, 168, 227-8
Notícias de lugar nenhum (Redmond), 135
"Novo acelerador, O" (Wells), 141
núcleo supraquiasmático, 59-64, 67, 101-3, 398

O

O'Brien, John, 89-91, 94
Oberlin College, 240, 316, 335
Observatório Naval da Argentina, 29
Observatório Naval dos Estados Unidos, 27, 29, 31, 34, 67
Observatório Real (Greenwich, Inglaterra), 28, 151-2, 162
ocupação, 202
oddball, efeito, 217-20, 222-4
Ohio State University, 304
Ono, Yoko, 14
ordem temporal, 50, 64, 176, 179, 186-7, 203, 205, 209, 244
experimentos sobre, 191-3, 196
orientação temporal, 43
Ortous de Mairan, Jean-Jacques d', 47
ozônio, camada de, 79

P

paradoxos, 114-5, 117-8, 129, 281, 332
Parker, Tom, 26-8, 35
Parkinson, doença de, 281, 299, 305, 318, 320
Pavlov, Ivan, 273, 278
pele, condutividade da, 290, 292
pêndulo, relógios de, 4-5, 54, 149-50
Penn State University, 277
Penney, Trevor, 320
Pennsylvannia Railroad, 211
per, proteínas, 57
periodossomos, 75
Photoplay, The: A Psychological Study (Münsterberg), 212
Physikalisch Technische Bundesanstalt, 27
Piaget, Jean, 237-40, 242, 245-6, 276
picossegundos, 142
pineal, glândula, 176
pirarrã, povo, 116
piscar, 166, 194
plantas, 47, 55, 57-8, 74, 76-7, 79, 90, 98
Platão, 46, 114-5
Plauto, 39
Pond, John, astrônomo real, 28, 153, 162
Pöppel, Ernst, 200-3, 206
posvisão, 174, 180-1, 184
pressão sanguínea, 52-3, 59, 81, 105
Princípios de psicologia (James), 112, 124-5, 135, 149, 277, 323
"Problema da ordem serial no comportamento, O" (Lashley), 202
procariotas, 73, 76
processamento de informação, modelo de, 279, 282, 301, 317
proteínas, 55-7, 60, 75-7, 79, 103, 257
Proust, Marcel, 43, 339, 355
psicologia, 16, 50, 64, 112, 119, 124-5, 135, 149, 155, 162, 166, 196, 203, 211, 213, 234, 244, 254, 263, 271, 276-7, 290, 295, 300, 305, 323
  cognitiva, 318
  da percepção do tempo, 263
  desenvolvimental, 50, 235, 239, 254, 341
  industrial, 211, 267
  veja também psicologia experimental; James, William
psicologia experimental, 290
  na Alemanha, 125
psicologia industrial, 211
Psicofarmacologia, 310
psicofísica, 276
Psychology and Industrial Efficiency (Münsterberg), 211
Psychology of Time, The (Fraisse), 196
Psychology of Time Perception, The (Wearden), 263, 299

Q

quartz, relógios de, 21, 25
queda livre, experimentos de, 154, 165, 225-7, 232
quiasma óptico, 59
Quimby, Phineas, 124

R

recalibração, 189
redundância, 36, 257

relatividade de escalas, 139
relatividade especial, teoria de Einstein da, 99
Relógio Único, escola do, 77
relógios de água, 24, 302
relógios de sol, 39
relógios principais:
  EIPM, 31-3, 35
  na psicologia humana, 49, 139
repetição supressão de fenômenos, 219
ressonância magnética funcional (RMF), 220-1, 223
retino-hipotalâmico, trato, 61, 63, 67
Richardson, Robert, 134, 136-7
Rifkin, Jeremy, 38
rivalidade, fenômeno da, 216
Rivkees, Scott, 67-8
roda da carroça, efeito, 214-5
Romano, Império, 13
rosto que fala, experimento do, 235-6, 246, 248-50, 256-7
Rousseau, Jean-Jacques, 82
Rowling, J. K., 348
ruído, 31-2, 84, 153, 162-3, 244, 316, 335-6

S

Salk, Instituto, 170
satélites, 23, 27-8, 31, 34, 48, 61, 67, 101
  veja também Global Positioning System
Saturday Review, 135
"Scalar Timing in Memory" (Church, Gibbon e Meck), 278
Scarasson, caverna de (França), 46, 48, 82, 108

Schirmer, Annett, 320-1
Schmidgen, Henning, 151
Science of Work, The (Viteles), 267
Scripture, Edward Wheeler, 163
Seckel, 171
segundos, 16, 24-7, 44, 143-4, 323
  bissextos, 26, 33
  em estudos de percepção de duração, 26, 44, 49, 71, 132, 147, 165-6, 196, 199, 215, 228, 234, 240, 262, 269-70, 272, 275-6, 278, 281, 312, 317
  em experiência de "agora", 146
  em experimentos de medição de intervalo, 26, 30, 33-4, 114, 146, 149, 152, 202, 207, 213, 270, 273-4, 282-3, 285, 297, 304-5, 317
  frações de (*veja também* milissegundos), 30, 99, 149, 167-8, 173-4, 176, 179-80, 182, 184, 186-92, 194, 205-10, 218, 223, 227, 247, 249, 303-4, 310-1
seleção natural, 56, 76-8, 186, 255
Sêneca, 20
sentidos, 21, 49, 79, 126, 130, 141, 171, 194, 237-8, 320
"Ser [ou estar] no mundo", 339
Serviço Internacional de Sistemas de Referência e Rotação da Terra, 30
Siffre, Michel, 46-8, 65-6, 81-5, 108-9
Simen, Patrick, 316
simultaneidade, 158, 186
  experimentos com infantes e crianças, 238, 243, 245
  linguística, 246
  neuronal, 192-4
  percepções de, 50
  veja também sincronia
sinapse, 207, 301-3

sincronia, 26, 28, 30, 35, 56, 60, 63, 157, 176, 179, 186, 204, 235-6, 313, 318
   audiovisual, 247, 249, 254
   biológica, 257
   de mecanismos de medição do tempo, 157, 179, 249, 257, 318
   desenvolvimento na infância e na juventude da, 67, 248-52, 255, 257
   linguística, 252, 257
   veja também circadianos, ritmos
sintaxe, 197, 202-3
Skinner, B. F., 277-8, 290
Small Boy and Others, A (James), 137
"Sobre a idade e a velocidade subjetiva do tempo" (Lemlich), 329
"Sobre a origem da noção do tempo" (Guyau), 276
Sociedade Entomológica Russa, 137
Sociedade Internacional para o Estudo do Tempo, 355
Sociedade Matemática de Nova York, 136
Soma de tudo, A (Eagleman), 168
somatossensorial, córtex, 308
Sometimes a Great Notion (Kesey), 91
sonhando acordado, 267
sonhos, 170
sono-vigília, ciclos, 47-8, 53, 56, 58-9, 61-2, 64-5, 69, 71, 74-5, 77, 82, 93, 95, 102, 107, 113, 167
Sorbonne, 324
Sozinho (Byrd), 42, 88
Spencer, Herbert, 141
Stetson, Chess, 187, 190
Stevenson, Robert Louis, 136
Strogatz, Steven, 53
Study of Time, The (Fraser), 356
Subjective Time (Lloyd et al.), 295

substantia nigra pars compacta, 306, 309
Sunnybrook, Centro Médico, 332
Swift, Jonathan, 139

T

tálamo, 59, 62, 66, 177, 307-8, 310, 312
taxonomia do tempo, 321-2
TED, palestras no, 168
tédio, 42, 82, 106, 144, 196
telecomunicações, 30, 142
telégrafo, 29, 151, 153-5, 158, 162-3, 205
telescópios, 139, 151-2, 154, 197
temperatura corporal, 52-3, 59, 81-4, 271
tempo, padrão de, 150
tempo atômico, 26, 36, 150
tempo de reação, 156
tempo externo, 49
tempo fisiológico, 154-5, 204
tempo interno (endógeno), 48, 56, 63, 65, 73, 82, 105
tempo objetivo, 315
tempo retardado, experiência do, 167
tempo subjetivo, 219, 295, 315
Tempo Universal, 23, 25, 30, 32-3, 35-6, 150
Tempo Universal Coordenado (UTC), 23, 32-5
"Tempo voa quando lemos palavras que são tabu, O" (Tipples), 284
tempos verbais, 118, 129
Tennyson, Alfred, Lord, 126
Terra, 23-4, 26, 29, 37, 39, 58, 73, 91, 99-100, 106, 108, 139, 142, 159, 343

rotação e órbita da, 26, 30, 61, 106, 109, 140, 157
terremotos, 25, 139, 164
Teste Viteles para Seleção de Maquinistas, 267
Texas, Lançador do, 228
Thoreau, Henry David, 98
Three Mile Island, 53
tim, proteínas, 57
Time, the Familiar Stranger (Fraser), 356
Time Wars (Rifkin), 38
Tolstói, Liev, 136
tomografia computadorizada, 218
Toolik Field, estação (Alasca), 86-7, 89-97
Trans-Alasca oleoduto, 87
Treisman, Michael, 279-80
Trinity College, 295
Triptofano, 69
Tristram Shandy (Sterne), 136
Tufts Medical School, 270
Turner, Frederick, 356
turnos de trabalho, 104

U

Ultravioleta, radiação, 79-80
União Europeia, 30
Unidade de Tratamento Intensivo Neonatal (NICU), 67-8, 245
Unidades de medida, padronizadas, 22-3, 31, 90, 130, 146-7, 291, 334, 340
Universidade Bauhaus, 151
Universidade Blaise Pascal, 289
Universidade Brown, 278
Universidade Cardiff, 319
Universidade Columbia, 274
Universidade da Califórnia
  Berkeley, 322
  Los Angeles (UCLA), 102
  San Diego, 75, 277, 305
Universidade da Carolina do Norte em Greensboro, 89
Universidade da Flórida, 67
Universidade da Pensilvânia, 267
Universidade de Amsterdam, 335
Universidade de Birmingham, 310
Universidade de Boston, 270
Universidade de Cincinnati, 325
Universidade de Edimburgo, 274
Universidade de Manchester, 93
Universidade de Pádua, 250
Universidade de Ottawa, 143
Universidade de Utrecht, 292
Universidade Duke, 169, 215, 277, 304, 335
Universidade Harvard, 104, 107, 124, 202, 211, 213, 270
  Escola de Medicina da, 107
Universidade Keele, 263
Universidade Ludwig Maximilian, 333
Universidade Nacional de Singapura, 320
Universidade Oxford, 169, 279
Universidade Rice, 57, 169
Universidade Stanford, 155, 164, 167
Universidade Vanderbilt, 74
Universidade Villanova, 297-9
Universidade Yale, 163
University College de Londres, 305
Universo e o dr. Einstein, O (Barnett), 167
Utopia (Wells), 136

V

Van Gogh, Vincent, 287
velocidade da luz, 131, 142, 175
vida, durações de, 218
Vierordt, Karl von, 147-8
viés de movimento, 184
Virgílio, 261
visual, córtex, 177-9, 183, 232
Viteles, Morris, 267
Voices of Time, The: A Cooperative Survey of Man's View of Time as Expressed by the Humanities (Fraser), 356
Vonnegut, Kurt, 347

W

Walker, James, 326
Wall Street Journal, The, 206
Warner, Glenn "Pop", 155
Wearden, John, 263-8, 271, 282-3, 285-6, 298-9, 320, 323-4
Wearing, Clive, 131
Wearing, Deborah, 132
Weather Port, cabana da, 92
Wells, H. G., 134-7, 141, 206
Wet Mind, The (Kosslyn e Koenig), 310
Whac-a-Mole, 292
What Pathway [Caminho do Quê], 308-9
"Why We Go to the Movies" [Por que vamos ao cinema] (Münsterberg), 212
Wittgenstein, Ludwig, 13
Wittmann, Marc, 333, 335-7
Woods Hole, Laboratório Biológico da Marinha, 89, 97
Woolf, Virginia, 213
Wundt, Wilhelm, 125, 128, 146, 148, 155, 161, 211

Y

Yale, 163

Z

Zeitgeber, 70
Zenão de Eleia, 114-5, 129
zeptossegundos, 144
Zero Gravity Thrill, Parque de Diversões, 165, 168, 225-6
zonas horárias, 100, 158
zooplâncton, 90, 94, 96

Créditos das imagens

pp. 200-2: Cortesia de Ernst Pöppel, de *Mindworks: Time and Conscious Experience.*
pp. 212-3: Cortesia dos administradores da Boston Public Library/Rare Books.
p 288: Cortesia do Museu de Arte de São Paulo Assis Chateaubriand.

Todas as outras ilustrações são de Stephen Burdick Design.

Why Time Flies: A Mostly Scientific Investigation
© Alan Burdick, 2017

Todos os direitos desta edição reservados à Todavia.

Grafia atualizada segundo o Acordo Ortográfico da Língua Portuguesa de 1990, que entrou em vigor no Brasil em 2009.

capa
ps.2 arquitetura + design
Fábio Prata e Flávia Nalon
tratamento de imagens
Carlos Mesquita
preparação
Silvia Massimini Felix
índice onomástico
João Gabriel Domingos de Oliveira
revisão
Valquíria Della Pozza
Huendel Viana

Dados Internacionais de Catalogação na Publicação (CIP)
— —
Burdick, Alan (1965-)
Por que o tempo voa: Uma investigação sobretudo científica: Alan Burdick
Título original: *Why Time Flies: A Mostly Scientific Investigation*
Tradução: Paulo Geiger
São Paulo: Todavia, 1ª ed., 2020
400 páginas

ISBN 978-65-80309-89-4

1. Ciências naturais 2. Cronologia 3. Tempo
4. Ensaio I. Geiger, Paulo II. Título

CDD 529
— —
Índice para catálogo sistemático:
1. Ciências naturais: Cronologia 529

todavia
Rua Luís Anhaia, 44
05433.020 São Paulo SP
T. 55 11. 3094 0500
www.todavialivros.com.br

fonte
Register*
papel
Munken print cream
80 g/m²
impressão
Geográfica